LA FILLE DU SACRISTAIN

MICHELINE DALPÉ

Roman

Graphisme :
Chantal Morisset

Couverture :
Jessica Papineau-Lapierre

Révision, correction :
Pierre-Yves Villeneuve

Photographie de la couverture :
ShutterStock

© Les Éditions Coup d'œil, Micheline Dalpé, 2012

Dépôt légal : 1er trimestre 2012
Bibliothèque et Archives nationales du Québec
Bibliothèque nationale du Canada

Imprimé au Canada

ISBN : 978-2-89690-286-6

Micheline Dalpé

La fille du sacristain

Les Éditions
Coup d'œil

DE LA MÊME AUTEURE

Les Batissette, roman, Éditions Au Pied de la Lettre, 1998.

Charles à Moïse à Batissette, roman, Éditions Au Pied de la Lettre, 1999.

La fille du sacristain, roman, Éditions Au Pied de la Lettre, 2002 (réédition Les Éditions Coup d'œil, 2012).

Joséphine Jobé, Mendiante T. 1, roman, Éditions Au Pied de la Lettre, 2003 (réédition Les Éditions Coup d'œil, 2012).

La chambre en mansarde, Mendiante T. 2, roman, Éditions Au Pied de la Lettre, 2005 (réédition Les Éditions Coup d'œil, 2012).

L'affaire Brien, 23 mars 1834, roman, Éditions Au Pied de la Lettre, 2007 (réédition Les Éditions Coup d'œil, 2012).

Marie Labasque, roman, Éditions Au Pied de la Lettre, 2008.

À ma sœur, Suzanne,
mon indispensable.

PROLOGUE

Saint-Jacques, rang des Continuations, été 1955

Célestine transportait péniblement deux chaudières débordantes de lait à la crémerie. Les anses de fer s'enfonçaient dans ses mains et blessaient sa chair vive. Dieu merci, il n'y avait que dix pas de l'étable à la laiterie! Le coin de sa lèvre retroussée évoquait nettement son mépris pour toutes les saletés de la ferme.

La petite maigrichonne transvida le lait encore chaud dans le centrifugeur et mit le courant. Elle s'assit sur une petite chaise infirme, le temps de surveiller l'appareil qui séparait le lait de la crème. À bout de force, Célestine appuya sa tête au mur et, le ronron continu du moteur aidant, elle s'assoupit.

Soudain, la porte claqua et l'adolescente se réveilla en sursaut.

C'était son père qui se pointait. Il condamna vertement son laisser-aller. Et avec raison, s'il n'était pas entré par pur hasard, les bidons auraient débordé et la traite se serait avérée une perte sèche. Le lait et la crème étaient le principal gagne-pain des Gauthier.

Célestine allégua comme excuse sa fatigue extrême. Toute la journée, sous un soleil brûlant, elle s'était tuée à *édrageonner* le tabac.

Émery ne voulait rien entendre. Il ordonna à sa fille de conduire les bêtes à cornes au bout de la terre. Il disait que de l'autre côté du ruisseau le fourrage vert abondait.

Que les bêtes broutent dans les herbettes ou dans la luzerne jusqu'au ventre, Célestine s'en fichait éperdument, le travail aux champs, le train, et tout le tra la la avec. Cette fois, son père exagérait et Célestine avalait de travers cette nouvelle tâche qu'il lui imposait. Elle avait la nette impression que son père la punissait pour sa négligence. Elle qui se tuait à le seconder pendant que ses frères s'esquivaient adroitement.

Indignée, l'adolescente se cabra contre son père et refusa net de lui obéir :

– Non ! Envoyez Marc ! Il ne sait pas quoi faire de sa peau, celui-là ! Il a passé tout l'après-midi sur sa bicyclette.

Émery supportait mal qu'on lui réponde par un non, et plus encore, de se faire dicter sa conduite par un de ses enfants. Il remit Célestine à sa place, d'un ton sec :

– Fais ce que je te dis sans discuter !

Le ronflement sourd du centrifugeur couvrait les voix. Célestine coupa le courant en arrachant le fil d'un geste brusque et, entêtée, elle croisa les bras.

– La terre, c'est l'affaire des garçons. Qu'ils aillent, eux !

En attaquant les garçons, Célestine touchait la corde sensible de son père. Émery avait perdu le contrôle de ses fils et il en éprouvait une grande déception. Il ne l'avouerait jamais à Célestine, de peur que la conduite de ses frères déteigne sur elle.

La discussion s'envenima et Célestine tint tête au point que son père, pour rester maître de la situation, leva la main.

– Va ou je cogne ! dit-il. C'est moi qui commande ici !

La jeune fille affecta un air hautain pour s'élever au-dessus de l'autorité et offrit sa joue.

– Frappez ! dit-elle.

Émery, dérouté, ravala sa salive avec effort et laissa retomber son bras. L'homme s'en tint à la menace. Ce n'était pas dans ses règles de malmener ses enfants.

Devant lui, Célestine conservait sa façade insolente. Et, lentement, très calme, la belle arrogante rassembla le troupeau et s'engagea sur le sentier des vaches.

Émery redoutait cette obéissance soudaine qui devait cacher des dessous malins. Qu'est-ce que sa fille pouvait bien lui réserver derrière cette attitude détachée ? Il la regarda s'éloigner un moment, l'air songeur.

Célestine avait beau porter le front haut, Émery lui trouvait plutôt mauvaise mine. C'était sans doute le ressentiment qui l'abattait, ou peut-être cette robe usée à la corde tout juste bonne à mettre au rancart.

La fille avançait à pas de poule sur la petite route en terre battue. En longeant la pièce de dix arpents, elle jeta un œil méchant au tabac. Tout le jour, elle s'était exténuée à piocher sans répit et, en fin de compte, le travail paraissait ridicule en regard du champ qui s'étendait à perte de vue.

Maintenant, Célestine flânait. S'attarder au travail était pour elle une compensation, une vengeance envers son père qui lui rajoutait sans cesse des tâches déplaisantes. Depuis des années, Célestine besognait comme une forcenée. Sur pied dès le chant du coq, elle se crevait au travail jusqu'au coucher du soleil.

La petite paysanne ne demandait pas la lune. Elle aurait juste aimé s'asseoir sur la galerie comme le faisaient les filles de son âge et avoir des loisirs. Célestine ne trouvait jamais le temps de lire, de se promener, de rêvasser.

Sa mésentente coïncidait avec ses dix-sept ans. Ce jour-là, tout le monde avait oublié son anniversaire. Célestine se sentait une servante. Pire encore, une rien du tout. Elle en voulait à son père qui abusait de ses capacités, à sa mère qui n'intervenait pas en sa faveur, à ses frères qui ne foutaient rien de leurs journées, au monde entier parce que la vie, pour elle, n'avait plus aucun sens.

Arrivée au ponceau de bois qui chevauchait le ruisseau, Célestine tourna la tête. La vieille maison rouge à combles brisés était si loin qu'elle ressemblait à celles qu'on accrochait à l'arbre de Noël. Le regard rancunier de l'adolescente englobait la ferme au complet. «Terre de merde!» marmonna Célestine. Enragée, elle piétina le sol.

Les vaches formaient une belle ligne droite et, dès qu'une bête brisait les rangs, Bijou lui mordillait les jarrets pour reformer la file. Rendue à destination, Célestine ferma avec soin la barrière et, au moyen d'un cercle de fils de métal, l'attacha au pieu de cèdre. Sa tâche terminée, la petite vachère décida de lambiner, supposant que le meilleur moyen d'arriver à se soustraire de ses tâches était de flâner tout comme l'avaient fait ses frères avant elle. Là-bas, à l'étable, son père soignerait les petits gorets et écrémerait seul, ce qui compenserait pour le surplus de tâches qu'il lui allouait. «Ça lui apprendra!» se dit-elle.

À une vingtaine de mètres, la forêt de pins étirait son ombre sur le troupeau. L'odeur pénétrante des foins coupés, les essences de la terre, en admirable accord, tentaient de réconcilier Célestine avec la nature. C'était bien pour rien. Elle détestait tout ça. Seul le ruisseau prenait une importance à ses yeux et Célestine se promit de revenir y flâner.

Elle retira ses savates et descendit à petits pas rapides, entraînée par la pente raide du ruisseau. L'eau vive serpentait entre les cailloux et caressait ses chevilles. Une fraîcheur bienfaisante l'envahit aussitôt des pieds à la tête. À dix-sept ans, l'adolescente s'amusait comme une gamine à faire clapoter ses orteils dans le fond vaseux. La succion qui provoquait des bruits de bécots l'amusait. Quand elle en eut assez de ce petit jeu, elle se retira sur la berge, ramassa sa jupe sous ses fesses, s'en fit un tampon et s'assit délicatement sur une roche brûlante, plate comme un galet. La cigale chantait. Célestine cherchait en vain de quel côté venait sa musique.

Le regard perdu, Célestine se mit à rêver d'une cuisine ensoleillée où de jolis rideaux à pois bleus orneraient les fenêtres. Elle ferma les yeux pour mieux imaginer le beau garçon qu'elle aimerait. Un à un, Célestine passait en revue ceux qu'elle connaissait déjà et à mesure, d'un bout de bois mort ramassé par terre, elle traçait des prénoms sur le sol: Bernard, Gilbert, Jacques, Jean-Marc. Sur chacun, Célestine insistait. « Bernard, la sagesse même. Trop sérieux, mais ça n'enlève rien à ton charme. » Sur son nom, la fille fit un point d'interrogation. « Gilbert, si beau, si attirant! » Célestine s'imaginait, frissonnant dans la douceur de ses bras, mais sa fierté prit le dessus. « Tu as ri quand ton père m'a fait marcher, tu payeras pour. » Une douce vengeance lui fit tracer une croix sur son nom. «Jacques, l'impertinent.» Célestine le revoyait sur les bancs d'école et réapparaissaient ses souvenirs amers. «Non! Trop vulgaire.» Un reste de rancœur qui moisissait dans son âme lui fit rayer son nom de deux grands traits croisés. «Jean-Marc. Si seulement tu me disais ton amour plutôt que de le chanter.» Dans un état de douce mélancolie, la belle rêveuse encercla son nom d'un gros cœur et ferma les yeux.

Bijou aboyait. Célestine en faisait peu de cas. Depuis un bon moment, la petite bête semblait courser avec son ombre.

La jeune fille se jurait que si un jour elle se mariait, jamais, au grand jamais, elle ne mettrait les pieds ni aux champs ni à l'étable. Un sourire de satisfaction se dessinait sur ses lèvres charnues.

À l'horizon, le soleil chavirait déjà sous d'autres cieux. Célestine dut couper court à ses douces chimères. La faim lui creusait l'estomac. Le souper devait l'attendre sur la table de cuisine.

Là-bas, son père avait eu amplement de temps pour écrémer, descendre les bidons de lait dans le puits et laver le centrifugeur. Célestine savait qu'il serait mécontent de son interminable flânerie, mais elle ne le craignait plus. Il avait trop besoin de ses services pour se la mettre à dos.

Elle se leva vivement et vit sur l'autre versant du ruisseau Bijou qui gisait, étendu de tout son long, sur le sol. Célestine regarda mieux, l'appela, croyant que le chien s'amusait à faire le mort. La petite bête ne bougeait pas. C'était plutôt bizarre. Bijou était toujours vif, l'air aux aguets. Célestine le supposa malade ou blessé. Peut-être s'était-il pris dans un piège quelconque. Les Melançon étendaient parfois des collets le long du ruisseau.

Célestine se leva pour porter secours à la petite bête et au même instant, un craquement dans l'herbe sèche la cloua sur place. À peine Célestine eut-elle le temps d'apercevoir deux grosses chaussures, qu'une main vigoureuse empoignait ses cheveux et la renversait. Ses genoux fléchirent et Célestine se retrouva par terre. Son corps se contorsionnait en mouvements rapides et agiles. Elle aurait réussi à s'échapper si ce n'était de la solide prise de cheveux. La pauvre criait de toutes ses forces et se débattait des bras et des jambes. L'assaillant frappa sa tête violemment au sol. Célestine s'efforçait de rester consciente, sinon elle serait à la merci de son agresseur. Elle sentit une poigne de fer lui tordre le bras et la douleur l'immobilisa un moment. Son cœur se mit à battre très fort et chaque pulsation résonnait dans sa tête.

Si seulement elle arrivait à se lever. Mais non, le traître avait tout le contrôle. Son agressivité augmentait. Ça se voyait à son air de fou furieux. Un genou sur son abdomen clouait la fille au sol. Une main serrait son cou. L'autre arrachait de l'herbe à pleines poignées et lui emplissait la bouche pour étouffer ses cris de détresse. Sans cesse, l'assaillant promenait un regard méfiant et nerveux aux alentours. L'assaillant devait craindre la présence de paysans qui profitaient parfois de la tiédeur du jour pour monter dans le haut des terres.

Célestine redoublait de contorsions. Elle secouait la tête, toussait, crachait et recrachait l'herbe pour arriver à respirer librement, à crier. Non, il ne l'aurait pas. La rage lui donnait du nerf. Elle se battrait jusqu'au bout, jusqu'à la mort, s'il le fallait. Sa main tâta le sol à la recherche d'un caillou, mais l'agresseur vit son petit manège et arrêta brutalement son geste. Célestine cracha au visage suspendu au-dessus d'elle. Le traître riposta par un ricanement diabolique. D'un mouvement rapide, la fille le mordit au poignet. Le sang lui laissait un goût amer et l'obligeait à cracher davantage. Elle se débattit encore jusqu'à ce que ses forces déclinent. Avec le peu de ressort qui lui restait, Célestine tirait sa jupe vers le bas et s'efforçait de serrer les genoux, mais c'était peine perdue, ses jambes tremblotaient.

Forcément, la brute eut raison de sa résistance. Célestine entendit des spasmes épouvantables, suivis de tremblements et, plus morte que vive, la malheureuse émit un cri étouffé qui ressemblait à un râle.

Sa sale besogne terminée, le scélérat remonta ses bretelles et la menaça: «Si tu parles, je te tuerai!» Et, il s'éloigna à longues foulées en longeant le ruisseau.

Célestine se tourna à plat ventre et, face contre terre, vomit sans répit, tant, qu'à la fin, n'ayant plus rien sur l'estomac, la fille continuait de hoqueter en vain. Soudain, comme une folle, elle se mit à ramper sur ses membres tremblants. Chaque mouvement lui demandait un effort violent. La pauvre fille se jeta dans l'eau que le ruisseau avare voulait bien lui accorder. Il lui fallait s'épurer, exorciser sa souillure au plus vite. Elle se sentait sale, si sale. Si au moins il pleuvait. Mais pourquoi s'attendre à ce que le ciel se chagrine, que la pluie la débarrasse de sa souillure, même un déluge n'aurait pas réussi à la purifier.

Célestine souffrait de coliques au bas-ventre où un truc dégoûtant lui faisait l'effet de règles douloureuses. Le regard livide, elle se leva. La pauvre avait un mal fou à se tenir sur ses jambes. Elle avait l'impression d'avoir des fers aux pieds.

Pliée en deux, les bras croisés sur sa taille aussi fine qu'un clou, la malheureuse restait là, à tenter d'accorder sa respiration aux soupirs déréglés de son cœur. Une rage silencieuse insupportable la rongeait de l'intérieur, comme un cancer. Désespérée, elle s'assit, la tête dans les mains, sur le petit pont de bois qui dominait le lieu maudit. Dans son âme déchaînée se déclenchait une colère contre tous les hommes et leurs bas instincts.

La cigale ne chantait plus. Les grillons prenaient la relève. Les yeux éteints, le visage sans expression, Célestine fixait la clôture de perche. Chaque pensée n'était que mépris pour son corps. « Je ne suis plus qu'un déchet, qu'une saloperie ! » Elle restait là, les pieds ballants, les cheveux mouillés, sa robe trempée collée à son débris de corps.

Après le terrible malheur qui venait de lui arriver, la honte l'empêchait de rentrer à la maison. Comment arriver à regarder son père et sa mère en face ?

Célestine ne pouvait s'attendre à ce qu'ils soient indulgents à son endroit. C'était impensable. Ses parents affichaient une pureté scrupuleuse et un respect rigoureux des valeurs morales. Sans aucun doute, ils l'accuseraient, la mépriseraient, la rejetteraient même.

Célestine voulait mourir.

Le soir tombait. Les fermes étaient désertes. Célestine se sentait seule, indésirable, vieille, plus vieille que les filles de son âge qui, elles, se laissaient bercer d'agréables illusions. Elle ne voulait plus voir personne ni que personne ne la voie. Quelque chose s'était déchiré au fin fond de ses entrailles, quelque chose qui la bousillait, la tuait. Et cette déchirure ne pourrait plus jamais se fermer. Si au moins Célestine arrivait à chasser les horribles images qui revenaient sans cesse l'obséder.

Finis, pour elle, le bonheur, les rires et les rêves. Sa pudeur écorchée à vif, la vie avait perdu tout son sens. Célestine ne serait plus jamais comme avant, au temps du bonheur quand elle demeurait à Sacré-Cœur-de-Jésus-de-Crabtree, une petite paroisse industrielle où son père était sacristain.

Elle se tourna vers le passé et se transporta par la pensée dans le petit patelin qui l'avait vue naître. Célestine retrouva, logé dans un petit coin de sa mémoire, le souvenir des jours heureux.

I

À l'hiver 1943, Célestine avait cinq ans. La famille Gauthier habitait, en plein cœur du village, une de ces charmantes maisonnettes à toits pentus et à longue galerie en encorbellement. De l'extérieur, tout semblait mort. Pourtant, derrière la porte, douze cœurs battaient.

Ce matin-là, Émery sortit de la chambre en vitesse. Le sacristain contourna sa femme en boutonnant sa chemise. Son pantalon flottait sur ses hanches et laissait voir un pan de la combinaison grise qu'il portait été comme hiver.

Mathilde tendit l'oreille. Pas le moindre bruit ne venait du deuxième où dix enfants dormaient dans les chambres en mansarde. La mère appela une seconde fois :

– Les enfants, ne lambinez pas ! Il est déjà sept heures. Et offrez votre journée au Bon Dieu !

La femme se tourna vers son mari :

– Ceux-là, pas moyen de les tirer de leur paillasse à matin !

Émery l'ignorait, comme si les paroles de Mathilde ne méritaient aucune considération. L'esprit obsédé par son retard, le sacristain était davantage préoccupé par les cloches. Il se mit à trotter, la tête basse, le corps penché en avant, les mains enfoncées dans les poches de son mackinaw. Émery attisa la braise et gava le monstre en fonte de rondins d'érable. Il savait y faire. En peu de temps, la chaleur se propagea aux chambres.

Émery s'approcha de l'escalier, posa une main décharnée sur le pommeau de bois et appela ses enfants d'une voix qui portait:

— Attendez-vous que je monte?

Aussitôt, des bâillements, des craquements, des pas répondirent à l'appel.

Sur sa paillasse, Célestine s'étirait. Un petit rayon de soleil lui souriait par une fissure du vieux store vert. À cinq ans, la fillette aux petits doigts malhabiles laça ses bottines tout de travers, saisit une vieille poupée qui avait passé la nuit entre son oreiller et celui d'Hélène puis, dévala l'escalier en trombe.

Sa mère la toisa du coin de l'œil:

— Doucement dans les marches, toi! Tu vas te tuer.

Suivaient Marc et Guillaume, deux charmants garçons de huit et neuf ans, tous deux accoutrés d'une chemise à carreaux rentrée dans une petite culotte bouffante, coupée à mi-jambe et qui laissait voir de gros bas de laine du pays. Le beau Guillaume, à l'éternel sourire gravé sur ses lèvres, était un petit diable turbulent qui se fichait de tout. Son cadet, Marc, aux yeux humides, à l'air enfantin, beaucoup plus sage que Guillaume, suivait ce dernier au pas. Celui-là, on avait beau voir le ciel à travers ses yeux bleus, la famille ne devait pas moins supporter ses interminables obstinations avec arguments et preuves à l'appui. Vinrent ensuite les jumelles, Doris et Julie, impossibles à différencier. Et derrière elles, l'aînée, la douce, la sensible Rosemarie, portant Odette, la petite

dernière, dans ses bras. L'enfant de trois ans était enroulée dans une immense couverture brune et ne cherchait
qu'à s'en échapper.

— Laisse-la marcher, celle-là! ordonna Émery. Elle
n'est pas infirme que je sache. Aide plutôt ta mère.

— C'est qu'elle est nu-pieds, osa Rosemarie. Par terre,
elle risque de prendre froid.

— Fais ce qu'on te dit sans répliquer.

Le ton était sec. Rosemarie en resta hébétée. Son père
s'était sûrement levé du pied gauche pour être de si
mauvais poil. Pourquoi devenait-il si intransigeant tout
à coup pour une vieille habitude qu'il avait toujours
tolérée? Et où est-ce que ça s'arrêterait? Rosemarie se
demandait si elle allait aussi perdre le droit de bercer sa
petite sœur. L'émotion étranglait sa gorge. Elle ne dit
rien. Elle ne disait jamais rien. L'aînée adorait Odette.
Elle reportait sur cet enfant tous ses espoirs brisés. La
petite était en quelque sorte le bébé qu'elle n'aurait
jamais.

À dix-sept ans, Rosemarie devait entrer en religion,
mais son départ avait été retardé. L'âge réglementaire des
novices était de dix-huit ans.

Rosemarie déposa la bambine sur la berceuse et ramena
sur son cou laiteux la couverture qui laissait à découvert sa
frimousse rose et quelques mèches folles.

Mathilde évita tout commentaire. Elle trouvait mal à
propos de s'immiscer entre son mari et sa fille. Mais elle
ne cessait de regarder Émery. Ces derniers temps, son
homme n'était plus le même. Il s'enfermait dans des
silences sans fin. Mathilde se promit de le faire parler, de

lui arracher ce qui le rendait si pointilleux, lui, habituellement trop tolérant.

Les effluves capiteux de la cafetière parfumaient la cuisine, mais Émery était trop contrarié pour s'en délecter. À travers les cristaux de givre de la fenêtre, le sacristain regardait passer les employés de l'usine, la boîte à lunch à la main. Émery se comparait à eux qui étaient mieux rémunérés.

Mathilde le tira de ses pensées sombres :

— Approche ! Sinon ça va être froid.

Émery s'installa au bout de la longue table où étaient dressés douze couverts rapprochés les uns des autres. À voix basse, il donna libre cours à son amertume.

— J'arrive à peine à joindre les deux bouts avec mon travail de sacristain, le chauffage de l'église et des écoles. Pour comble, aujourd'hui, j'ai des sépultures. Mes journées n'ont plus de fin. Tiens, c'est bien simple, si je ne me retenais pas, j'enverrais tout au diable.

Mathilde remarquait que les services funèbres étaient devenus pour Émery une tâche astreignante qui exigeait de revêtir toutes les statues d'une longue cape noire et de masquer les fenêtres de tentures de deuil, obscurcissant l'église comme une salle de cinéma. Elle suggéra à son homme de se faire seconder par ses grands garçons. Ils pointaient justement le nez en haut de l'escalier. À seize ans, Laurent, en âge de s'affirmer, était encore docile. Effacé, ce garçon ne regardait personne dans les yeux, ce qui lui donnait un air indépendant. Au fond, c'était tout autre. Laurent était un grand timide, un réservé qui gardait tout en dedans. Et quand il se mettait à sourire, c'était d'une façon exquise.

Julien, d'un an son cadet, était le fils bien-aimé de sa mère. Mathilde l'imaginait déjà prêtre. Le garçon manifestait avec arrogance une haute opinion de sa petite personne.

Les deux adolescents avaient toujours secondé leur père de bon gré dans ses fonctions, et ce, sans jamais voir l'ombre d'un sou noir. Émery avait l'impression d'abuser d'eux au profit de la fabrique. Ses fils étaient en âge de gagner. À l'usine, on employait les jeunes dès l'âge de quinze ans.

– Les garçons! Les garçons! reprit Émery. Ils en ont déjà assez d'aider au ménage des écoles en plus de leurs études. Les employés de la manufacture ne traînent pas leurs enfants au travail pour se faire aider, eux.

– Le travail, c'est la santé. Ça les empêchera de faire des bêtises et c'est une bonne chose qu'ils apprennent le chemin de l'église.

Deux fois par semaine, après les cours, Mathilde et les plus âgés balayaient six classes à l'école des filles et quatre à l'école des garçons, en plus des passages et des deux grandes salles de récréation. Chaque samedi, ils lessivaient les planchers des salles. Ce léger supplément permettait à la famille de joindre les deux bouts.

Certes, Émery avait un métier honorable, mais en regard du travail exigeant et des journées prolongées, ses gages étaient minces. Certains jours, il y avait du travail pour deux hommes, mais la fabrique n'était pas assez riche pour payer une aide.

D'une bouchée de pain, Émery torchait un reste de sirop mordoré qui miroitait dans son assiette. Finalement, il se laissa gagner à l'idée de sa femme et ordonna à Laurent:

– Avant de partir pour l'école, va ouvrir la barrière du cimetière. En même temps, tu donneras un coup de pelle dans l'entrée pour enlever la poudreuse de la nuit passée. La pelle est dans le charnier. Tu laisseras la porte débarrée, ça m'exemptera un voyage au cimetière.

Laurent était un pondéré, un silencieux qui ne s'extériorisait pas, mais cette fois, la répugnance se lisait sur ses traits. Juste à penser aux cercueils, Laurent mourait lui aussi.

– Y a-t-il des tombes dans le charnier, papa ?

Le père fit signe que non, lança la clef sur la table et sortit en se parlant tout haut :

– Ils vont voir de quel bois je me chauffe !

La porte claqua. Mathilde sursauta, se demandant si c'était le vent ou si Émery le faisait exprès. Enfin, la femme mit la faute sur le compte de la fatigue, souhaitant que ce ne soit que passager. Émery s'était couché tard la veille. Leurs voisins venus jouer aux cartes n'avaient pas été regardants sur l'heure.

Laurent n'attendait que le départ de son père pour supplier sa mère d'envoyer Julien au cimetière à sa place. Mais Julien riposta :

– Moi ! Faire ton travail ? Un fou dans une poche !

– Ce serait bien ton tour, Julien Gauthier. Moi, hier soir, j'ai pelleté les perrons et les trottoirs de l'église et du presbytère avec papa. J'aimerais ça lâcher un peu.

Mathilde, soucieuse, demeurait les yeux dans le vague. Laurent vigilant attendait son verdict. Il se demandait vers lequel de ses fils allait pencher son cœur de mère.

Elle n'en avait que pour Julien. Avant que Mathilde n'ouvre la bouche, Julien prit les devants.

— L'obéissance aux parents ne se discute pas, Laurent. Tu connais le quatrième commandement : «Père et mère tu honoreras…» Alors, va débarrer le charnier docilement, comme te l'a demandé ton père.

Assis sur le banc, les coudes sur la table, Laurent écoutait d'une oreille distraite son frère cadet qui osait lui faire la morale. Il subtilisa un sourire.

— Maman a raison de croire que tu feras un bon prêtre. Moi, je dirais plutôt un bon prédicateur.

Mathilde endurait mal les taquineries stupides. Ça lui mettait les nerfs à vif. Toutefois, elle prenait ses garçons en pitié. Juste à penser aux cercueils qui contenaient les corps de gens connus, un frisson secouait ses épaules. Rien ne pressait pour ses jeunes de faire face à ces cruelles réalités. Mais comme elle venait de conseiller à Émery de se faire seconder, Mathilde n'osa pas se contredire. Pour atténuer leur crainte, elle commanda aux adolescents :

— Vous irez tous les deux et je prendrai un arrangement avec Émery pour que des situations semblables ne se représentent plus. Aujourd'hui, votre père en a par-dessus la tête et il a besoin d'un coup de main.

Laurent doutait des dires de son père. Ce dernier avait échappé un «non» qui n'était pas de bon ton. Le garçon se dirigea en hâte vers la penderie, décrocha deux mackinaws rouges et en lança un à son frère.

— Viens, Julien, qu'on se débarrasse de cette damnée besogne au plus vite. On déjeunera après.

Julien agissait sous la contrainte. Dépité, il poussa à fond une respiration bruyante :

— Moi et les cercueils, vous savez !

Les garçons filèrent.

Célestine tourna une chaise dos au poêle et s'assit à la bonne chaleur du feu de bois.

— Je frile, moi !

La fillette était aux petits soins pour une vieille poupée à la tête et aux bras de plâtre à laquelle elle vouait une tendresse exagérée. Célestine posa la petite tête chauve sur son épaule à la façon délicate d'une mère à l'endroit de son nouveau-né.

Près d'elle, Rosemarie alimentait Odette dans la berceuse. Son pied droit sur l'arceau balançait la petite. La benjamine était charmante. Ses immenses yeux, noirs comme des billes et encadrés de longs cils, reflétaient une intelligence marquée. À trois ans, l'enfant était le point de mire de toute la famille.

Mathilde offrit une crêpe à Célestine. La fillette regarda son assiette avec une moue de dédain et embrassa sa poupée en douceur.

— Non, maman, je n'en veux pas ! C'est pas bon.

Mathilde eut un sursaut d'indignation :

— Célestine, que tu n'en veuilles pas, passons ! Mais je ne veux pas t'entendre dire que ce n'est pas bon. Plutôt que de lever le nez sur la nourriture que le Bon Dieu nous donne, tu devrais Lui dire merci. Sais-tu qu'il y a des enfants dans d'autres pays qui meurent de faim et qui seraient contents, eux, d'avoir ce que tu repousses ?

Naïvement Célestine rétorqua :

– Moi, les crêpes, ça me mérite la gorge.

Rosemarie pouffa de rire.

– Irrite la gorge ! corrigea Mathilde. Et tiens-toi droite si tu ne veux pas devenir bossue !

La crainte de ressembler au bossu Racicot fit redresser la fillette bien droite, ce qui lui conférait un petit air de supériorité.

Un vent froid courait sur le plancher.

– La porte ! s'exclama Mathilde. Vous gelez toute la maison. Laurent et Julien, entrés en coup de vent, secouaient leurs pieds enneigés sur le paillasson. Ils se ruèrent vers la table. Julien, le souffle court, la frayeur dans la voix, parlait très vite.

– Maman, il y a deux tombes dans le charnier, une grosse et une petite par-dessus. J'ai eu assez peur ! J'ai tiré la pelle et j'ai refermée aussi vite. Brrr ! Ne comptez plus jamais sur moi pour des jobs de même !

– Pas nécessaire de prendre l'épouvante, releva Julie. Les morts ne te courront pas après !

Julie, une jumelle de treize ans au sourire radieux, était une nature raisonnable. Julien n'en fit pas de cas.

– Papa nous a fait accroire qu'il n'y avait pas de tombes dans le charnier.

– Moi, j'en aurais mis ma main au feu, répliqua Laurent.

Mathilde aussi savait. La mère ne voulait pas porter de jugement sur Émery devant ses enfants, mais elle détestait qu'Émery leur mente à la légère.

Célestine trempait sa rôtie beurrée dans une tasse de chocolat chaud. C'était défendu. Le pain, mou comme une guenille, dégoulinait en filet de sa bouche à la table à sa robe. Le dégât amusait beaucoup Guillaume qu'un rien faisait rire.

Mathilde passa aux ordres :

– Rosemarie, monte faire les lits.

Rosemarie disparut aussitôt dans l'escalier.

Mathilde s'adressa ensuite aux jumelles :

– Vous deux, la vaisselle ! À treize ans, vous êtes capables de vous rendre utiles. À votre âge, Rosemarie aidait depuis longtemps, elle !

Julie et Doris regardaient, découragées, la montagne d'assiettes collantes de mélasse et de sirop empilées sur le comptoir.

Doris, charmante comme Julie, se distinguait de sa sœur par son caractère. C'était une fille aux yeux rieurs, exubérante et un peu sauvageonne, qui aimait se vêtir de loques et courir pieds nus, les cheveux en broussaille. Pour elle, toute chose était considérée comme de seconde importance.

Mathilde emmitouflait Hélène.

– Habillez-vous chaudement, conseilla-t-elle. Il fait un froid mordant.

* * *

Les enfants partis pour l'école, Rosemarie démêla la longue chevelure de Célestine, traça une raie soignée au milieu de la tête et natta deux tresses pendantes qu'elle agrémenta de rubans de satin jaune.

C'était jour de boulange. Mathilde sortit sa farine et son levain pour fabriquer son pain. Un arôme délicieux emplit bientôt toute la maison et se répandit même à l'extérieur. La grande cuisine verte prenait une note de gaieté et de chaleur qu'animait Mathilde. La femme prenait son rôle de mère à cœur. Ses enfants, dociles et en bonne santé, étaient toute sa vie. Les plus petites tâches de son quotidien lui apportaient une dose de bonheur.

À cinq ans, Célestine s'ennuyait. La fillette passait des après-midi complets sous le rideau blanc en points d'esprit, le nez collé à la fenêtre, à attendre sa sœur. Ses petits ongles gravaient dans le givre des formes de maisons coiffées de cheminées démesurées. Célestine recula de quelques pas. Le bossu Racicot passait devant la porte et la fillette en avait une peur bleue.

Chaque jour, quelle que soit la température, le bossu faisait une promenade, toujours à la même heure. Le petit homme contrefait marchait si courbé qu'il semblait courir.

* * *

Mathilde et Émery n'avaient pas dételé de la journée. Les enfants endormis, les époux trouvaient enfin un peu repos. Le sacristain enleva lentement ses chaussures et, d'un bref coup de pied, les lança contre la porte. Mathilde prépara deux tasses de café faible. Elle en déposa une devant son homme et se réserva l'autre. Dans la tranquillité du soir, Émery rapportait à sa femme les événements susceptibles de l'intéresser.

– Je dois sonner un baptême, demain après-midi. Les Marchand viennent d'avoir leur neuvième. Neuf enfants en neuf ans et la mère n'a pas encore trente ans !

– Pauvre petite femme ! s'exclama Mathilde. À ce compte-là, elle risque de se rendre à vingt. Si les filles étaient moins pressées de se marier, elles auraient moins d'enfants.

Émery, les narines palpitantes, tambourinait des doigts contre sa tasse de café. Mathilde le regarda, surprise :

– Qu'est-ce que j'ai dit de drôle ?

Son homme garda pour lui l'objet de son ironie. Mathilde elle-même s'était mariée à dix-huit ans. Émery avala lentement une gorgée de café chaud.

– J'ai vu Alphonse, dit-il après avoir repris son sérieux. Il veut vendre sa terre et retourner en ville. Faut être malade ! Vendre sa ferme, c'est vendre son âme. Les Lachapelle ne seront pas sitôt partis qu'ils vont revenir. Je serais prêt à gager ma chemise là-dessus !

Selon le dire d'Émery, la vente d'une ferme s'avérait un vrai sacrilège. Le regard absent, le sacristain méditait. Il s'imaginait dans le rang de la Rivière Rouge, propriétaire de la ferme d'Alphonse et d'un beau troupeau d'une douzaine de têtes de gros bétail. Mais c'était peine perdue, Émery n'avait pas l'argent nécessaire.

– Tu sais, reprit Mathilde, quand un gars n'a pas été élevé sur une ferme, ça ne fait jamais de la bonne graine de cultivateur. Ici, la plupart des paysans descendent de vieilles souches et ont les pieds solidement enracinés dans le sol.

Tout au long des soirées, Mathilde tricotait à la manière d'une araignée. La femme épuisée savourait ces petits entretiens familiers en tête-à-tête avec son homme. Ils lui valaient un bon tonique au point que Mathilde résistait toujours à la dernière heure.

L'horloge sonna dix coups réguliers.

Émery suivait des yeux le va-et-vient incessant des broches à tricoter.

– Lâche donc ton tricot, Mathilde ! Tu ne vas pas passer toute la nuit dessus ?

Mathilde le tenait quand même. Ça la reposait de tricoter.

– Toi, se pressa-t-elle d'ajouter, as-tu parlé au curé ? Ce matin, tu avais l'air si décidé !

– Non, j'y parlerai plus tard. Aujourd'hui, je n'ai pas eu l'occasion de le voir seul. J'ai l'intention de lui demander une augmentation de salaire. Ça nous permettrait d'abandonner le ménage et le chauffage des écoles. Je garderais juste la job de sacristain et le chauffage de l'église.

La figure de Mathilde s'illumina. D'un coup, toute trace de fatigue disparut. Émery retrouvait dans ses yeux l'éclat de celle qu'il aimait. Les années et les naissances répétées n'avaient pas réussi à ravir la beauté de sa Mathilde. Émery s'égara dans la douce souvenance de leur première rencontre.

Le jeune homme demeurait dans le rang des Prés, à Sainte-Marie. Son père l'avait envoyé au bout du rang quérir une moissonneuse achetée en association avec deux autres fermiers. Émery se rendit chez les Lamarche, qu'on surnommait les Batissette, avec l'intention de voir enfin les cinq filles dont les garçons du rang vantaient la beauté. Ce fut aussitôt le coup de foudre. Émery ne pouvait décrocher son regard de la demoiselle aux yeux brillants qui portait une petite jupe froncée sur le ventre et des rubans blancs dans les cheveux. Un attendrissement le saisit. Il l'aurait embrassée. Mathilde n'avait que quinze ans et, même toute menue, sa volonté s'affirmait déjà dans sa démarche décidée.

Ce soir-là, une petite étincelle au fond des yeux de Mathilde avait réussi à faire basculer une vingtaine d'années dans l'oubli et à raviver ses désirs les plus tendres. Émery se sentait de nouveau un jouvenceau avec les mêmes désirs amoureux, mais sensiblement moins fougueux. En vingt ans de ménage, Mathilde avait passé près de la moitié du temps enceinte et surchargée d'ouvrage. Émery avait donc appris à temporiser.

Mathilde ne s'apercevait pas que son mari la regardait avec volupté. Elle se leva et se versa une deuxième tasse de café, ce qui retardait le coucher. Émery subit ce désagrément sans se vexer. Il se résigna à l'attendre.

Mathilde se plaignait rarement, mais ce soir-là, devant l'éventuelle liberté de laisser tomber le travail à l'extérieur, elle lâcha le paquet :

— Abandonner le ménage des écoles, ça dépasse toutes mes espérances. Au couvent, les religieuses nous considèrent comme des torchons. Toutes les classes devaient être vides à quatre heures. Non! Les sœurs restent en place jusqu'au souper. J'y vais quand même, mais ça m'humilie qu'on me regarde balayer! Sapré bon sens, je ne peux quand même pas travailler de nuit.

— Sacrebleu! s'étonna Émery. Tu ne m'avais jamais parlé de ça avant?

— De toute façon, à quoi ça peut servir de me lamenter, sinon que je me vide le cœur. Pire encore, quand je lave les planchers, les religieuses passent dessus avant qu'ils soient secs, sans ménager leurs pas. Ensuite, je dois essuyer leurs traces. Sœur Gervaise est la plus malcommode de toutes. Je ferais mieux de me taire, s'il fallait que les filles m'entendent et aillent leur rapporter mes propos!

Émery prenait intérêt à tout ce que lui confiait sa femme.

— Sœur Gervaise, ce ne serait pas celle qui enseigne la huitième année, la dernière classe en haut à gauche au bout du corridor?

— En plein ça! Mathilde prit un petit ton de secret: C'est la plus petite et la plus détestable de toutes les religieuses.

— C'est elle que les enfants appellent « la petite chatte »?

— Pas les nôtres toujours? J'espère qu'ils sont polis envers les religieuses.

Devant le sourire béat de son mari, Mathilde doutait. Elle qui s'évertuait corps et âme à bien éduquer ses jeunes! Si c'était pour en arriver là!

— Tu es trop tolérant, toi. Ensuite, si les enfants commettent des grossièretés, tu pourras dire *mea culpa*. Tu sais qu'en septembre prochain, les jumelles seront dans la classe de sœur Gervaise?

Émery s'informait, écoutait, réfléchissait. Les doléances de sa femme ne tenaient pas du caprice. Lentement, il prit conscience qu'il était grand temps qu'un changement se produise. Toutefois, à son âge, s'habituer à un nouveau travail lui paraissait insurmontable. Émery ne connaissait rien d'autre que la fonction de sacristain. Pour le moment, il se préoccupait davantage du climat malsain que sa femme devait supporter.

— Et à l'école des garçons, c'est pareil ?

— Non ! Là, les religieux sont polis et discrets. Les classes sont vides, chaque fois que j'y entre.

Émery se leva lentement et souffla :

— Bon ! Je tâcherai d'arranger ça ! L'heure avance. Viens te coucher.

Mathilde éprouvait un soulagement de savoir son mari du même bord. Elle sirota une petite gorgée. Son café était bien meilleur que d'habitude, ce soir-là.

Un silence s'installa. Mathilde regarda son mari avec tendresse. Émery était loin du petit amoureux timide qui se déclarait. Depuis combien de temps n'échangeaient-ils plus de mots tendres ? Les époux en avaient perdu l'habitude. Le travail et les événements avaient pris inconsciemment le dessus sur les attentions délicates.

Émery patientait, l'index en attente sur l'interrupteur.

— Viens ! J'éteins la lumière. Toi, tu es aussi difficile à faire coucher que les enfants à réveiller.

Mathilde savait que son mari attendait d'elle qu'elle fasse son devoir d'épouse.

— Je n'ai pas dételé de la journée. Si je peux récupérer un peu.

— Tu récupéreras sur ta paillasse.

Les dernières bûches pétillaient dans le poêle. Mathilde enroula son bas inachevé sur la balle de laine et suivit son mari au lit.

II

Le curé Guillaume Carpentier estimait les enfants d'Émery comme s'ils avaient été les siens, si bien qu'à la naissance du sixième enfant, à la cérémonie du baptême, le curé avait ajouté son prénom à la liste.

À la maison, Mathilde fut d'abord étonnée. Elle eut un bon moment d'hésitations, d'atermoiements et de retours, et finit par se décider à prénommer son fils Guillaume. Ainsi, au fil des ans, des liens étroits, plus solides que le métal, s'étaient tissés entre le sacristain et son curé.

Aujourd'hui, Émery était certain qu'au nom de l'amitié, le prêtre ne pourrait lui refuser une petite augmentation qu'il estimait raisonnable. Au fond, tout ce que le bedeau voulait, c'était combler le manque d'argent que lui causerait l'abandon du ménage des écoles.

Émery venait de sonner le quart d'heure. Dans la sacristie, deux enfants de chœur aidaient le curé à endosser une chasuble en drap d'or. Le bedeau profita des quelques minutes restantes pour exprimer sa requête au prêtre. Il ajouta d'un ton persuasif:

— Comme ça, nous pourrions abandonner le ménage et le chauffage des écoles.

— J'en parle aux marguilliers, monsieur Gauthier. La fabrique n'est pas bien riche, mais je passe votre requête quand même. Si vous voulez mon opinion personnelle, ce serait bien mérité.

Ce que le sacristain demandait n'était pas exorbitant. C'était plutôt le simple bon sens. Depuis dix ans, Émery travaillait comme un mercenaire. Il prenait ce qu'on lui imposait quand autour de lui, les gens bénéficiaient de hausses de salaire progressives.

Émery considérait sa cause gagnée d'avance. Après tout, sa requête tenait du simple bon sens. Le bedeau s'en remettait entièrement à son curé, un être juste et humain qui bénéficiait du respect et de l'admiration de ses marguilliers.

Émery attendit sans présager aucune méfiance envers qui que ce soit. L'assemblée eut lieu le lundi qui précédait la semaine sainte. Les jours qui suivirent, Émery observa un changement dans l'attitude de son curé. Le prêtre demeurait sur la réserve. Il croisait Émery, sans un regard, un petit froncement entre les sourcils et, pressé, disparaissait comme si de rien n'était. Ses façons plutôt froides décevaient le sacristain. Il se demandait si le manque de naturel de l'abbé allait durer encore longtemps.

Le temps filait. Avril, à bout de souffle, se retirait. Émery Gauthier marchait d'un pas décidé dans un reste de vieille neige sale. Ses caoutchoucs percés prenaient l'eau. « La belle affaire ! »

Même si sa demande semblait au point mort, le sacristain restait sur ses positions. Il se sentait en droit de revendiquer une augmentation. Cette fois, Émery ne laisserait pas échapper l'occasion. Il prit le curé de court en lui barrant audacieusement de son corps, l'accès à la sacristie.

– Et puis, monsieur le curé ! Pas de nouvelles de mon affaire ?

Émery était doté de qualités solides qui inspiraient confiance au prêtre, mais ce dernier lui laissa voir qu'il réprouvait sa manière insolente de l'aborder. Le sacristain conservait un calme apparent. Il se ferait tuer sur place plutôt que de reculer. L'abbé Carpentier employa un ton sec :

– Les marguilliers travaillent là-dessus. Ils prétendent avoir à vérifier les livres. Voilà la raison pour laquelle je ne vous en parlais pas plus tôt. En temps et lieu, je vous en aviserai.

– Il y a quand même des limites, ça fait des semaines que j'attends. Est-ce que je peux vous demander si ça regarde bien ?

– Disons qu'il y a du pour et du contre. Pour être franc, j'aimerais mieux m'abstenir de tout commentaire. Moi, j'ai parlé en votre faveur. Maintenant, ce sont les marguilliers qui ont le dernier mot.

– Ça leur en prend tout un temps ! Ça fait un bon bout qu'ils me laissent poireauter.

Émery avait raison de croire que quelque chose clochait. Il se retint d'en demander le motif, sachant trop bien que le curé ne parlerait pas davantage. Il ferait tout pour savoir ce qui se tramait et par qui. Le sacristain se souviendrait de ces marguilliers-là.

* * *

Mathilde détacha mai du calendrier. La petite page graisseuse de doigts d'enfants alla se tordre sur la braise du poêle à bois.

Une pluie tranquille venait de cesser et avait laissé sur son passage un peu de frais. L'air sentait bon l'humidité et la terre.

Hélène apprenait à Célestine à tricoter Assises côte à côte sur la dernière marche de l'escalier, les fillettes concentraient tout leur intérêt à un tricot.

De même taille, les sœurs accusaient le même âge. Pour le reste, le contraste était frappant.

Hélène, dont les cheveux bruns et épais étaient coupés juste au bas de l'oreille, avait le teint foncé. C'était une meneuse à qui personne ne marchait sur les pieds. C'était aussi une fouineuse qui gobait tout et jamais rien ne lui passait sous le nez. Sévère et exigeante comme sa mère l'était avec ses enfants, Hélène était d'un sérieux désarmant.

Sa cadette, Célestine, une petite fille au long cou et aux cheveux châtains arrangés en tresses, avait un front légèrement bombé qui surmontait une figure ovale où des pommettes roses dominaient une bouche moqueuse. La fillette aimait rire et s'amuser. Elle traînait toujours avec elle une poupée fripée et défraîchie. Tantôt douce, tantôt tenace, Célestine était sensible et naïve, le portrait de son père tout craché.

Des sons discordants s'échappaient de la fenêtre entrouverte. Les fillettes se précipitèrent dans la maison. Mathilde jubilait.

– Vas-y, Rosemarie ! annonce-leur la grande nouvelle.

Rosemarie n'avait pas envie de parler, mais elle se devait d'obéir. Sa mère l'obligeait à faire bonne figure devant les plus jeunes. Elle venait tout juste de lui répéter : « Tu te dois d'être un exemple pour tes sœurs, afin de les influencer à marcher sur tes pas. Ta place au ciel n'en serait que plus belle. »

Rosemarie se laissait encore manipuler comme une enfant. Annoncer son départ, c'était aller à l'encontre de ses désirs, mais avait-elle le choix ? Elle se forgea un faux sourire pour annoncer à ses frères et sœurs son entrée en religion. Sitôt dit, l'expression de son visage s'évanouit et son menton se mit à trembler. La jeune fille courut dans l'escalier.

Ses frères et sœurs n'eurent aucune réaction. En fin de compte, quelle différence ça ferait pour eux ? Rosemarie passait plus de temps au pensionnat qu'à la maison.

Rosemarie partait à reculons, obligée par sa mère à prendre le voile et encouragée par les tantes religieuses qui l'avaient formée en conséquence tout au long de ses années de pensionnat.

L'orgueil de Mathilde était flatté. N'était-elle pas la première responsable du destin de sa fille ? Sa vocation était préméditée depuis la tendre enfance de Rosemarie. La jeune fille avait été élevée à l'ombre du clocher sur de solides bases chrétiennes. Sa mère lui avait inculqué des bons principes.

À l'âge où ses formes s'arrondissaient, Rosemarie était déjà à l'abri des garçons derrière les grands murs de pierre du pensionnat. Aux vacances d'été, ses sorties se limitaient aux messes sur semaine et aux rares visites à tante Marie, à qui Rosemarie vouait une admiration sans borne.

Émery restait muet, même s'il connaissait déjà depuis longtemps l'orientation de sa fille. À l'occasion, Mathilde et les tantes religieuses en parlaient à voix basse entre elles, mais aujourd'hui, tout se concrétisait et un peu trop rapidement. Cette décision le chamboulait. Le pauvre père ne pouvait s'y faire. Toutefois, animé d'une foi ardente, Émery n'aurait voulu pour rien au monde détourner une vocation religieuse.

Émery se souvenait que plus jeune, lui aussi avait été pensionnaire, et il ne s'était jamais habitué à ce régime inhumain d'être privé de sa famille.

À l'âge de quatorze ans, Émery était interne au collège du Portage. Le garçon détestait le pensionnat. Il boudait les cours, l'étude, les enseignants et s'isolait toujours dans quelque coin. Le garçon ne prenait plus plaisir à rien. Le soir, à l'abri des regards, le petit Émery pleurait en silence. Le garçonnet se croyait puni, rejeté par ses parents. Émery refusait de s'acclimater à un milieu différend du sien. Un de ces jours où l'ennui devenait insupportable, le petit mutin avait déserté. Il avait dû marcher douze miles, de Saint-Pierre-du-Portage à Sainte-Marie, où demeuraient ses parents. À la maison, son père l'avait reçu calmement. Après l'avoir invité à souper, comme on le fait pour la grande visite, il le reconduisit au collège, sans aucun reproche. Émery avait pleurniché tout le trajet de retour. Il cessa alors de se rebeller, mais sans jamais accepter ce qu'on lui imposait. C'est pourquoi, n'ayant rien d'autre en tête que son opiniâtreté, Émery dut reprendre quatre fois son année préparatoire au cours classique avant que son père le retire de l'institution.

* * *

Émery en avait voulu à son père pendant des années. Maintenant, face au départ de Rosemarie, les mêmes tourments le terrassaient, soit le changement de vie radical, l'impression de vide causée par le désœuvrement d'études monotones et la perte de l'intérêt aux jeux.

Émery revenait chaque été du pensionnat tandis que sa fille, elle, partirait pour toujours, n'ayant droit de revenir qu'au décès des siens. C'en serait fini de la voir rôder dans la maison en fredonnant les gais refrains de *La Bonne Chanson*. Au noviciat, est-ce que sa fille aurait la permission de chanter ? Sûrement pas des romances ! Allait-il perdre aussi ses jumelles ? Le pauvre père aimait mieux ne pas y penser.

Comme d'habitude, Émery gardait ses réflexions pour lui, toutefois, une obsession le poursuivait. Rosemarie subissait-elle le choix de sa mère ? Sa grande était si docile. Si au moins c'était son idée bien à elle. Son aînée ne laissait jamais rien paraître. Émery se ravisa aussitôt. Non ! Certes, Rosemarie s'en plaindrait à lui.

Quand il s'agissait de l'éducation de ses enfants, Mathilde était difficile d'approche. La conversation devenait presque impossible entre les époux. Émery se sentait évincé de son rôle de père et il avait dû se résigner. En revanche, l'homme avait adopté une attitude permissive. Il avait tendance à prendre le parti de ses enfants.

* * *

Après le souper, Laurent, l'aîné des garçons, traversa au salon. Il fit pivoter le siège du piano, mesura sa hauteur et satisfait, s'assit. De mémoire, le garçon attaqua *Le Rêve* passe. Ses doigts patinaient agilement sur les touches d'ivoire.

Dès les premières notes, les jeunes se rassemblèrent autour du piano, les bras sur les épaules de leurs voisins. Et les voix montaient, douces, chaudes, claires ou graves. Toutes se fondaient en une harmonie puissante.

Les soldats sont là-bas endormis sur la plaine.
Où le souffle du soir chante pour les bercer.

Les chansons de l'abbé Gadbois défilaient comme chaque soir, incrustant dans l'âme des petits Gauthier des souvenirs inoubliables. Le volume montait, le salon vibrait.

Une note sonnait faux sur le clavier. Mathilde reprit Laurent de la cuisine. Jeune fille, Mathilde avait suivi des cours de piano et la moindre erreur agaçait son oreille. Elle éleva la voix pour se faire entendre.

– Do dièse, Laurent. Sers-toi donc des partitions.

Laurent ne prenait pas le temps de se corriger, il lui fallait suivre les voix.

Le concert dura des heures. C'était un bonheur bien légitime. Après les chansons suivaient la prière, le chapelet, et les litanies qui s'éternisaient avant le coucher.

Fatiguée, Célestine, agenouillée derrière son père, retombait assise sur ses talons.

Émery tourna la tête et lui ordonna fermement:
– Ramasse-toi!

La petite se redressa aussitôt, comme mue par un res-sort et jusqu'à la fin, elle demeura droite comme une barre.

Célestine sentait chez son père une mauvaise humeur à laquelle elle n'était pas habituée. Tous restèrent stupéfaits, sauf sa mère qui, elle, savait son homme bouleversé par le départ de sa fille. Mais Mathilde fit mine d'ignorer l'humeur inquiétante de son mari.

Les enfants montés, Rosemarie s'attarda à remettre de l'ordre dans la cuisine. Elle aurait voulu parler, se faire écouter, mais c'était impensable. Sa mère décidait tout pour elle. La pauvre fille en avait tant sur le cœur que tout restait coincé dans sa gorge. Elle replaça les chaises, empila sur son bras une arithmétique et une histoire sainte et monta à son tour, laissant ses parents seuls dans la grande cuisine verte.

Rosemarie partageait son lit avec Odette qui dormait déjà. Elle retira une jaquette de flanelle de sous l'oreiller, y enfila sa tête et décemment, enleva en dessous sa robe et ses sous-vêtements qu'elle plaça avec soin sur le chif-fonnier. La jeune fille souffla un bout de chandelle qu'elle allumait au coucher. Ce n'était qu'un caprice, ce soir-là, la lune, dans son plein, jetait une douce clarté dans la chambrette. Rosemarie pouvait distinguer la figure de sa petite sœur. D'un geste maternel, elle remonta la couver-ture sous le menton rond et repoussa des yeux de l'enfant une mèche de cheveux fins qui glissaient tout doux entre ses doigts.

Ses souliers et ses bas enlevés, Rosemarie dénoua ses cheveux qu'on couperait bientôt à coups de ciseaux de cuisine. Elle se glissa dans les draps de coton. La jeune femme essayait de s'imaginer chez les sœurs de Notre-Dame des Écoles, en robe et voile de novice. Ce don d'elle-même était inhumain. Et, tout allait si vite, trop vite. Il lui semblait qu'un immense mur noir se refermait sur elle. Rosemarie avait froid aux membres, froid jusqu'au tréfonds de son âme.

Retirée au fond d'elle-même, l'envie d'une présence masculine vint tenter son esprit. Dormir dans les bras d'un beau garçon. Écouter ses mots doux sur l'oreiller. La future novice repoussa cette pensée qu'elle trouvait malsaine. Rosemarie s'interdisait de rêver. Puis, elle se ressaisit et se laissa aller jusqu'au bout de ses pensées. Comme elle se sentait prude, sotte. Toutes les autres, toutes les mères, avaient dû passer par là. La vie lui aurait semblé si magnifique. Mais la vie pour elle se trouvait derrière les grands murs de pierres du noviciat.

La pauvre Rosemarie ravalait sa peine. Maintenant seule, la jeune fille pouvait laisser tomber son masque. Ses larmes coulaient librement. Les pour et les contre se bousculaient dans sa tête. Comment reculer? Sa mère avait dépensé pour un trousseau qu'elle avait mis des heures et des heures à confectionner. Elle l'entendait encore lui répéter: «Peu de filles ont cette possibilité. Quand les sœurs détectent une vocation, elles aident, même côté monétaire.» Rosemarie se sentait obligée envers la communauté pour des études presque gratuites. C'était une dette immense pour une fille qui n'avait jamais tenu un sou noir dans sa main. Ce serait ingrat de sa part maintenant de tout foutre en l'air. Pourtant, ce sacrifice était au-dessus de ses forces! Rosemarie étouffa un sanglot sous sa couverture. Pourquoi sa mère l'avait-elle poussée dans cette voie difficile en exerçant sur elle une autorité absolue?

À quatre ans, Mathilde l'endoctrinait déjà. Elle lui demandait: «Quand tu seras grande, Rosemarie, tu seras religieuse?» Et l'enfant répondait toujours «oui» dans l'intention de plaire à sa mère. Combien de fois, avait-elle entendu celle-ci, lui répéter: «Je donne tous mes enfants au Bon Dieu pour qu'il en fasse des religieux et des religieuses.» Ce soir-là seulement, Rosemarie mesurait l'ampleur de ses paroles. Rosemarie n'avait pas vu venir les choses sous cet aspect. Tout avait été décidé par les grands responsables de sa vie et jamais personne ne lui demandait son opinion. De toute façon, Rosemarie, habituée davantage à la peine qu'à la joie, ne s'était jamais arrêtée à penser à elle.

Elle savait qu'il lui serait impossible de reculer. Sa mère ne lui pardonnerait jamais. Elle lui ferait payer par des regards durs et des silences opiniâtres qu'il lui faudrait endurer. Du moins, c'est ce que Rosemarie redoutait et elle ne voulait pas vivre en froid avec sa mère.

Rosemarie sentait sa tête se serrer comme dans un étau. Elle se demandait dans quel bateau elle s'était laissée embarquer! Partir, c'était faire une croix sur l'amour et renoncer à donner la vie à de petits êtres qui seraient sa propre chair! De telles douceurs n'étaient donc pas pour elle?

Odette dormait à ses côtés. Odette, la plus difficile à quitter. C'était une enfant comme celle-là que Rosemarie aurait voulue bien à elle. Elle risqua un léger bécot sur le petit front. Puis la pauvre enfouit sa tête dans l'oreiller pour étouffer ses sanglots et se laissa aller à pleurer tout bas jusqu'à ce que des soubresauts la secouent. À la fin, épuisée, elle s'endormit profondément.

Le lendemain, son visage boursouflé portait les traces de sa détresse. Rosemarie se rendit à la messe, supplier Dieu qu'Il trouve un empêchement à ce départ. Trois jours restaient. Trois jours qui passeraient tellement vite. C'était trop peu pour imprimer dans sa mémoire les visages bien-aimés. Et si les siens allaient l'oublier ? Pour eux, le bonheur d'être ensemble continuait.

À l'église, contrairement à son habitude, la jeune fille se faufila dans le dernier banc. Là, rien ne troublerait sa tranquillité. Ainsi, Rosemarie échafauderait des plans pour dévier de son triste sort. Mais non ! Sa pensée vagabondait sans qu'elle ne puisse la fixer sur rien. Peut-être son père la comprendrait-il ? Rosemarie espérait pouvoir lui parler en privé, mais il y avait toujours quelqu'un avec lui. La jeune fille qui semblait bien décidée changea subitement d'avis : « Au fond, je sais que c'est pour rien ! Papa pense comme maman. Je vais juste réussir à le mettre en rogne. »

Tout le temps de la messe consista en une série de distractions qui se succédaient. À l'élévation, Rosemarie inclina machinalement la tête et à l'*Ite missa est*, elle quitta l'église sans avoir prié.

* * *

Mathilde s'évertuait à natter ses cheveux pour en faire une couronne tressée, mais des frisettes rebelles s'échappaient. Devant le miroir qui surmontait le réchaud du poêle, la femme recommençait et s'impatientait. Ses cheveux, habituellement faciles à coiffer, lui causaient des problèmes, justement un jour de sortie. Tout semblait aller de travers.

Mathilde dut avoir recours à Rosemarie :

— Viens m'aider un peu, sapré bon sens. Je n'y arriverai jamais seule.

Rosemarie défit la coiffure au complet. Ses doigts agiles tressèrent des nattes fermes et régulières. En un tour de main, la coiffure que sa mère ratait à tout coup était réussie.

— Pourtant, avoua la mère désemparée, j'en suis toujours venue à bout sans misère. Je ne sais pas ce qui m'arrive aujourd'hui.

— Vous êtes trop nerveuse, maman.

— C'est que depuis quelque temps, il y a tellement d'ouvrage. Je ne sais plus où donner de la tête.

La mère farda ses joues blêmes et ouvrit une petite boîte de carton contenant un ensemble de bijoux, les seuls bijoux qu'elle possédait ; un collier, des boucles d'oreille et une broche à cheveux.

Rosemarie lui prit des mains la broche en perles satin et la fixa aux cheveux couleur d'ébène. La jeune fille mijotait son intention : « Voilà la belle occasion ! »

— Je me demande comment vous allez vous débrouiller avec tout le travail, quand je ne serai plus là, maman ?

Rosemarie espérait tellement que sa mère la retienne. Il n'aurait fallu qu'un mot, le plus petit mot pour que la jeune fille dise, je reste. Les jambes molles comme de la guenille, elle se répétait : «Ose, ose Rosemarie, c'est tout de suite ou jamais.» Et, Rosemarie prit son courage à deux mains :

– Maman, si je retardais mon départ de deux ou trois ans, ça vous donnerait un peu de répit en attendant qu'Odette aille à l'école ?

Mathilde foudroya Rosemarie du regard et martela ses mots en élevant la voix :

– Jamais, ma fille ! Tu peux rentrer ça dans ta petite tête.

Rosemarie ravala. Sa mère n'acceptait jamais un compromis. Elle la voyait sans doute se dérober, reculer. Rien ne lui passait sous le nez. Peut-être l'avait-elle entendue pleurer la veille ? Malgré la réponse implacable, la fille prit son courage à deux mains et ajouta :

– C'est que…. je me demande si c'est bien ma vocation.

– Ta vocation ! Je l'attendais celle-là ! Tu te demandes, hein ? C'est le démon qui joue ses dernières cartes et qui essaie de te mettre plein d'idées méchantes en tête. Il serait bien content, lui, de voler une âme au Bon Dieu.

Rosemarie avait contre elle la présomption terrible que jamais sa mère ne la laisserait reculer. Pourtant, elle s'accrochait, espérait un changement rapide. Allait-il se produire ?

Confuse, sous le regard de feu, Rosemarie tentait d'apaiser sa mère.

– Mais maman, je voudrais juste vous aider. Cette année, à deux, on n'arrêtait pas de la journée. Vous le savez! Si vous pensez être capable de faire tout le travail seule…

Son échec se changeait en déroute. Une larme glissa, contourna sa pommette et mouilla son oreille. Rosemarie l'essuya du revers du poignet.

Mathilde ne se laissait point amadouer par l'apparition d'une larme. Elle ajouta :

— Tu n'as pas à t'inquiéter pour moi! Tout le monde est remplaçable.

Un sentiment d'amertume pénétrait la pauvre fille jusqu'au cœur. Sa collaboration n'était donc pas appréciée à sa juste valeur. Elle qui n'avait jamais eu le droit de s'amuser. Toute jeune, quand ses frères et sœurs allaient courir dehors, la fillette devait rester en dedans pour accomplir de petits travaux ou surveiller le dernier-né. Ça valait bien la peine de tant se dévouer! Sa sensibilité était à vif. Mais Rosemarie se tut par respect.

Rosemarie avait espéré un court moment que sa mère accepte sa proposition. Ce que la pauvre fille avait pu être naïve de penser ainsi! Et impossible que son père n'ait entendu leur prise de bec, il se trouvait dans sa chambre, sans doute en train de faire son somme de l'après-midi. C'était son heure.

La voix de Mathilde se faisait pressante :

— Grouille, Rosemarie! Va chercher l'habit de ton père accroché au poteau d'escalier et porte-lui dans sa chambre. N'oublie pas de frapper avant d'entrer.

L'habit de mariage d'Émery comptait un bon vingt ans d'usure. La veille, Mathilde lui avait donné un coup de fer pour lui redonner sa forme.

Julie s'occupait de donner les bains aux filles et de laver les têtes. Doris cirait les chaussures et les déposait par paires dans l'escalier.

Pendant ce temps, Rosemarie roulait au ralenti. Elle ne s'illusionnait plus. Après tout, son père devait penser comme sa mère. Elle frappa nonchalamment à la chambre des parents, entrebâilla la porte, tout juste l'espace d'un bras et d'une voix éteinte :

– Papa, votre habit.

Sans un regard, elle lui livra le vêtement suspendu au cintre.

Les robes empesées et les pantalons pressés reposaient sur les dossiers de chaises empaillées. Rosemarie passa à côté et s'assit dans la berceuse.

– Que chacun prenne son butin, avisa Mathilde.

Rosemarie se berçait, ébranlée à force d'argumentations, comme un canot ballotté par les vagues. L'idée lui vint de fuir, de trouver une famille qui la prendrait. Au bout du compte, elle renonça. Chaque maison était remplie d'enfants.

Mathilde voyait bien sa grande se dérober, reculer. Préoccupée par tous les préparatifs de la sortie, elle fit mine de l'ignorer. Pressée, la femme entra en coup de vent dans sa chambre mal éclairée. Elle ne s'attendait pas à voir Émery, assis au pied du lit, qui sanglotait. Son mari avait sûrement été témoin de son démêlé avec Rosemarie. La crainte qu'il prenne parti et influence sa fille à rester la poursuivait. Mathilde sentait depuis longtemps que son homme était peu enthousiaste à ce départ.

Offensée de le voir afficher sa peine, Mathilde attaqua :

– Vous autres, les Gauthier, et vos sensibleries !

Elle souleva les épaules et les laissa retomber en signe d'impatience. Émery passa brusquement un mouchoir sur ses yeux. Ensuite, il se moucha très fort, comme s'il avait pu expulser toute sa peine dans un petit carré de tissu.

– Laisse ma famille tranquille. Et il ajouta durement : T'as qu'à lui laisser le choix. Je t'ai bien entendue dire à ma sœur : « Faut que ça se fasse au plus tôt, dans le temps qu'on a encore de l'emprise sur elle. »

Mathilde s'acharnait à renforcer sa cause, sans monter le ton, pour ne pas être entendue de Rosemarie :

– C'est elle qui a pris la décision de son plein gré. Maintenant, l'affaire est tranchée et je ne vois pas pourquoi on reviendrait sans cesse là-dessus. Dépêche-toi de te préparer pour la photo.

La pluie avait creusé des flaques d'eau devant la maison. Mathilde mit les enfants en garde, sévèrement :

– Si vous salissez vos robes ou vos souliers, vous resterez ici. Compris ?

La femme passa une main sur son front comme pour en chasser un malaise puis jeta un œil satisfait sur chacun de ses enfants.

Elle s'adressa à Guillaume et Marc :

– Vous deux, vu que la pluie à cessé, prenez de l'avance et partez à bicyclette. Oubliez pas : 224, place du Marché. N'allez pas vous écarter ou vous amuser en chemin et ne parlez à personne.

Rosemarie, silencieuse, regardait Mathilde nouer un ruban dans les cheveux de Doris après les avoir un peu mouillés pour les mieux retenir. Comme sa mère était étonnante, elle qui leur prêchait l'humilité. « Pourquoi se donner tant de trouble pour un simple portrait ? » Rosemarie n'avait nulle envie de fêter l'événement.

III

Célestine s'amusait à souffler dans une fusette des bulles de savon enluminées aux étonnants reflets, couleurs d'arc-en-ciel. Plus légères que l'air, les bulles éphémères s'élançaient vers le ciel et s'évanouissaient aussitôt.

Au loin, des bruits de voix captèrent l'attention de la gamine. Elle leva la tête et observa tout autour. Le curé et le bossu tournaient le coin de la rue en devisant gaiement. Pour la fillette cinq ans, les deux individus représentaient bien Dieu et le diable ! Célestine ne s'expliquait pas que deux êtres si contraires puissent ainsi accorder leur pas. Les deux hommes se dirigeaient vers sa demeure. La fillette éprouvait une aversion irraisonnée pour le bossu. Son cœur se mit à cogner très fort dans sa poitrine. La frayeur dans les yeux, elle délaissa sa bobine et son eau savonneuse et courut se terrer sous la galerie qui étreignait trois côtés de la maison. Le chien la suivait. Assise à califourchon sur ses talons, Célestine surveillait étroitement les deux hommes déjà à proximité de la cour.

Verte de peur, la fillette rampa jusqu'à la porte de côté tout en essayant gauchement de ne pas se montrer. Elle survola le petit escalier de côté et se précipita en coup de vent dans la cuisine. Là, sous la protection de son père, rien ne pourrait lui arriver de mal. Lui saurait bien la défendre contre le bossu. Elle repoussait le chien pour l'empêcher d'entrer, mais en dépit de ses efforts, la petite bête réussit à se faufiler à l'intérieur.

– Maman! Regardez! Il y a le bossu qui vient par ici.

– Chut! On dit «monsieur Racicot». Regarde donc comme ta robe est sale. Va m'enlever ça tout de suite. Et de grâce, sors le chien.

Mathilde se posta en retrait de la fenêtre et écarta discrètement le voilage. Le curé et le bossu montaient vers l'entrée principale. La visite des prêtres mettait Mathilde dans un état de grande nervosité. Elle les montait sur un piédestal au point de se fendre en quatre pour eux. Cette fois, ils la surprenaient et elle n'avait pas le temps de faire des chichis. La table était à moitié desservie. La femme replaça le paillasson près de la porte et enleva vivement son tablier poudré de farine qu'elle lança sur une chaise. «Bon sang! pensait-elle. J'aurais dû garder Rosemarie. Elle aurait pu donner un coup de balai dans la cuisine.»

Pour soulager son père, Rosemarie lui avait offert d'aller relever les agenouilloirs avant le balayage de l'église. C'était un travail de longue haleine, déplaisant et éreintant. Les garçons s'éclipsaient pour l'éviter.

Mathilde ouvrit la porte toute grande. Chez les Gauthier, la maison s'agrandissait pour l'hospitalité. La femme offrit aux arrivants de passer au salon, mais le prêtre traversa la cuisine pour se carrer confortablement dans la berceuse, comme si la place était sienne depuis toujours. Le bossu, lui, accepta une petite chaise à dossier bas, à fond canné, que Mathide lui avança.

Le curé Carpentier retroussa sa soutane et croisa les jambes comme quelqu'un qui s'installe pour un bon moment. Il posa son couvre-chef sur son genou et tendit une petite boîte en tôle à Mathilde.

— Tenez! Ce sont des bouts de chandelles pour les enfants et j'ai ajouté quelques bonbons.

— Des friandises, en pleine semaine? Ce n'était pas nécessaire, monsieur le curé. Vous les gâtez sans bon sens.

Le prêtre demanda à parler à son mari et aussitôt il se mit à se bercer à grands coups d'arceaux, aussi à l'aise qu'un enfant sur une balançoire. Il venait transmettre à son sacristain la décision des marguilliers. L'attente lui semblait douce et reposante. L'abbé admirait les portes à vitres biseautées qui divisaient le salon de la cuisine. De belles étoiles incrustées ornaient le centre de chaque carreau. Elles faisaient l'orgueil de la maison.

Célestine portait toujours sa robe souillée de terre brunâtre. Assise sur la troisième marche au haut de l'escalier, l'enfant appréhendait un drame.

Le bossu Racicot chez elle, c'était impensable! « Quand Hélène va revenir de l'école, elle ne le croira pas », présumait la fillette en pensant à sa sœur. Elle glissa son bras gauche entre deux barreaux, y appuya la tête et attendit, inquiète, prête au besoin à déguerpir, à se cacher sous le lit le plus près. De son poste, Célestine recueillait chaque parole et chaque geste du bossu.

Un jour, sa sœur Hélène lui avait raconté : « Cet homme est bossu parce qu'il est méchant, c'est pourquoi le Bon Dieu l'a puni et lui a fait pousser une bosse. Faut s'en méfier parce qu'il jette des sorts. »

· — C'est quoi des sorts, Hélène? s'était alors informé Célestine.

– Des malheurs ! Tu connais ça ? Comme changer une petite fille en grenouille ou faire apparaître le diable.

Un frisson d'horreur avait secoué Célestine, encore à un âge tendre. Mais pourquoi toutes les petites filles n'étaient-elles pas apeurées comme elle ? Hélène, elle, n'avait peur de rien. Et comme elle en connaissait des choses terribles, sa sœur ! Peut-être qu'elle les apprenait à l'école.

Hélène prenait plaisir à effrayer sa cadette. Elle allait au gré de son imagination et, à cinq ans, Célestine simple et candide, ajoutait foi à ses paroles en l'air comme si elles étaient paroles d'Évangile.

Dans la chambre, Émery était en train de piquer un roupillon. Le jour, il se jetait sur le lit tout habillé. Mathilde secoua son épaule.

– Émery ! Monsieur le curé te demande. Il est ici avec monsieur Racicot. Grouille !

Émery se redressa brusquement.

– Sacrebleu ! Le curé ici ? Et Racicot ? Qu'est-ce qu'il me veut celui-là ? Il tombe bien mal, aujourd'hui.

Émery, comme sa fillette, s'étonnait de la présence des dissemblables. Il enfila ses chaussures et passa une main sur son crâne dégarni. Tout était clair dans son esprit. Si le prêtre venait chez lui en personne, c'était sans doute pour apporter une réponse affirmative à sa requête. Les curés qu'il avait connus jusqu'alors ne se déplaçaient pas pour rien.

Émery tendit une main au prêtre, salua Racicot d'un bref coup de tête et s'assit sur une chaise droite dans l'angle de la pièce. Il se berçait, bien en équilibre sur les deux pattes arrière.

– Les oreilles ont dû vous bourdonner, monsieur le curé, tantôt, on parlait justement de vous, ma femme et moi.

– De moi ?

– Hé oui ! Je me proposais même d'aller discuter avec vous de choses sérieuses. Je parle de ma demande d'augmentation dont personne n'a tenu compte. Moi, j'y tiens toujours.

– Nous sommes justement ici pour ça !

Du haut de son perchoir, Célestine gardait le bossu à l'œil. Les critiques d'Hélène ne semblaient pas lui convenir du tout. Le petit homme difforme souriait et avait l'air bon.

Le curé Carpentier expliqua :

– Je vous amène Médée Racicot. Il vous secondera, pour quelque temps, au grand ménage de l'église et aux offices du mois de Marie. Disons, une couple d'heures par jour. Ce ne sera pas à longueur d'année. Monsieur Racicot est au courant. Si ça vous convient, vous n'aurez qu'à l'initier à son nouveau travail. Monsieur Racicot serait prêt à commencer tout de suite.

Le bossu souriait, assis, le dos arrondi, la jambe croisée, le coude sur le genou, le menton dans la main. Sa lèvre du bas, trop généreuse, pendait. Il opina d'un petit signe de tête :

– Manquabelment ! Monsieur le curé. Quand vous voudrez.

Chaque fois qu'il voulait marquer son assentiment, le bossu répondait : « *manquabelment* ».

Que le curé ne fasse aucune allusion à l'augmentation, chatouillait un peu Émery. Le sacristain sentait dans cet arrangement, un refus masqué. Il commençait à s'inquiéter. En bon diplomate, il fixait le plancher comme pour éviter de manifester un intérêt quelconque pour cette offre boiteuse. C'était sa façon d'exprimer son désaccord, de régler un conflit par le silence. Cette fois, rien n'y fit.

Même si Émery possédait une maîtrise de lui peu commune, il ne passait pas par quatre chemins pour exprimer le fond de sa pensée et souvent, Mathilde lui reprochait d'être trop direct. Ce jour-là, il avisa les deux hommes brièvement, sans élever la voix, mais d'un ton convaincu :

— Je ne montrerai rien à personne.

Le bossu était mal à l'aise. Sa lèvre pendante esquissait un sourire jaune. À court d'arguments, le petit homme contrefait ajouta :

— Manquabelment ! Rien ne vous oblige.

L'abbé rougit. Lui qui s'attendait à de la reconnaissance de la part de son sacristain. Le pasteur éleva alors la voix et s'élança dans un discours moralisateur et ennuyeux comme la chaire l'y avait habitué. Il termina en disant :

— Écoutez, la fabrique veut vous aider en vous soulageant d'un peu de travail, mais si vous aimez mieux vous en sortir seul, c'est à vous de décider.

Que le curé hausse le ton n'intimidait pas Émery. Cette diable d'affaire lui déplaisait à un point tel qu'absorbé dans ses réflexions le sacristain se voyait déjà démissionner. Mathilde, qui connaissait bien son homme, devinait ses pensées secrètes. Elle le regardait avec insistance et Émery sentit du désarroi dans le regard de sa femme. Il décida de se donner un peu de temps.

Les deux hommes restaient muets l'un en face de l'autre. Ils s'en voulaient réciproquement comme deux enfants qui se boudent. Les liens de convenance et de solidarité qui les rapprochaient semblaient coupés.

Mathilde détestait ce silence embarrassant. Elle traversa la cuisine et baissa à demi le store pour voiler le soleil qui aveuglait effrontément le bossu. Sa cuisine rangée, la femme ouvrit ensuite le tiroir de la machine à coudre, sortit un dé, une bobine de fil blanc, un paquet d'aiguilles, des ciseaux et s'installa au métier à piquer. Elle mouilla le fil sur ses lèvres, le glissa dans le chas de l'aiguille et piqua à petits points, une courtepointe multicolore.

Célestine, un peu trop silencieuse, attira son attention. La petite fille de cinq ans, toujours assise sur la troisième marche, dévisageait le bossu et l'imitait parfaitement, le dos arrondi le plus possible, la jambe croisée, le coude sur le genou, le menton dans la main. Dans un effort suprême, Célestine tordait sa bouche pour faire pendre sa lèvre du bas. Mathilde cherchait un moyen discret de contraindre Célestine à distance sans que les deux visiteurs la remarquent. Pour cacher son envie de rire, elle se composa une figure sévère et une voix autoritaire :

– Célestine, va sortir les galettes aux raisins de sur la deuxième tablette, au fond de la dépense. Fais ça vite !

Célestine sursauta à la voix sèche de sa mère et articula :

– Manquabelment.

La fillette descendit l'escalier et rejoignit sa mère. Mathilde n'avait plus envie de rire. La honte rougissait son front. Elle tira de l'armoire, une assiette en porcelaine à rebord dentelé, recouvert de dorure, y déposa les galettes et les tendit à sa fille sans remarquer qu'elle portait encore sa robe sale.

— Va en offrir aux visiteurs.

Célestine obéit à sa mère pendant que celle-ci ébouillantait du thé, comme si une tasse du breuvage brûlant pouvait suffire à détendre l'ambiance hostile !

Le curé cessa de se bercer à cause de la tasse que Mathilde lui tendit. Le saint homme buvait à petits coups et les gorgées descendaient en lui, chaudes et parfumées. Après un temps d'accalmie, le prêtre s'éclaircit la voix et essaya de ramener les choses en s'adressant au sacristain sur un ton amical :

— Ce soir, après l'angélus, passez donc au presbytère. Je vais convoquer une assemblée de marguilliers. Ensemble, vous arriverez peut-être à accorder vos flûtes.

— Je ne demande pas mieux. J'y serai ! Fiez-vous à ma parole.

Le curé et le bossu quittèrent la maison en bons termes avec le sacristain. La rencontre n'avait servi à rien, sinon que d'empiéter sur le court somme d'Émery.

Mathilde laissa à peine le temps aux deux hommes de s'éloigner puis se tourna vers Célestine.

— Toi, arrive ici, ma petite polissonne. Peut-on faire honte de même !

L'enfant espiègle s'approcha de sa mère, craintive.

— Qu'est ce que j'ai fait encore ? Vous ne voulez pas qu'on parle quand il y a de la visite ! Je n'ai pas parlé !

Émery vint à la rescousse de sa fille. Il n'allait pas lui faire subir une réprimande en rapport à Racicot. Celui-là, il n'avait qu'à rester chez lui !

— Laisse-la tranquille !

L'intervention de son mari étonnait Mathilde. Émery lui avait toujours laissé le soin d'éduquer les enfants à sa guise et voilà que maintenant, il en était rendu à prendre leur part contre elle. Mathilde supposa qu'Émery n'accepterait pas la conduite de sa fille quand il connaîtrait le mobile de son mécontentement.

— Celle-là, elle est à battre ! Tu ne l'as pas vue, toi, imiter Médée Racicot sur le palier de l'escalier, hein ?

— Oui, je l'ai vue, mais laisse-la tranquille ! Elle a agi en toute innocence.

Mathilde resta bouche bée. Il fallait que son homme en veuille à mort au bossu pour laisser passer pareille effronterie sans correction. Mais à bien y penser, Mathilde se rendit compte que ce n'était pas la seule fois. Émery manifestait envers Célestine une indulgence excessive qui risquait d'aggraver les défauts de la petite ingénue.

La mère n'aurait pas levé la main sur sa fille, mais l'enfant venait de se sauver d'une bonne punition. Mathilde la saisit par une épaule, lui fit faire un demi-tour rapide et lui recommanda en la poussant d'un bon élan vers l'escalier :

— Va te changer de robe comme je te l'ai demandé tantôt. Regarde-toi donc ! Monsieur le curé doit t'avoir trouvée souillon, hein ?

L'enfant bondit dans les marches et disparut.

— Je me demande, reprit Émery, ce qui se brasse dans mon dos. C'est sûrement quelque chose de louche.

— Qu'est-ce que tu vas encore chercher là ? Tu as une drôle d'opinion des prêtres, toi !

— Sacrebleu! Ça pue le fumier à plein nez. Tu sauras me le dire dans quelque temps.

— Moi, je ne crois pas le curé capable de s'adonner à des mesquineries? En tout cas, tu n'as pas passé par quatre chemins pour lui dire le fond de ta pensée. Je voyais monsieur le curé rager et je me sentais mal à l'aise d'être témoin de toute l'affaire. J'aurais voulu me voir à cent miles. Tu sais qu'il n'est responsable de rien, que tout dépend des marguilliers?

— Je n'ai pas voulu blesser le curé. J'ai refusé, c'est tout. S'il ne voulait pas se faire répondre, il n'avait qu'à m'envoyer les marguilliers. Je leur aurais passé ça directement. Ce soir, j'aurai l'occasion de me reprendre.

— Tu ne veux pas d'aide de Médée Racicot? Je ne comprends pas pourquoi tu refuserais. Tu aimes mieux te tuer à la tâche?

— Ça, si tu veux mon idée, c'est une belle saloperie qui doit venir d'un marguillier. Une petite passe pour ne pas hausser mon salaire, pour que je démissionne. Quelqu'un doit convoiter mon travail. Si la fabrique est trop pauvre pour m'augmenter, où trouverait-elle les moyens pour payer une aide? Tu vois bien qu'ils me préparent un coup de cochon.

— Comme quoi? As-tu une idée?

— Non! Je le saurai peut-être ce soir. Mais chose sûre, je n'entraînerai pas le bossu pour me faire ficher dehors aussitôt après.

— Le curé est trop correct pour te vouloir du mal, mon Émery. Ce soir, j'ai bon espoir que tout se règle une bonne fois pour toutes. Sapré bon sens, ça me trotte dans la tête continuellement, fit Mathilde, conciliante.

Émery la laissait à sa confiance aveugle. Il ne la contredit pas pour la ménager. «Voyons voir si les marguilliers allaient changer d'idée comme ça, se dit-il, seulement à cause de sa présence à l'assemblée!»

— Essaie de ne pas trop te tourner les sangs avec ça, Mathilde.

— C'est le ménage des écoles que je voudrais lâcher. C'est bien simple, depuis que tu m'as fait miroiter cette possibilité, j'en fais une maladie. Plus de planchers à laver, plus de balayage de classes, ce qui voulait dire davantage d'aide des filles à la maison. Il me semblait aussi que c'était trop beau pour être vrai! Maintenant, je fais mieux de prendre mon mal en patience parce que tout a l'air fichu.

Émery, qui semblait ne rien écouter des propos de son épouse, ajouta pour lui seul :

— Quand je pense! Racicot, un gars qui n'a jamais pu travailler à cause de sa santé! Son père disait que son infirmité le faisait souffrir continuellement. Je suis certain qu'il ne vaudrait pas le sou.

— Si je comprends bien, tu devras quand même te plier à leurs exigences, mon Émery. Tu n'auras pas le choix.

— Ça, jamais! Je t'en réponds!

Comme d'habitude, son mari laisserait le temps faire son œuvre. Émery n'agissait jamais sur un coup de tête. Avec lui, tout était pensé et mûri avec modération et calme. De son côté, Mathilde caressait l'idée d'un changement de situation. Et son intuition lui disait que quelque chose allait se passer qui serait à l'avantage de toute la famille. Elle considérait ce refus d'une façon positive, tel un point de départ. Pour Mathilde, tout acte avait ses conséquences et c'était comme si les circonstances enclenchaient un engrenage qui se déroulait de manière à ce qu'on ne puisse revenir en arrière. Quelque chose qui ne s'expliquait pas, qui n'était pas raisonné parce que trop vague, mais qui pouvait avoir d'heureuses conséquences. Elle y puisait même une force morale. Mathilde s'abandonnait à cette confiance en l'avenir au risque de déchanter par la suite. Elle aurait voulu apaiser son homme, lui redonner confiance. Elle lui répéta une petite phrase de sa mère :

– De toute épreuve, il sort toujours quelque chose de bon.

– Reste à trouver quoi !

Mathilde surveillait Émery. Son homme n'avait pas besoin de parler. Juste à son regard perdu dans le vague, sa femme le comprenait. Quand Émery avait l'air de ne penser à rien, c'était le moment où il pensait le plus. Mathilde devinait son trouble par sa mine renfrognée. Émery avait besoin d'encouragement. On est toujours plus forts à deux, devant l'épreuve. Mais même s'ils avaient la même soif de réussir, Mathilde hésita à l'entraîner dans ses raisonnements. Son mari l'accuserait de s'accrocher à des choses en l'air. Mais Mathilde préférait peut-être ses illusions à la réalité ? Si ça l'encourageait, elle, de se monter la tête ! Elle garda ses suppositions pour elle.

– Si nous laissions en arrière tous les derniers bouleversements et faisions comme si rien ne s'était passé ? C'est toi qui disais «Après la pluie, le beau temps». Tout le monde est en santé et mange trois repas par jour. Et puis, la Providence est encore là pour veiller sur nous autres.

Mathilde alluma la radio pour alléger l'atmosphère chargée. Elle sortit ses ingrédients pour préparer une pâte. Malheureusement, il ne restait plus un œuf dans la maison. Mathilde fronça les sourcils d'un air désappointé. Elle devrait renoncer au plaisir de fêter Hélène.

– Bon! Adieu le gâteau! À moins que les jumelles arrivent assez tôt pour courir au magasin.

L'évocation d'un gâteau fit venir l'eau à la bouche d'Émery. C'était son dessert favori et d'habitude, il ne se gênait pas pour s'en servir une deuxième fois.

– Je vais y aller, moi. En même temps, j'achèterai des ampoules électriques pour l'église. Il doit y en avoir une bonne dizaine de brûlées. Je remettais toujours ça.

Émery se leva et, machinalement, prit sa casquette. Ce serait une bonne occasion pour lui de jaser avec Léopold Richard, le marchand, que tout le monde prénommait Léo. L'épicerie, c'était l'endroit où les curieux pouvaient s'alimenter en rumeurs, potins et plaisanteries. Après les assemblées, les conseillers et les marguilliers, selon le cas, allaient y échanger leurs impressions, tout en disputant une partie de dames. Ainsi, Léopold savait tout ce qui se passait dans la place, même les détails les plus insignifiants, regardant la vie privée de tout un chacun. On disait de lui qu'il était la gazette officielle. Toutefois, le marchand avait le don de tout raconter sans porter de jugements. Les gens le considéraient comme un bon diable. Émery comptait sur lui. Si Léo savait quelque chose le concernant, le sacristain lui ferait cracher le morceau.

Une petite cloche au-dessus de la porte annonçait l'entrée des clients. Le magasin général empestait le tabac à plein nez. Quatre hommes étaient assis sur de vieilles chaises en jonc tressé, quatre pauvres avachis dans la force de l'âge qui, à cœur de jour, tuaient le temps en fumant la pipe. À quelques pieds, au centre, un crachoir morflait leurs crachats. Émery se fraya un passage et toisa les hommes du regard.

— Salut, bedeau ! fanfaronna Meloche.

Émery lui rendit un semblant de salut en soulevant légèrement sa casquette et détourna aussitôt la vue. La présence de ces importuns le démontait. Ce qu'Émery avait à discuter ne regardait que le marchand et lui. Et le sujet se traitait plutôt mal à voix basse. L'idée le prit de remettre sa conversation à plus tard et de s'en tenir à l'achat des œufs. Puis, il se ravisa. Il aurait beau revenir dix fois, le magasin était un lieu public et ses confidences seraient toujours exposées à des oreilles indiscrètes. Émery rendit un coup de chapeau aux traîne-savates. Meloche l'invita à se joindre au groupe.

— Viens fumer une pipée, Gauthier.

— Je n'ai pas le temps. Il faut que je retourne à l'église tantôt.

— Tu auras beau courir, bedeau, tu ne seras pas plus riche au *boutte*.

— Je n'essaie pas d'être riche ! Je veux juste m'en tirer.

Émery se demandait comment ils arrivaient eux, à s'en sortir, à nourrir leur famille sans travailler. Chez lui, si ce n'était du ménage des écoles qui apportait un supplément d'argent, son salaire seul n'aurait pas suffi. Émery eut l'idée de demander à Léo si c'était une épicerie ou une pension qu'il tenait. Et puis, il abdiqua. Léo était bien libre se mener sa barque comme il l'entendait. N'empêche que ces pauvres minables auraient eu besoin de quelques bons coups de pied au derrière pour les stimuler. «Pourvu que mes fils n'en viennent pas là», se dit-il en écartant la fumée de sa main.

– À trois, vous devriez venir à bout de chauffer le magasin au complet sans que j'en rajoute.

Meloche eut un rire gras.

Émery s'assura qu'il n'y avait aucun marguillier parmi les flâneurs et il commanda au marchand:

– Donne-moi trois douzaines d'œufs. Il ajouta à mi-voix: Je peux te dire un mot dans le particulier?

– Ben sûr, bedeau! Passe au confessionnal.

Émery, soulagé de se soustraire aux indiscrétions, suivit Léo à l'arrière du magasin dans une pièce désordonnée où s'entassaient caisses de liqueurs, gallons de peinture, barils de mélasse, sacs de farine, etc. Une petite table et quatre chaises peintes en rouge étaient coincées dans ce méli-mélo où une chatte ne retrouverait pas ses petits. Une fenêtre entrouverte sur le fond de cour donnait un peu d'air à cette cuisine-entrepôt. Émery ne demandait rien de mieux. L'endroit convenait très bien à leur dialogue.

Léo adressa à sa femme un petit signe de tête discret vers la porte. La grosse Blandine, une dame à double menton se leva sans se presser. Son mari voulait l'évincer. C'était évident. Elle se plaignit de rhumatismes, mais ce n'était qu'un prétexte pour rester. Les intrigues la distrayaient. Et Blandine allait manquer celle-là !

Pour comble, l'épicière détestait surveiller le magasin quand les hommes y flânaient. Meloche, un conteur grivois, profitait de sa présence pour débiter ses gaudrioles et, naturellement, il ne prenait pas la peine d'envelopper ses mots dans du papier de soie. Ce genre de propos, qui avait le don d'exaspérer la marchande, la rendait muette et sourde. L'air renfrogné, la femme frôla le sacristain qu'elle toisa froidement des pieds à la tête, puis traversa au magasin et se posta derrière la caisse. Elle s'assit sur un tabouret, prit un tricot laissé à portée de la main et concentra toute son indignation sur ses mailles.

— Tu ne la chasses pas pour moi ? se soucia Émery.

— Non ! Disons plutôt pour les doigts croches. Il ne faut jamais laisser le magasin sans surveillance. Tu vois, tout le monde a l'air honnête et pourtant, on s'est fait voler à deux reprises.

La conversation aiguilla aussitôt sur l'assemblée des marguilliers. Léopold se fit conciliant.

— Tu sais, comme je suis dans le commerce, je devrais tenir ma langue, convint Léopold. Je ne voudrais ni m'attirer des histoires ni perdre des clients, mais si tu jures de taire mon nom, je te raconte tout.

— Vas-y donc !

— Octave Quentin est venu en personne, ici même, dans la cuisine, sur la même chaise où tu es assis. Je te l'avoue tout de suite, tu ne seras pas content du tout d'entendre ce qui va suivre.

– Continue. Je veux tout savoir de long en large.

– Quentin a exigé un relevé de ce que vous avez mangé dans le courant de l'année. J'ai dû sortir toutes tes factures d'épicerie.

Léopold l'observait avec attention. Émery se forçait à garder son calme, mais sa respiration semblait s'arrêter au niveau de la gorge.

– Sacrebleu! Quentin m'en voudrait? Je n'aurais pas cru ça de lui! Tu n'as pas embarqué dans sa combine, j'espère? Tu n'avais pas le droit de faire ça.

– Si! Parce que c'était à la demande du curé.

– Toi, Léopold Richard, tu as avalé ça? Tu es plus naïf que je pensais.

– J'avoue que j'aurais dû d'abord m'informer au curé, mais tout s'est passé si vite. Quentin voulait qu'on regarde ça avant l'assemblée qui avait lieu le soir même. Je me sentais pris de court dans tout ça, moi. Ce n'est pas rien de trier les factures de toute une paroisse et ensuite de les éplucher une par une. En plus, Quentin me poussait tout le temps dans le dos. J'aurais pu l'envoyer au diable, mais quand on tient commerce il faut bien ménager ses clients. J'ai ma leçon, crois-moi! J'espère que tu ne m'en veux pas trop?

– Ça ne me fait pas trop trop plaisir, mais le mal est fait. Un coup parti, rends-toi au bout de ton histoire sans rien me cacher.

– Une fois, vous avez commandé du filet de bœuf, la partie la plus chère. Quentin a alors sauté sur la facture avec un sourire malicieux, comme quelqu'un qui vient de trouver ce qu'il cherchait.

Émery, hors de lui, en appelait à son calme. Il se donna le temps de ravaler, d'assimiler l'affront, mais plus il pensait plus il s'échauffait.

— Le salaud! Il va entendre parler de moi!

Le souffle coupé, Léo regrettait déjà ses dénonciations.

— Tu ne vas pas aller vendre la mèche?

Émery réfléchit un moment:

— Je ne réponds pas de moi! Tu me blâmerais de me faire justice?

Léopold se sentit piqué au vif. Il n'avait pas imaginé une minute la tournure que prendrait leur entretien. Le marchand, la mine basse, regarda Émery d'un air repentant.

— Si c'est comme ça, je vais perdre la confiance de mes clients.

Avant de partir, tout de même secoué par les récents aveux du boucher, le sacristain lui donna une poignée de main rassurante:

— Tu pourras dormir sur tes deux oreilles. Si jamais t'as encore besoin de mon cheval et de ma voiture, ne te gêne pas. Ça me fera plaisir de te rendre service à mon tour.

Léopold Richard éprouvait un soulagement aussi vif que l'avaient été son inquiétude et sa panique.

Le sacristain avait frappé à la bonne porte. Et il n'avait eu aucune peine à le faire parler. Sans Léo, jamais Émery n'aurait pu découvrir celui qui manigançait dans son dos. Sur le court chemin du retour, le sacristain ruminait ses renseignements. Mille questions le tracassaient. Quel intérêt aurait ce marguillier à lui mettre des bois dans les roues? Émery ressentait la plus amère des déceptions de ce coup bas et son ressentiment lui enlevait tout intérêt pour son travail. Une fois de plus, il eut envie de tout envoyer au diable. Soudain, une sorte d'instinct, comme une petite lumière, s'alluma dans son esprit. Quentin devait convoiter la fonction de sacristain pour agir de la sorte. Il devait en avoir assez de son dur travail de cantonnier. Le sacristain, lui, n'avait aucun intérêt pour la concurrence qui n'occasionnait qu'inquiétudes, tracas et risques. Il préférait la paix et la sécurité.

À la maison, Émery suspendit sa casquette au clou et déposa les œufs sur la table. Sa femme l'attendait, impatiente.

— Tu en as mis du temps! Un peu plus et j'abandonnais l'idée du gâteau. Et tes lumières?

— Sacrebleu! Je les ai oubliées.

Mathilde ajouta avec un brin d'ironie:

— La mémoire, ça se cultive, Émery.

— Si la tienne est si cultivée, essaie donc de te souvenir si dans le courant de l'année tu n'aurais pas acheté du bœuf dans le filet, chez Léopold Richard?

Mathilde supposa que seule une visite imposante expliquerait l'extravagance d'une telle dépense. Elle n'eut pas à réfléchir longuement:

— C'est bien possible! Peut-être quand ton oncle missionnaire est venu d'Afrique. Veux-tu me dire pourquoi tu me demandes ça aujourd'hui alors que c'est arrivé il y a des lunes de ça?

— J'ai cru le voir dans les factures d'épicerie.

— Ce n'est pas un reproche que tu me fais, Émery?

Sa femme quêtait son approbation. Elle n'obtint pas de réponse et ne s'acharna pas non plus à insister, elle aurait parlé dans le vide. Mathilde comprit, juste par l'air indifférent de son mari, qu'il ne lui en tenait pas rigueur.

Émery garderait pour lui l'histoire de Quentin, tant et aussi longtemps qu'il n'aurait pas fait toute la clarté sur cette affaire. Autrement, il ne réussirait qu'à embêter sa femme.

* * *

Une auto noire s'engageait dans la cour. Mathilde souleva le rideau léger et reconnut ses frères, Viateur et Noël. Ce dernier était accompagné de sa femme Éloïse. Mathilde se réjouissait de les voir arriver. Cette visite remettrait son homme de belle humeur. Elle se pressa d'aviser les enfants :

– Vous laisserez ce qui reste du gâteau à la visite. Que je n'en voie pas un venir m'en quémander devant le monde ! Avez-vous tous compris ?

Personne ne réagit. Les enfants tenaient de leur père cette manie de ne pas répondre.

La grande cuisine était pleine de vie. Les filles accaparaient toute la table avec les cahiers et les crayons à colorier. À l'autre bout de la pièce, Mathilde rapprocha sa berceuse tout contre celle d'Éloïse. Ainsi, les belles-sœurs se trouvaient plus à l'aise pour chuchoter de la situation précaire d'Émery.

Émery, Noël et Viateur s'attardaient sur la galerie. Les beaux-frères étaient liés par des intérêts communs. Tous trois travaillaient pour des communautés religieuses différentes. Noël exerçait le métier d'électricien au collège de Saint-Pierre-du-Portage et Viateur était homme à tout faire dans un couvent de Montréal. On le surnommait «l'homme des sœurs». Chacun racontait ses petits problèmes qui tous se rejoignaient quelque peu. Émery, que sa demande d'augmentation préoccupait, exposait ses craintes.

— J'ai peut-être provoqué une situation qui risque de tourner au vinaigre.

Viateur pensait autrement.

— Il y a des choses qu'on se doit de faire si on veut avancer dans la vie. Tu ne t'attendais toujours pas à ce que la fabrique t'accorde une augmentation comme ça, sans tirailler un peu? Ce serait trop facile, Émery.

— Moi qui travaille aussi pour une communauté religieuse, enchaîna Noël, je peux te dire que quand les dirigeants ont quelque chose de travers, ils chient tous sur le bacul comme les autres. Quant au coût de la vie, ils sont en arrière là-dessus, crois-moi!

Marc et Guillaume riaient malicieusement. Les gamins qui n'avaient pas dix ans étaient peu familiers de ce genre de conversation. Émery s'en rendit compte et leur ordonna d'aller jouer plus loin. Les trois hommes s'attardèrent sur le banc vert jusqu'à l'angélus.

Émery se fit remplacer par son aîné pour sonner les cloches et, comme c'était l'heure de son rendez-vous, il s'excusa auprès de ses beaux-frères.

– J'ai l'impression de me déplacer pour rien, mais j'ai promis au curé d'être là.

Mathilde profita de l'absence d'Émery pour confier ses inquiétudes à ses frères. Avec eux, elle pouvait se laisser aller. Noël la rassura.

– Tâche de ne pas t'énerver pour rien, Émery peut quand même pas perdre son emploi rien que parce qu'il réclame une augmentation. Ce serait ridicule ! Et puis, au pis aller, il sera toujours temps pour lui de tirer son épingle du jeu.

Mathilde répliqua d'un ton tranchant :

– C'est ce que j'essaie de lui faire comprendre, mais allez essayer ! L'orgueil est là, hein ! Si Émery décide de ne pas s'en laisser imposer… Comme je le connais, il tiendra jusqu'au bout, jusqu'à la démission.

– Voyons donc ! Certainement pas avant d'avoir trouvé autre chose ? Ce ne serait pas le genre d'Émery. Il est quand même plus sérieux que ça.

– Sérieux, mais têtu comme une mule, renchérit Mathilde. Je ne sais pas trop ce qu'il mijote, mais il ne cherche pas ailleurs. Ça, je le saurais.

Dans tout ça, Mathilde se sentait balancée comme un caillou dans la main d'un enfant.

* * *

Les marguilliers s'étaient rendus au presbytère une demi-heure à l'avance pour étudier la requête du sacristain. Ils avaient pu ainsi tout décider en sourdine. Émery n'en faisait pas un boucan. Ce petit manège ne lui était pas étranger. L'hypocrisie était une vraie coutume. Émery se fichait des ricanements dans son dos, tant que ceux-ci ne lui causaient pas de tort. Comme il n'attendait plus rien du conseil de la fabrique, cette comédie lui fournissait de nouvelles raisons de tenir tête, de ne pas renoncer pas à sa demande.

Le curé alla lui-même ouvrir. Dans le portique, il prévint Émery à voix basse :

– Les marguilliers sont déjà là ! Je veux qu'ils vous répètent personnellement ce qu'ils ont conclu, vu que c'est leur décision à eux.

Émery comprit que le curé désapprouvait ce qui suivrait. Au point où l'affaire en était rendue, le sacristain se dit : «un peu plus ou un peu moins». Sans précaution, il ferma la porte au nez des marguilliers et demeura un bon moment seul avec le prêtre dans le vestibule. Le petit tête-à-tête avec son curé ressemblait drôlement à l'entrevue secrète des marguilliers. Sans même penser à provoquer une vengeance, Émery leur rendait la monnaie de leur pièce. Il s'informa au curé :

– Est-ce vous qui avez exigé un relevé de la nourriture que nous avons achetée au magasin Richard ?

– Pardon ?

– Un marguillier l'a fait en votre nom.

– Quel marguillier ?

Émery ne répondit pas. Il regardait le curé en face, et ce dernier soutenait le regard accusateur. Émery pensait que le prêtre y laisserait sa peau tant le sang lui rougissait le visage. Une grosse veine bleuissait et gonflait sur son front. Contre qui, de lui ou du marguillier, le curé en avait-il ? Depuis le temps qu'il connaissait le prêtre, jamais Émery ne l'avait vu, retenir ainsi sa colère.

– Et de qui tenez-vous ça ?

Face à son silence obstiné, le prêtre n'insista point. C'était évident, le sacristain ne nommerait personne.

– Êtes-vous bien certain de ce que vous avancez, monsieur Gauthier, ou est-ce une basse vengeance de votre part ?

– Je n'ai plus l'âge de badiner, monsieur le curé.

Le curé sortit un mouchoir de sa poche et essuya son front. Il se racla la gorge pour s'éclaircir la voix et ouvrit la porte toute grande sur l'assemblée.

Les chuchoteries des marguilliers coupèrent net. Tout se déroula comme Émery s'y attendait. On refusa l'augmentation prétextant que les Gauthier se nourrissaient grassement quand autour d'eux tout le monde achetait ce qu'il y avait de meilleur marché. Le curé avait maintenant la preuve de la franchise d'Émery, mais son esprit fin et investigateur l'incitait à aller au fond des choses. L'abbé Carpentier resta debout, les mains appuyées sur la table des marguilliers.

– Qui peut vous renseigner sur la façon dont les Gauthier se nourrissent ?

– Nous avons fait notre petite enquête, fanfaronna Quentin qui carrait les épaules et bombait le torse.

– Quelle sorte d'enquête ? Les marguilliers étaient tous d'accord pour cette investigation ?

Le prêtre questionnait d'un ton impératif et Quentin pouvait facilement lire le mécontentement dans son regard d'acier.

Il y eut un court silence. Tous visaient Quentin qui se sentait pris comme dans un étau. Le cantonnier répondit crâneur :

– Personne n'était contre.

Le curé poussa plus loin et d'une voix sèche :

– Lequel d'entre vous a décidé ou proposé cette enquête ?

Comme personne ne répondait, Quentin prit la parole.

– Écoutez, monsieur le curé ! Ici, les marguilliers travaillent pour l'intérêt de la fabrique et, comme les rentrées d'argent sont minimes, on fait ce qu'on peut. En tant que président du conseil de la fabrique, j'ai cru de mon devoir d'exercer une certaine surveillance en regard des dépenses exagérées du sacristain. Si le bedeau actuel se trouve mal payé, n'importe qui sera fier de le remplacer.

Un rictus déforma la lèvre de Quentin. Le sacristain gardait un calme désarmant devant l'affront, tandis que le curé raidissait le cou et promenait un doigt nerveux sous son col romain très raide. Le saint homme insistait :

– Je n'ai pas de réponse à ma question. Qui a pris sur lui de mener cette enquête ? Je veux le nom du responsable et, si vous ne parlez pas, c'est que vous êtes tous coupables.

Tous les yeux se tournèrent vers Quentin qui, coincé, répondit :

– Je l'ai décidé à titre de président et vous remarquez que toutes mes décisions sont à l'avantage de la fabrique.

– Vous resterez ici, après l'assemblée, monsieur Quentin. J'aurai un mot à vous dire dans le particulier.

Le curé venait de se blanchir aux yeux d'Émery et vice versa. Plus tard, le prêtre veillerait à ce que le coupable se rétracte.

Émery Gauthier était satisfait. Le déplacement en avait valu la peine, ne serait-ce que pour avoir étalé au grand jour le petit jeu de Quentin. Émery n'avait pas eu à trahir l'épicier, Quentin se pendait avec sa propre corde. Son silence et son calme dépitait Quentin qui l'asticota de nouveau :

– Compte-toi chanceux, Gauthier, la fabrique est prête à te payer de l'aide. Il y a Médée Racicot qui travaille pas et qui aimerait se faire quelques sous.

Émery Gauthier se leva sans s'excuser. Son visage trahissait un triomphe secret. L'homme avait le sentiment de protéger son droit à sa propre dignité. Il réserva un petit salut de tête au curé et sortit. Personne ne savait ce que le sacristain pensait.

IV

Toute la nuit, il avait plu sur les toits de Sacré-Cœur-de-Jésus. Au petit matin, c'était l'embellie. Et à l'heure où la maisonnée s'éveilla, le soleil brûlait déjà les rues.

Rosemarie attendait patiemment le retour de la messe pour causer avec son père de son intention de renoncer au noviciat, mais son frère Julien se joignit à eux et, en sa présence, la jeune fille ne parlerait pas. Son jeune frère de seize ans ne ratait pas une occasion de rapporter le moindre écart de conduite à sa mère pour rester dans ses bonnes grâces.

Les heures filaient. L'angélus sonnait maintenant midi. Rosemarie ne toucha pas à son assiette. Toute son énergie l'avait quittée. Ces derniers jours, la pauvre fille s'était heurtée à tant d'obstacles qu'un ressort s'était brisé en elle. Elle avait l'impression d'être une marionnette actionnée par des fils que chacun tirait de gauche à droite pour la contrôler.

Au sortir de table, Rosemarie se réfugia dans le petit salon et s'assit sur une chaise à deux pas du piano. Toutes ses pensées allaient à l'encontre de son départ. Rosemarie nourrissait d'autres projets. Mais, malheureusement, elle subissait, car les enfants n'avaient pas droit de parole. C'était à ses parents de décider de son sort. Et aujourd'hui, la soumission la mènerait droit au noviciat.

Rosemarie se leva. Il fallait bien. Les siens l'attendaient sur le perron.

La longue galerie grouillante de monde ressemblait à un quai de gare à l'embarquement des voyageurs. Tantes, cousins, cousines et anciennes de l'école venaient échanger des adieux. Rosemarie avait la nette impression qu'ils lui volaient le peu de temps qui lui restait à profiter de sa famille.

Julien fit reculer le cheval attelé à un tombereau. Arrivé à la hauteur du perron, Laurent s'arc-boutait les jambes au mur de la maison et poussait de toutes ses forces sur un vieux coffre au couvercle bombé qui contenait les effets de Rosemarie. Les genoux du garçon fléchissaient à chaque effort. Les filles riaient et l'encourageaient de leurs cris.

– Un, deux, trois, hop, Laurent!

La lourde malle bardée de ferrures et de cuir ne bougeait pas d'un poil. Laurent rougissait sous les sifflets et les huées. Il se remit à ses poussées avec acharnement. Une planche renflée de la galerie bloquait ses efforts. Julien s'en aperçut et fit signe aux cousins. À quatre, les garçons soulevèrent la malle sans peine, ce qui souleva les applaudissements des filles.

Adossée à l'encadrement de la porte, Rosemarie les regardait. La jeune fille n'était pas d'humeur à partager les rires. Elle fixait la valise destinée à faire tout le reste du chemin avec elle, d'abord au noviciat, ensuite, de couvent en couvent puis, de pays en pays, et ce, jusqu'à sa mort.

Puis vint l'heure de la séparation. Rosemarie embrassa ses frères et sœurs sur les deux joues. Puis ce fut au tour de ses parents. La jeune fille surveillait discrètement

Mathilde et ne décelait aucune tristesse sur ses traits. De voir sa mère si heureuse affligeait la pauvre fille qui arrivait mal à cacher sa violente déception. La séparation ne pesait donc pas lourd sur son cœur de mère. Dire que le sien était déjà en mille miettes! Rosemarie se demandait si sa mère avait parfois des émotions. Affichait-elle une indifférence déguisée?

À son tour, Émery se pencha vers Rosemarie, le bref instant d'une accolade. Aussitôt, comme mal à l'aise, la grande main décharnée du père repoussa l'épaule délicate de Rosemarie. Émery s'arrachait à l'enlacement de sa fille en lui chuchotant: « Bon! Ça va, ça va! » Le son de sa voix était chargé d'émotion. Pour lui, cette séparation définitive ressemblait un peu trop à l'étreinte finale. Il se retourna brusquement pour cacher l'angoisse qui lui enserrait les tripes. Rosemarie essuya la rebuffade sans en comprendre le motif. Pourtant, le matin, il avait pleuré. Rosemarie en était sûre. Pourquoi son père dissimulait-il ses beaux sentiments sous de brusques humeurs? La déception et la rancœur l'emportaient sur sa sensibilité et lui dictaient des gestes apparemment blâmables. Chez lui, les émotions sortaient tout en vrac et il fallait à Rosemarie une subtilité de raisonnement pour éviter la confusion.

Et ce fut le summum du sacrifice pour Rosemarie. La pauvre s'éloigna, tête basse et monta dans la charrette. Elle se sentait bannie de sa famille. Laurent commanda le cheval en faisant claquer sa langue et le tombereau branlant sur ses deux roues prit le chemin de la gare. Une procession de jeunes garçons et filles suivait l'attelage en badinant. Rosemarie n'en faisait pas de cas.

Le cheval avançait d'un bon pas et il aurait tôt fait de les semer. La petite voyageuse se tenait, assise près de son frère, les deux pieds sur le limon gauche du tombereau. En silence, elle dit adieu à la maison, au chemin par où elle avait souvent passé, à l'église, à l'école, puis au village où elle était née. Laurent lui jeta un regard de biais. Le menton de Rosemarie tremblotait. Le garçon détourna la vue, un peu gêné d'être témoin des sentiments de son aînée. Laurent avait l'impression que ce n'était plus la Rosemarie au sourire facile qui était assise à ses côtés. Ils se touchaient presque et pourtant, une distance respectueuse s'installait déjà entre eux. Laurent se demandait bien ce qui prenait à Rosemarie d'aller s'emprisonner dans un noviciat. Il n'osait pas la questionner. Après tout, c'était sa vie à elle. Le reste du trajet fut silencieux. On n'entendait que les jantes métalliques des roues crisser sur le gravier, agaçantes, insupportables.

Guillaume et Marc avaient enfourché le vélo noir. Les gamins s'amusaient à contourner leur père qui, parti à pied, avait pris un peu d'avance sur les siens. À tout moment, les jambes pendantes de Marc le frôlaient dangereusement. Enfin, Émery rabroua les gamins.

– Allez vous amuser plus loin.

Émery recherchait un peu de solitude pour méditer sur le choix de Rosemarie qui, selon lui, s'en allait vivre en recluse comme un ermite.

* * *

À la maison, Mathilde, installée devant l'évier, taillait des légumes en dés et les jetait dans le chaudron à soupe, quand soudain, la cuisine se mit à tourner. La ménagère lâcha aussitôt son couteau, s'agrippa au poteau d'escalier, en fit demi-tour et s'assit sur la marche du bas. Tout s'obscurcit devant ses yeux. Elle pressait sa tête à deux mains. Julie, figée de surprise, restait plantée devant elle à la dévisager.

— Qu'est-ce que vous avez, maman? Vous filez mal?

— Je ne sais pas ce qui me prend tout à coup d'être si étourdie. Va donc me chercher un verre d'eau.

Julie prit sa mère par la taille et l'aida à se remettre debout. Mathilde se laissa conduire comme une enfant jusqu'à la berçante. Julie lui donna à boire et assuma ensuite la relève aux légumes. Tout en coupant ses carottes en biseau, la jeune fille s'en faisait pour la santé et la vie de sa mère. À quatorze ans, Julie démontrait une maturité d'esprit. Son regard s'assombrit. Rosemarie partie, si sa mère décédait, toute la maisonnée lui tomberait sur les bras. C'était comme ça dans toutes les familles où la mère disparaissait trop tôt. L'aînée se faisait un devoir de prendre la relève. Julie prenait conscience de l'énorme responsabilité qui lui incomberait. Doris, sa jumelle au tempérament fougueux, n'était pas apte à endosser la charge de la famille. Celle-là, on ne pouvait lui attribuer deux tâches de suite sans qu'elle en néglige une. Elle se contentait de balayer à la diable en contournant les meubles et dissimulait ensuite son tas d'ordures derrière le balai. Julie chassa ses pensées sombres. Sa mère était toujours en vie et elle n'allait pas mourir pour une petite faiblesse !

Mathilde ne prit pas le temps de se dorloter. Son malaise était sans doute dû à la fatigue des derniers jours. Sans se ménager, la femme reprit le collier. Au retour de la gare, la visite devait repasser par la maison, ce qui obligeait Mathilde à préparer un gueuleton. Mais la mangeaille ne suffisait pas à accaparer toute l'attention de la ménagère. Sa principale préoccupation était Rosemarie. Le départ avait été plutôt difficile et sa fille allait peut-être en garder un souvenir amer.

Mathilde savait déceler les humeurs, les désirs et les états d'âme de sa grande. Certes, elle aurait souhaité que tout se passe autrement, que Rosemarie embrasse la vie religieuse de son plein gré, le cœur réjoui. Cette dernière année passée à la maison, Rosemarie ne cessait de lui répéter que le couvent ressemblait à une prison, mais Mathilde pensait autrement. Y avait-il plus prisonnière qu'une femme dans sa maison ? « Moi, je sais ce qui est bon pour toi », lui répétait Mathilde. Sa fille comprendrait plus tard où était sa vraie voie.

Mathilde prétendait que sa fille s'habituerait au noviciat comme elle s'était habituée au pensionnat. Mais son raisonnement reposait sur une simple supposition. Les mères ne connaissaient rien des épreuves que la règle d'une congrégation religieuse imposait aux novices avant leur profession, comme embrasser le plancher, confesser publiquement leurs manquements devant les novices, se donner la discipline, ce qui consistait à se flageller, à se mortifier à l'aide d'un fouet de cordelettes de chanvre.

Ces brimades demeuraient secrètes pour ne pas détourner les nouvelles recrues de leur projet.

Mathilde s'avouait que les derniers jours n'avaient pas été faciles pour Rosemarie. Sans doute, le changement de vie et le départ définitif bouleversaient un peu sa fille, mais avec le temps, sa bonne humeur reviendrait. Mathilde se reprochait de ne pas être allée la reconduire à la gare. Elle regarda les aiguilles de l'horloge. En se pressant, elle arriverait assez tôt pour saluer sa grande fille. Vivement, la femme détacha son tablier et le jeta sur la glacière. Elle tira Célestine et Hélène par la main et ordonna aux jumelles :

– Vous deux, amenez Odette ! Nous allons dire un dernier bonjour à votre grande sœur. À la gare, que je ne voie personne sur les rails ! Compris ?

Mathilde s'essoufflait à rien. Elle retenait Hélène et Célestine. Les fillettes ne cherchaient qu'à prendre les devants. Sur son passage, la femme sentait des présences aux fenêtres. Elle redressa la tête. Tout le village savait que ce jour-là, la fille du sacristain partait pour se faire religieuse. Le dimanche précédent, le curé lui avait fait ses adieux du haut de la chaire. Flattée dans sa vanité, Mathilde s'accordait tout le mérite d'avoir une religieuse dans sa famille.

Le quai de la gare fourmillait de gens joyeux. Tout le monde s'interpellait et conversait. Dans ce tumulte, Rosemarie aspirait au calme. Son regard fit le tour de la foule. Elle seule était encline à la tristesse. On l'entourait, on l'accaparait, on riait sans elle. Et pour ne pas freiner l'élan de gaieté qui flottait dans l'air, Rosemarie s'efforçait de cacher sa peine sous de faux-semblants. Encore une fois, elle se pliait aux fantaisies des êtres chers qui l'entouraient.

Au bout du débarcadère, Émery considérait tristement sa fille. Rosemarie portait des vêtements courts. Une ceinture serrait la taille de sa petite robe qui laissait voir la rondeur de ses genoux. Sur sa tête, une coiffure marine ressemblait à un képi. Des boucles blondes pendaient le long de ses joues pleines. Sa taille élancée et son gracieux port de tête la faisaient paraître plus grande qu'elle ne l'était. Aux yeux de son père, Rosemarie n'avait rien d'une future religieuse.

Émery décelait sur les traits de sa grande fille de dix-huit ans cette amertume qu'il connaissait pour l'avoir vécue dans ses jeunes années, au collège du Portage.

Rosemarie allait partir et Émery avait à peine eu le temps de la regarder vivre. «Dix-huit ans, se dit-il, presque une enfant. Et dire que je comptais sur elle pour me donner des petits-enfants.» Émery s'attarda au regret mélancolique d'un bonheur qu'il ne connaîtrait pas. Sa fille aurait été attirante pour un mari. Toutefois, il ne l'avait jamais vue faire grand cas des garçons. Sa mère, très stricte en ce qui a regard aux fréquentations de ses filles, lui aurait sans doute mis le holà. Sans tenir compte qu'elle-même était passée par là, Mathilde prenait ombrage de tout ce qui concédait un peu liberté à ses enfants. Émery, lui, aurait été plus indulgent. Même ce jour-là, il faisait un effort surhumain pour ne pas ramener sa fille à la maison. Ce geste aurait été purement égoïste. La foi du sacristain ne lui permettait pas de se mettre en travers des vues divines.

Rosemarie ne trouvait plus aucun intérêt à converser des choses du monde. Elle se sentait déjà étrangère à son patelin. En fait, Rosemarie ne trouvait plus intérêt à rien. Près d'elle, sa cousine Cécile, d'une insistance accapareuse, tirait son bras et murmurait:

– Approche! J'ai un secret à te dire!

Cécile lui avoua à son intention d'entrer au noviciat, l'année suivante. Rosemarie fixait sa cousine, l'air étonné. Elle s'attendait si peu à ça. Cécile qui riait à propos de tout et de rien. Cécile religieuse! Elle avait une mère tellement permissive que Rosemarie croyait à une farce. Cécile insista pour que son projet reste confidentiel jusqu'à ce que ses parents soient mis au courant. «Une vocation qui annonce des difficultés», pensait Rosemarie. Mais, cette fois, les rôles étaient inversés.

À la corne du chemin, les jumelles s'amenaient en courant. Mathilde les suivait à grands pas, retenant deux petites filles qui tentaient de s'échapper. Rosemarie laissa sa cousine en plan. Si sa mère était là, c'était peut-être qu'elle avait réfléchi et changé d'idée? Rosemarie espérait un revirement de dernière minute. Mais la pauvre fille revint vite à la réalité. Elle s'accrochait inutilement. Depuis des années, ce départ était pensé et mûri solidement. Les paroles influentes de Mathilde revenaient bourdonner amèrement aux oreilles de Rosemarie: «Je donne ma fille au Bon Dieu!» Toute son enfance, Rosemarie s'était sentie la pauvre victime, l'agneau sacrifié que sa mère immolait, ayant mine de rien.

Assise sur le long banc de métal vert-de-gris adossé à la gare, Mathilde reprenait son souffle. Rosemarie s'assit à ses côtés et resta silencieuse pour mieux manifester la contrainte à laquelle elle se soumettait. La pauvre fille confuse et humiliée avait l'impression que sa mère se débarrassait d'elle.

Rosemarie se redressa brusquement. Le train entrait en gare dans un bruit d'enfer. La terre tremblait sous les pieds. À quelques pas, Odette, effrayée, criait et agrippait Julie par le col de sa blouse.

Des gens de la ville, venus passer les vacances à la campagne, descendaient allègrement des wagons, les bras chargés d'enfants de tout âge. Sur la place, un attelage attendait les vacanciers. Le superbe percheron attelé à une barouche chassait les taons à coups de queue. Son voisin de piquet, le cheval des Gauthier, hennissait et piaffait d'impatience.

Dans la cohue, Mathilde entraînait Rosemarie près de sa malle. Le groupe de cousins et amies formait un essaim grouillant qui s'agglutinait autour des deux femmes. Rosemarie semblait profondément affligée. Soudain, en l'espace d'une seconde, un changement s'opéra en elle, un revirement inexplicable, un fol espoir. Refuser de partir! Elle le voulait à tout prix, mais juste à penser braver l'autorité, ses jambes mollissaient. Il ne restait que deux minutes avant le départ du train. Deux petites minutes à tenir tête. Rosemarie prit son courage à deux mains et joua le tout pour le tout. Elle avisa sa mère d'un ton ferme:

— Je reste!

Mathilde se méfiait de ce brusque changement d'attitude.

— Voyons donc! Qu'est-ce qui te prend tout à coup?

La mère était dépassée par les événements. Voir si elle s'attendait à une pareille surprise! «Avoir prévu que les choses se passeraient ainsi, les cousines et amies seraient restées chacune chez elle», lui rétorqua-t-elle. Pour comble, des paroissiens, fidèles à l'arrivée du courrier, se tenaient à distance et écoutaient hypocritement. Dans le patelin, les nouvelles allaient bon train et, pour certaines grandes langues, assoiffées de racontars, le revirement de Rosemarie serait un bon sujet à médisance.

Mathilde venait d'entendre murmurer: «Quel triste sort!» et «Un si beau brin de fille. Quel gaspillage!» Mathilde se sentait mal à l'aise parmi ces faux dévots qui ne se gênaient pas de porter des jugements blâmables. Sa fille les avait aussi sûrement entendus, et de là, sa conduite déraisonnable. Mathilde attira Rosemarie contre elle et, mine de rien, lui ordonna sèchement d'une voix basse:

– Tu pars! T'entends? Et surtout, pas de scène! Ce n'est pas le moment de te donner en spectacle, tout le monde nous regarde.

– Non! Je reste!

Rosemarie, butée, semblait imperméable aux intentions de sa mère.

Sa mère s'inquiétait de cette subite volte-face. Elle n'aurait jamais imaginé sa fille capable de tant de ténacité.

– Tu vas obéir! lui grommela Mathilde entre les dents. Ce n'est plus le moment de reculer. Tes tantes sœurs sont déjà là-bas qui t'attendent à la gare Centrale. Rendue au noviciat, tu auras tout ton temps pour mûrir ta décision.

– Non!

Puis ne se contenant plus, Rosemarie se mit à pleurer tout bas, ce qui redonna confiance à sa mère. Comme si l'entêtement de sa fille pouvait se noyer dans les larmes. Mathilde emprunta devant les témoins, une voix douce-reuse, enjôleuse.

– Sois bonne fille! Et donne le bon exemple à tes sœurs. Va! Monte!

Toute sa courte vie, Rosemarie n'avait fait que ça, donner le bon exemple. Elle ne dit rien, mais ne se pliait pas pour autant au désir de sa mère. Elle regardait autour d'elle avec l'envie que la terre s'effondre. «Pourquoi ne pas en finir? Si je m'élançais devant le train, qui donc me retiendrait?»

La locomotive étira un cri plaintif. Des retardataires couraient. Mathilde s'impatientait. Elle prit Laurent et Julien à part.

– Vous deux, montez la malle immédiatement. Dépê-chez-vous.

Laurent détestait cette manie chez sa mère de tout vouloir régenter. Il prit la défense de sa sœur.

– Impossible! Rosemarie est assise dessus.

– Eille, poussez-la! Je vous rends responsables de la malle. Vous m'entendez?

– Moi, je ne m'en mêle pas! répliqua Laurent, en croisant les bras.

Sa mère lui jeta un regard qui n'admettait pas la contra-diction et se tourna vers Marc.

– Toi! Cours chercher ton père et dis-lui que Rosemarie fait des siennes.

Émery tâchait de paraître indifférent devant le chef de gare. Comme Marc insistait, il répondit: «J'irai tantôt.»

Pourtant, ses deux pieds restaient cloués au sol. Le revirement tenace de Rosemarie surprenait son père. Il connaissait sa fille, si douce. Émery fixait les rails qui s'entrecroisaient devant le quai de bois et continuait de converser avec le télégraphiste comme si de rien n'était. À voir l'attitude du bedeau, l'événement lui semblait étranger, mais ses tripes se tordaient à l'intérieur. Sa grande, la plus sensible de ses filles, allait disparaître, ayant à peine atteint sa taille d'adulte.

Mathilde, aux prises avec Rosemarie, en voulait mortellement à son mari de lui refuser son appui. Seul, Julien, le fils privilégié, prenait le parti de sa mère. Avec Marc, il souleva un coin de la grosse malle. Rosemarie se leva forcément et croisa les bras pour mieux marquer son refus. Elle se fichait bien que la valise et ses effets disparaissent.

Laurent, décontenancé, regardait sans scrupule de conscience, son frère Julien et un cheminot hisser la valise bleue dans le compartiment à bagages. Laurent eut le réflexe de s'en mêler de s'opposer à l'embarquement de la malle, mais il y pensa par deux fois. À la maison, une guerre froide s'ensuivrait et l'air deviendrait irrespirable. Ça revenait plutôt à son père de prendre la part de Rosemarie.

Mathilde s'approcha tout contre Rosemarie, lui saisit un bras, serra fort pour montrer sa domination et lui murmura à l'oreille :

– Toi, monte !

Puis, elle poussa sa fille dans le train qui s'ébranlait lentement. Rosemarie ne pouvait se permettre de bousculer sa mère et d'en venir aux coups. Elle trébucha sur le petit escalier de fer. Dans le train, le contrôleur criait : « Attention à la marche, mademoiselle ! » En même temps, l'employé agrippait la jeune fille d'une main vigoureuse et l'attirait dans le wagon de queue. Au bout du quai, Émery essayait de réprimer l'émotion qui l'étranglait. Sa main tremblante dessinait un salut réticent.

La longue couleuvre noire reprit son allure folle et disparut à travers champs.

Mathilde avait gagné la partie. Toutefois, ce départ lui apportait autant de crainte que de joie. Si dans son entêtement, Rosemarie décidait de descendre à la station suivante ou de traîner dans la grande ville, et qui sait, peut-être de frayer avec des gens malhonnêtes qui abuseraient de sa naïveté ? Mathilde vivrait dans l'angoisse tant qu'elle ne recevrait pas une lettre rassurante de sa fille.

Émery prit seul le chemin du retour. Même à distance, Rosemarie était bien présente dans les pensées de son père. Le sacristain revoyait sa fille sur le quai de la gare, dans ses vêtements bleu marine. Cette dernière image resterait gravée dans sa mémoire et désormais, chaque fois qu'il penserait à Rosemarie c'est ce cliché qui s'imposerait à lui, sa grande avec ses boucles blondes, ses joues satinées, ses yeux humides. L'homme sursauta au bruit d'un attelage qui s'accolait. C'était Laurent qui l'invitait à monter. Émery refusa. Il préférait rentrer à pied, une épine au cœur.

V

Au retour de la gare, parents et amies s'amenaient gaiement chez les Gauthier. Le ton des bavardages s'enflait, pénétrait jusque dans les maisons en bordure du chemin et attirait les gens sur le pas de leur porte. La rue entière semblait appartenir à cette bande joyeuse.

Au souper, Mathilde cachait l'inquiétude que lui causaient les siens en étant prévenante envers ses convives. Elle servait sa poule bouillie en surveillant Émery du coin de l'œil. L'attitude butée et hostile de son mari la tracassait.

Assis au bout de la table, Émery était plongé dans un abattement qui l'empêchait d'écouter. Mathilde trouvait son attitude choquante. Son mari donnait l'impression de refuser l'hospitalité. Les invités, courbés sur leur couvert, n'osaient lever les yeux, gênés de rencontrer le regard renfrogné d'Émery. La conversation eut tôt fait de tomber à plat et on n'entendit plus que le bruit des fourchettes sur les dents et les assiettes avec de temps à autre, quelques rares mots à mi-voix : « Le beurre. Le sel. »

Mathilde déposa la cafetière sur le bout du poêle. Après avoir régalé ses hôtes, elle s'assit à son tour et commença à manger sans entrain un reste de volaille. Sans s'en rendre vraiment compte, Mathilde, comme son mari, avait l'esprit ailleurs. Tout en mastiquant, elle ruminait l'humiliation dont elle venait d'être victime.

Pour la première fois, Laurent avait pris position en faveur de sa sœur. Mathilde avait fermé les yeux sur son parti pris, mais elle en gardait une amère déception. Guillaume, le petit taquin, avait perdu son entrain. On eut dit que tous les siens lui en voulaient. Mathilde aurait préféré de beaucoup son petit monde agité à ce silence accusateur. Elle se mit à parler ouvertement pour meubler le silence et effacer la retenue, sinon la froideur qui avait gagné toute la tablée.

— C'est normal que les plus âgés quittent la maison un jour ou l'autre. Il ne faudrait pas vous bouleverser ainsi chaque fois parce qu'à l'avenir, les départs vont devenir de plus en plus fréquents.

Mathilde parlait dans le vide. La table resta silencieuse.

Le lavage de la vaisselle bâclé, un à un, les invités se retirèrent discrètement.

Éméry ne se levait pas pour raccompagner les visiteurs à la porte. L'homme se contentait de saluer par une légère inclination de la tête. Et il se remettait aussitôt à fixer le plancher. En voulait-il à sa femme ? Nul ne pouvait savoir. Même Mathilde, qui vivait avec Éméry depuis des années, ne connaissait pas le fin fond de sa pensée. Son homme se berçait en se donnant des élans de petits coups de dos réguliers. Ses bascules suivaient le rythme ennuyant d'un pendule. Puis, soudain, l'air absent, Émery fit une pause, juste le temps d'une réflexion. Mathilde se demandait bien ce qu'il pouvait retourner. Elle lui demanda :

— À quoi tu penses ?

Émery, replié sur lui-même, répondit :

— À rien !

Lentement, la chaise berçante se remit en mouvement.

Mathilde s'attendait à sa réponse sèche. Elle l'avait entendue cent fois, celle-là. Au fond, la femme avait une bonne idée de ce qui tracassait son homme. Mais pourquoi lui avoir laissé l'entière responsabilité d'éduquer les enfants si c'était pour ensuite lui jeter tout le blâme sur les épaules ? Sa méthode discutable de tenir ses enfants dans sa main, Mathilde la croyait bonne. Après tout, elle ne pensait qu'à l'avantage des siens dans tout ça.

La famille vivait sous son régime dictatorial, sans coups, sans cris et, pour sanctifier ses enfants, Mathilde leur rappelait les commandements de Dieu et de l'Église. La sainte femme mettait les siens en garde contre les tentations du démon et le feu de l'enfer. Les dimanches, au dîner, elle réchauffait le sermon du curé. Cette façon d'éduquer avait pourtant bien réussi avec les grands. Ils marchaient au doigt et à l'œil. Les plus jeunes, eux, refusaient d'entendre leur mère parler de religion. Ils en étaient rendus à lui chanter au nez pour couvrir sa voix.

Mathilde s'inquiétait de voir son autorité faiblir. La pauvre en était rendue à se demander si elle était utile à autre chose qu'à l'entretien de la famille. Comme les enfants la décevaient, leur mère prit une petite revanche en assignant une tâche à chacun.

Mathilde avait lu quelque part qu'en Chine les enfants apprenaient à broder dès l'âge de quatre ans. Ses fillettes de sept et six ans étaient donc aptes à donner un petit coup de main dans la maison. En plus, cet apport compenserait le travail et l'effort que Rosemarie ne fournirait plus. Mathilde affecta Célestine au balayage de la cuisine.

– Quoi ? s'exclama la gamine avec mépris.

– J'ai dit : Tu passeras le balai !

Célestine explosa :

– En plus que Rosemarie nous a lâchés, il faut que je travaille. C'est fin ça !

La gamine s'assit au pied de l'escalier et, le front sur les genoux, se mit à pleurnicher.

Tôt après le chapelet, Mathilde se retira dans sa chambre. Sur la paillasse, son homme lui tournait le dos. Émery faisait semblant de dormir. Il boudait. Elle en était sûre. Mathilde sentait le besoin d'en finir une fois pour toutes avec ces fâcheries qui s'éternisaient. Elle bombarda son mari de questions

– Qu'est-ce qui se passe ? Tu me boudes ? D'avoir une fille religieuse dans la famille ne te réjouit pas ?

Émery ne répondit pas à sa femme.

– Et tu veux m'en rendre coupable, comme s'il s'agissait d'un crime ? Tu ne parles pas, mais tu n'as pas besoin de parler, tu sais, pour que j'entende tes accusations ! Peut-on reprocher à une mère de donner sa fille au Bon Dieu ? C'est le plus beau cadeau qu'on puisse Lui faire. Tes sœurs religieuses y sont aussi pour quelque chose, hein ? Et pourtant, c'est à moi seule que tu t'en prends ! A-t-on déjà vu ? On croirait à un drame plutôt qu'à une grande joie, comme c'est plutôt le cas. Et maintenant, toute la visite a été témoin de ta mauvaise tête. Tu ne te demandes pas ce qu'on va penser de toi ?

Dans la pénombre, seules les stridulations nocturnes des grillons meublaient les courts silences. Mathilde, vexée de parler seule, tourna le dos à son tour. Tout son univers croulait sous la discorde. Elle s'endormit tourmentée pour se réveiller toutes les dix minutes. Elle tira son chapelet de sous l'oreiller et l'égrena distraitement du bout des doigts. Mathilde demandait seulement que la paix règne dans sa maison.

Mathilde Gauthier, qui semblait forte comme le roc, avait plus que sa part de soucis. Pendant trois interminables semaines, elle attendit en vain une lettre qui lui certifierait l'arrivée de Rosemarie au noviciat. La nuit, Mathilde voyait tout en noir et imaginait sa fille en prostituée au coin d'une rue, à attendre un client pour arriver à gagner sa pitance. La mère, hantée par ses visions insupportables, n'arrivait plus à fermer l'œil. Elle regrettait amèrement, le jour du départ, de ne pas avoir accompagné Rosemarie jusqu'au couvent. Émery se gardait bien d'informer Mathilde que les novices n'avaient droit qu'à un seul timbre par mois. Il tenait ce petit détail de ses sœurs religieuses. Émery faisait sentir à sa femme qu'elle n'existait pas.

Mathilde s'efforçait de repousser ce sentiment malsain d'abandon qui l'habitait. Tout allait de mal en pis ces derniers mois. Une mauvaise digestion, des étourdissements répétés, une migraine, c'en était trop. Ses soucis lui remontaient à la gorge et lui donnaient l'envie de vomir. Avant de craquer, Mathilde crut bon de consulter le nouveau médecin de la place.

* * *

Le docteur Cousineau remplaçait le vieux docteur Dupuis, bêtement fauché par la foudre.

Mathilde observait avec attention, rigueur même, ce jeunot, frais émoulu de la faculté de médecine. Avec lui, cela allait de soi, Mathilde serait tenue de laisser tomber ses scrupules personnels. Par chance, le grand savant lui semblait réservé et raffiné. Elle n'avait qu'à se rappeler le docteur Dupuis avec ses petits yeux sévères enfoncés sous ses sourcils broussailleux. Devant les douleurs inévitables, il disait à ses clients d'un ton bourru : « Endurez, c'est pour votre bien ! » En dépit de son manque de tact, le vieux s'était mérité l'estime de toute la paroisse. Après une brève comparaison, Mathilde s'en remit entièrement au nouveau clinicien.

Le médecin guida Mathilde derrière un paravent qui dissimulait un lit étroit et dur. Silencieux, l'homme tâta le pouls de sa cliente, évalua sa pression artérielle et pesa sur son ventre à différents points. L'utérus semblait un peu gonflé.

– Retournez vous asseoir, dit le praticien. Je vous rejoins à la minute.

Seule, derrière les petits panneaux d'osier, Mathilde, malade d'inquiétude, chaussait difficilement ses souliers. Ses pieds étaient légèrement enflés. La femme avait beau rentrer le ventre, se serrer la taille dans un corset, elle arrivait mal à se courber. « Probablement quelques livres en trop ! » se dit-elle. Mathilde retourna à son siège. Dans la pièce d'à côté, l'eau du robinet coulait dru. Le docteur Cousineau, après s'être lavé les mains, interrogea sa cliente :

— Est-ce que vous êtes indisposée régulièrement ?

— Non, docteur ! Ces derniers mois, ça va tout de travers, comme le reste d'ailleurs !

— Quel reste, madame ?

— Ce serait un peu long à raconter.

Sans ambages, le médecin expliqua à la consultante que tous ses malaises partaient du fait qu'elle était enceinte.

Sur le coup, Mathilde figea. L'annonce d'une grossesse lui fit l'effet d'une gifle. Puis, la femme se mit à déblatérer contre son état, s'en prenant à son âge, au nombre de ses enfants, comme si sa nouvelle condition était réversible. Soudain, elle se tut net, se trouvant ridicule de s'être laissée aller sans réserve devant le nouveau médecin. Une gêne subite colora ses joues blêmes. Mathilde Gauthier, la forte, celle qui avait toujours gardé le silence sur sa vie intérieure, éclata en sanglots.

Le docteur Cousineau estimait tout aussi important de soigner les âmes que les corps. Après un silence accablant, le praticien pria sa cliente d'exprimer ses angoisses.

Mathilde parla longuement de sa famille, du départ de Rosemarie, du parti-pris de son mari à l'avantage des enfants. Mathide s'attendait à ce que le docteur lui donne raison, à ce qu'il la conseille. Mais l'homme se contentait d'écouter.

— Je vous donne un léger laxatif, dit-il, et tout rentrera dans l'ordre sous peu. Ne vous inquiétez pas. Pour le moment, essayez de ne pas trop vous surmener. Marchez au grand air régulièrement. Et si vos malaises persistent, repassez me voir.

Mathilde retourna à la maison, plus désemparée qu'au départ. Tout dans sa tête se confondait : biberons, couches, nuits blanches. Le docteur Cousineau lui suggérait de marcher, quand elle ne faisait que ça, piétiner toute la journée avec la maisonnée sur les bras et le ménage des écoles. Le médecin n'avait donc pas remarqué ses jambes, toutes bleues de varices ?

Même après dix grossesses, Mathilde craignait encore les accouchements. Les naissances difficiles de Rosemarie, de Julien, et, pire encore, celle de Guillaume où elle avait accouché au forceps, revenaient hanter ses pensées et lui briser les reins, comme si c'était hier. Par contre, les jumelles étaient nées sans douleur. Que lui réservait le prochain ?

Finalement, en bonne chrétienne, Mathilde s'inclina devant ce qu'elle appelait la volonté de Dieu. Après tout, une grossesse, c'était une promesse de vie, ce qui était de beaucoup préférable à une maladie.

Mathilde se trouvait à deux rues de la maison. C'était peu pour rafistoler sa figure bouffie par les larmes. Elle sortit un petit poudrier de son sac à main. Sous le couvercle, un minuscule miroir lui renvoya l'image de ses yeux rougis. Un simple coup de houppette suffirait à masquer les reliquats de sa visite chez le toubib.

Au coucher, Mathilde se glissa entre les draps et sur le ton de la confidence, annonça à son mari sa paternité prochaine. La nouvelle suffirait à balayer d'un coup la rancœur qu'Émery entretenait envers sa femme.

— Avec tous tes malaises, tu ne devinais pas ?

– Ah! Ça non! J'ai cru que c'était mon retour d'âge. Chez le docteur, j'ai été ridicule. Si tu savais comme j'ai honte de moi!

– Honte? Pourquoi?

– À quarante ans! Enceinte! On ne pourrait pas arrêter ça là? En plus, je crains que les grands devinent quand ma taille épaissira.

– Ce ne serait pas un crime.

– Ça ne presse pas, ces affaires-là. Moins les enfants en savent, mieux c'est! Mathilde ajouta: Le bébé naîtra en mars. Et la mine boudeuse: Cette fois, j'espère que c'est le dernier!

Mathilde s'attendait à ce que son mari lui donne son accord. Mais Émery voyait plus loin que le bout de son nez. Sa femme ne lui arracherait pas une promesse qui exigerait de lui un certain renoncement. Sa bouche se contractait pour réprimer un sourire.

– Pourquoi le dernier?

– On voit bien, Émery Gauthier, que c'est pas toi qui les porte et les accouche. Et si encore ça s'arrêtait là. Mais non! Être mère, c'est un contrat à vie.

Contrariée, Mathilde tourna le dos à son mari, mais ce dernier l'attira à lui, malgré elle, et enfouit sa tête au creux de son épaule. Émery tenait sa femme bien serrée pour la maîtriser. Mathilde retrouvait une douceur dans sa robustesse, une force que lui communiquait l'étreinte de son homme. Il lui en restait si peu!

Enceinte, Mathilde redevenait chaque fois la petite fille fragile de sa première grossesse, qui quémandait un peu de tendresse. La moindre contrariété lui mettait la larme à l'œil. Aussi, Émery ne s'en plaignait-il pas. La vulnérabilité de Mathilde convenait très bien à son petit côté égoïste. Ces mois-là, les yeux si beaux de sa belle respiraient la douceur. Émery lui-même changeait. Il redevenait attentif, gentil, prévenant.

Mathilde se souleva à demi sur l'oreiller de plumes et s'appuya sur un coude. Le ménage des écoles la préoccupait. Le médecin lui prescrivait du repos, mais il fallait bien respecter l'entente prise avec les commissaires. Mathilde s'en remit à son mari :

— Tu me vois enceinte, à frotter des planchers ?

Émery se montra fort pour la calmer.

— Les planchers, j'en ferai mon affaire.

— Tu n'auras jamais le temps ! Tu te démènes déjà comme un diable dans l'eau bénite.

— Toi, pense juste à te reposer. Pour le reste, dis-toi que chaque enfant apporte son pain.

— Aux autres naissances, peut-être ! Mais ça ne semble pas le cas cette fois. La preuve, il n'y a pas si longtemps, la fabrique te refusait une augmentation de salaire.

— N'arrive que ce qui doit arriver ! Comme disait mon père : « L'homme s'agite et Dieu le mène ! » Ça fait que cesse donc de te faire du souci avec tout et rien !

Émery se leva, alluma la lampe électrique et descendit à la cuisine sur le bout des pieds. Il revint avec la lettre de Rosemarie.

— Tiens ! dit-il, j'attendais que les enfants montent pour te remettre ça.

Mathilde lut la missive sans se douter qu'Émery l'avait tenue secrète deux jours durant. La petite feuille, pliée en quatre, ne contenait rien de très important, mais c'était plus que suffisant pour la mère de Rosemarie qui en retira un soulagement aussi vif que ses craintes avaient été insupportables. Sûre de l'amour de son mari, Mathilde se lova contre sa poitrine velue et goûta une paix profonde.

VI

Ça sentait la rentrée à plein nez. Les fournitures scolaires encombraient la table. Mathilde les répartit ainsi : les cahiers à doubles interlignes pour Hélène et Célestine, les cahiers brouillon et ceux à l'encre, aux jumelles, à Guillaume et à Marc. Restaient les quadrillés, calepins et crayons, plumes et gommes à effacer à partager entre chacun, à parts égales.

Hélène chuchota à l'oreille de Célestine :

– À cause de Julien, tu vas être le chouchou de la maîtresse.

L'an passé, Julien venait retrouver mademoiselle Constance à la sortie de l'école.

L'allusion d'Hélène n'échappa pas à sa mère.

– Elle peut regarder ailleurs, celle-là ! dit Mathilde. Julien est en période de grande décision et que personne ne vienne déranger ses choix. Tâchez d'avoir d'autres conversations, vous deux !

Sur un petit coup de tête discret d'Hélène, Célestine suivit sa sœur à l'extérieur. Assises sur une basse marche de bois, les fillettes reprirent leur conversation.

– Tu gages que Julien va marier la maîtresse ? s'enquérait Hélène.

– Non, je n'ai rien à gager !

– Juste dix sous ! O.K. ?

– Je n'en ai pas, mais tant pis ! Ce sera comme tu veux !

Ainsi, Célestine s'engagea à la légère dans une affaire périlleuse.

* * *

On était au lendemain de la fête du travail, premier jour de classe pour Célestine. La fillette, assise sur son côté de lit, frottait ses yeux lourds de sommeil.

Mathilde lava avec soin la figure, le cou et les oreilles de la fillette. Sous l'œil vigilant de sa mère, Célestine revêtit un sarrau devenu trop petit pour ses sœurs. Mathilde tirait vanité de la tenue de sa fille. Le vêtement marine, bien repassé, n'accusait pas ses années d'usure et les souliers neufs en cuir verni conféraient une fière allure à ses vêtements usagés. Seul accroc, son sac d'école pendait un peu bas. Pour y remédier, Mathilde passa la sangle en bandoulière sur l'épaule de l'enfant en disant :

– Il raccourcira au lavage !

Célestine le retira en chialant :

– Je n'en veux pas de ce sac-là !

Cette histoire de sac servait de prétexte à la fillette pour pleurer. La vraie raison, l'argument inavouable, était le déracinement de son milieu habituel qui s'annonçait douloureux pour Célestine. C'était tout à fait prévisible, la petite ne sortait jamais sans ses parents. Mathilde feignit de ne rien comprendre.

– À l'école, tu te tiendras comme il faut. La maîtresse ne tolérera pas ton habitude débraillée de t'asseoir les pieds sur les chaises.

Célestine ne put retenir une moue désapprobatrice.

– Hélène, je compte sur toi pour reconduire ta petite sœur à sa classe.

– Ne vous inquiétez pas, maman ! Je vais en prendre soin.

Une pluie serrée s'abattait sur Sacré-Cœur-de-Jésus. Debout à la fenêtre, Mathilde, très émue, regardait s'éloigner ses deux petites maigrichonnes sous un même parapluie.

Célestine ne prononça pas un mot du court trajet. Hélène la retenait fermement par le bras le temps de traverser la rue.

Dans l'institution, les petites classes occupaient tout le rez-de-chaussée. Une odeur de craie de tableau et de désinfectant prenait à la gorge. Tout semblait étranger et hostile à Célestine dans ce milieu. Hélène lui désigna la porte de sa classe.

– C'est là, dit-elle, entre ! Il y a déjà des filles en dedans.

De toutes ses forces, Célestine s'agrippait à sa sœur. Hélène entreprit de dégager un à un les doigts moites de sa sœur. La fillette ne disait rien, mais sitôt une main libérée, l'autre s'accrochait désespérément. Finalement, à bout de patience, Hélène lui souffla à mi-voix :

– Lâche-moi, sangsue !

Blessée dans son amour-propre, Célestine lâcha immédiatement prise et passa de la force à l'entêtement. Adossée au mur du passage, la fillette prit une attitude renfrognée. Hélène, soucieuse de ne pas commencer l'année avec un retard, laissa sa sœur en plan et se hâta de rejoindre les élèves de deuxième année.

Les grands couloirs sombres s'étaient vidés. Il ne restait plus sur le pas d'une porte qu'une petite fille désœuvrée, les yeux dans l'eau, terriblement seule. Une subite envie de pleurer la saisit. Que n'aurait-elle pas donné pour être près de sa mère ! En proie à une panique irraisonnée, Célestine retourna chez elle, sous une pluie battante.

À la maison, Mathilde reçut la fillette en pleurs. Son cœur de mère chavirait. À six ans, sa petite Célestine n'était encore qu'un bébé et déjà, elle devait faire face à des obligations. Mais la vie avait de ces exigences difficiles à contenter auxquelles il fallait se soumettre. Mathilde marcha sur ses sentiments. Devant l'état pitoyable de sa fille, Mathilde la moucha, essora ses cheveux à la serviette et ordonna à Julien :

– Va la reconduire à l'école.

Julien était libre. La rentrée des grands n'avait lieu que trois jours plus tard.

– Non, je n'aime pas ça, pleurnichait Célestine. Je ne veux pas y aller ! Hélène me fera la classe.

Julien la souleva.

– Tâche de ne pas lui faire de mal ! prévint Mathilde. Tu ne ferais qu'empirer les choses.

Dans les bras vigoureux de Julien, Célestine se débattait de tous ses membres, donnait des coups de reins et devenait de plus en plus difficile à contrôler. Le garçon serrait sa sœur, juste assez pour l'immobiliser. La petite lui criait :

– Je te déteste, Julien Gauthier ! Tu n'es plus mon frère !

Les propos de Célestine prêtaient à rire et, plus Julien s'en amusait, plus sa sœur se déchaînait. À longues enjambées, le grand frère traversa la rue. Célestine, prisonnière de ses bras, ne cessait de se débattre. Arrivée à l'école, Julien déposa son fardeau par terre. Subitement, la fillette passa de l'agitation à un calme inquiétant. Célestine planta un doigt dans son nez et l'essuya sur la joue de son frère.

— Tiens, d'abord ! dit-elle.

— C'est quoi ça ?

— C'est rien !

Julien passa une main sur sa joue où adhérait un liquide visqueux et transparent. Furieux, il eut le réflexe de mettre ses doigts en crochet, prêts à serrer les ouïes de la petite. Le grand frère se rappela juste à temps les recommandations de sa mère. Il sortit de sa poche un mouchoir blanc qu'il déplia en le secouant. Avec une grimace de dégoût, Julien essuya sa joue, replia en quatre la petite pièce d'étoffe et frotta encore. Ensuite, de son index, il releva le menton de sa petite sœur et la dévisagea, l'œil mauvais :

— Écoute-moi bien, ma petite crasse !

La gamine ferma les yeux bien dur et planta deux doigts dans ses oreilles. Célestine avait beau jouer la sourde et l'aveugle, Julien la menaça :

— Tu me paieras ça !

Julien frappa à la porte de la classe. Son corps faisait obstacle pour empêcher la fillette de s'échapper une nouvelle fois.

Mademoiselle Constance ouvrit et salua Célestine. L'enfant ne répondit pas. La gêne lui paralysait la langue. La petite rajusta sa robe et ses cheveux, tout en gardant la tête penchée. Julien accrocha le sac de toile à l'épaule de sa sœur et poussa brusquement Célestine vers l'institutrice, en disant :

– Tenez ! Arrangez-vous avec !

L'enseignante échangea avec Julien un sourire entendu. Après quelques mots sur le ton du secret, Julien quitta les lieux. Mademoiselle Constance prit la petite main dans la sienne et entraîna doucement la petite élève à l'intérieur.

La porte donnait sur le devant de la classe. Célestine, rouge de gêne, faisait face à vingt-huit petites filles de son âge, assises en rangées de deux.

Sitôt arrivée, mademoiselle Constance lui accordait un privilège.

– Choisis une place toi-même, Célestine.

Comme il ne restait que trois sièges vacants, Célestine alla s'asseoir près d'une fille qui avait une longue chevelure blonde.

Toutefois, la maîtresse lui fit signe d'approcher et tout bas, lui murmura à l'oreille :

– Change de place, parce que Martha a parfois des poux et tu risquerais d'en attraper.

L'enseignante ajouta :

– C'est un petit secret entre nous, compris ?

La petite acquiesça et s'assied au premier rang, pas mécontente d'être près de mademoiselle Constance qu'elle jugeait aimable.

L'institutrice commença à tracer au tableau noir des i que les élèves devaient copier dans leur cahier. Mademoiselle Constance, dos aux élèves, tournait la tête de temps à autre pour vérifier si toutes suivaient son enseignement. Puis l'enseignante se mit à marcher entre les pupitres, observant les voyelles tracées par les enfants. À chacune, sa longue main chevauchait les menottes toutes en chair et reformait des i impeccables. Célestine, épuisée par sa nuit agitée, dormait la tête couchée sur son pupitre. Au-dessus de ses cheveux dépassait une ligne de i, tous bien formés. La maîtresse retira le cahier et laissa l'enfant dormir jusqu'à l'heure de la récréation. À la sortie des classes, mademoiselle Constance retint Célestine quelques minutes.

– J'ai un petit service à te demander, dit-elle. Peux-tu remettre cette enveloppe à Julien, en prenant garde que personne ne te voie ? Ce sera aussi un secret entre nous. Tu veux bien ?

Célestine accepta. Bien entendu, la petite commissionnaire y trouvait son intérêt. Comme le lui avait dit Hélène, Célestine serait la chouchoute de mademoiselle Constance toute l'année scolaire. La gamine se donnait de l'importante à véhiculer les billets doux.

D'une douceur angélique, Célestine s'attira vite l'affection de sa titulaire. Et ce jour de la rentrée, avec le besoin de camaraderie qu'ont les enfants de son âge, Célestine se lia d'amitié avec Laura Martel. Les fillettes devinrent vite inséparables.

* * *

Dans la classe de huitième année, sœur Gervaise, titulaire de huitième année, éprouvait à l'égard des jumelles

Gauthier une profonde aversion. La religieuse accusait injustement Doris de copier les travaux de sa sœur et lui infligeait de mauvaises notes. La titulaire poussa la malveillance jusqu'à menacer Doris de lui faire doubler son année. Il ne se passait pas un jour sans que l'adolescente ne rapporte à la maison des cahiers aux marges tapissées d'annotations désobligeantes que ses parents devaient signer. Mathilde ne pouvait s'expliquer ce soudain revirement chez sa fille. L'année précédente, Doris avait tenu fièrement la tête de sa classe. La mère s'en prit donc à l'adolescence de Doris, cette redoutable transition, qu'on qualifiait d'âge ingrat et qui donnait parfois du fil à retordre aux parents. Mathilde secoua la nonchalance de Doris en la réprimandant.

Doris, qui attendait un certain réconfort de sa mère, perdait son seul point d'appui. Les deux femmes les plus importantes à ses yeux se dressaient contre elle! Et Doris, une fille pleine de vie eut tôt fait de se sentir la dernière des dernières. Elle se dégradait à vue d'œil et tomba dans un affreux marasme.

* * *

– Mademoiselle Gauthier, questionna sœur Gervaise, qu'appelle-t-on « sacramentaux »?

Doris se leva, les yeux mi-clos et un air d'enterrement. Aucun son ne sortait de sa bouche. Julie avait beau lui souffler la réponse, c'était comme si elle parlait à une sourde. Sa jumelle, réduite en loque humaine, avait décroché du reste du monde.

Sœur Gervaise posa de nouveau sa question, puis lança son catéchisme par terre et le heurta du pied.

– Vous aurez un beau zéro !

Doris ne réagit pas. Elle l'avait échappé belle. La pauvre s'attendait à recevoir des coups de règle sur les doigts.

Pendant le cours de français, Doris se rendit timidement auprès de sa titulaire demander l'autorisation d'aller aux cabinets. Sœur Gervaise refusa net. Doris, mortifiée, retourna à sa place sans trop comprendre la raison de ce refus. La permission était chaque fois accordée à ses compagnes. Elle était convaincue que sœur Gervaise la détestait. Pourtant, Doris ne faisait rien pour s'attirer les foudres de la religieuse. L'adolescente retint son envie tout le temps de la dictée. Elle ressentait des élancements dans la région du bas-ventre. À répétition, ces douleurs brusques et brèves devenaient un supplice, au point que l'élève serrait les cuisses et se tortillait sur son siège. Soudain, Doris, incapable de contrôler son besoin plus longtemps, urina sur sa chaise. Le liquide tombait dru sur le plancher en éclaboussant ses bas et ses souliers. Un frisson nerveux parcourait l'échine de Doris qui, excessivement gênée, se sentit défaillir. La honte qu'elle éprouvait vis-à-vis ses compagnes dépassait de beaucoup sa douleur physique. Doris jeta un regard égaré autour d'elle. Toutes les élèves l'observaient. À son grand soulagement, aucune ne lui témoignait de répugnance. Rares étaient les élèves de sa classe qui ne s'étaient pas retrouvées, un jour ou l'autre, victimes de l'abus de pouvoir de sœur Gervaise.

La petite religieuse transcrivait au tableau noir, une fable de Lafontaine, *La cigale et la fourmi*, que les filles devaient copier dans leur cahier. Comme elle se retourna, la nonne surprit le dégât de Doris. La religieuse se pinçait le nez pour marquer son dédain. Puis elle commanda d'une voix perçante et autoritaire :

— Ça n'a plus une goutte de sang dans les veines et ça se mêle de faire des saletés ! Allez vous changer immédiatement. Et dites à votre mère de vous confectionner des couches.

Sœur Gervaise sortit une vadrouille et un torchon de l'armoire et ordonna à Julie d'essuyer le dégât de sa jumelle.

— Oui, ma sœur ! répondit Julie en soutenant hardiment le regard de sa titulaire.

La cloche sonnerait bientôt midi. Doris, les jambes flageolantes, dévala les escaliers quatre à quatre afin d'éviter les regards gênants de la sortie. Les paroles blessantes de son enseignante la suivaient, l'humiliaient, la démolissaient. En entrant à la maison, épuisée de sa dérobade, Doris s'écroula comme une masse. Sa mère la traîna jusqu'à son lit, l'étendit sur un piqué et se fit raconter la scène.

— Après le dîner, toute l'école va être au courant de l'histoire !

Mathilde ravalait sa colère pour éviter de dresser Doris contre l'autorité. Elle passait des nuits blanches à se morfondre au sujet de sa fille qu'elle chérissait. Mathilde assistait, impuissante, au dépérissement des forces et des facultés de son enfant. Doris perdait sa santé et sa dignité, et sa mère ne trouvait pas de remède pour elle. En raison de la situation désespérante, un vent de révolte soufflait. Mathilde décida de se rendre sur-le-champ régler son cas avec sœur Gervaise. Elle conseilla à Doris de se reposer un peu avant de prendre un bain et de changer de vêtements.

– Pour aujourd'hui, tu resteras à la maison.

Sa mère la dispensait d'une deuxième humiliation. Madame Gauthier se rendit au bureau de la direction où une entrevue avec sœur Gervaise lui fut adroitement refusée. Mathilde expliqua les faits à la supérieure, mais celle-ci donnait raison en tout point à sœur Gervaise et fermait les yeux sur les irrégularités de sa discipline. La directrice pliait sous l'emprise maléfique de sœur Gervaise. Et Mathilde s'en retourna chez elle encore plus révoltée.

Émery convoqua une réunion des commissaires pour le soir même. Ce qui ne régla rien non plus. C'était, disait-on, la parole de l'enseignante contre celle de l'élève.

Le lendemain, Doris refusait de retourner en classe. À quatorze ans, affronter les qu'en-dira-t-on lui semblait une épreuve insurmontable. Sa mère l'y obligea. Mathilde hésitait à retirer sa fille de l'école. Comme elle anticipait la vie religieuse pour les jumelles, celles-ci devaient au moins réussir leurs études secondaires. C'était mal parti. Les notes élevées de Doris chutaient lamentablement. Julie s'offrit d'aider sa sœur après la classe, mais Doris, qui stagnait depuis des semaines, démontrait un désintéressement total qui l'isolait du reste du monde. Mathilde était consternée de voir sa fille se faire écraser de la sorte.

Ce jour-là, Émery devait conduire le curé à l'évêché. Il profita donc de l'occasion pour menacer sœur Gervaise. Le moral de Doris se trouvant ébranlé, Émery se servit de sa jumelle comme porte-parole. Julie, plus vigoureuse que sa sœur, était dotée d'un solide jugement et d'une force de caractère. Elle savait, comme son père, rester placide sous les injures.

– Julie, fit Émery, tu diras à sœur Gervaise que cet après-midi, j'irai régler son cas avec monsieur le curé et monseigneur l'évêque.

Sœur Gervaise accueillit silencieusement le message transmis. Julie la regardait arpenter la classe de long en large en surveillant continuellement le presbytère. À deux heures, le sacristain en compagnie du curé passa sous ses fenêtres. Suite à cette frousse, la stupide de nonne en eut pour une petite semaine seulement à se tenir tranquille.

VII

L'automne était à bout de souffle. Un vent glacé cinglait depuis deux jours les petites maisons de Sacré-Cœur. Effrontées, les rafales s'infiltraient sous les galeries et beuglaient aux fenêtres. Soudain, comme des enragées, les bourrasques se mirent à secouer brutalement les jalousies.

Dans sa cuisine, madame Gauthier entendait les contrevents battre à coups redoublés sur le mur extérieur. La femme n'en faisait pas de cas. Dans ce coin de pays, on était habitué aux grands vents en saison grise. Mathilde se sentait protégée, bien au chaud dans son foyer. Toutefois, la femme se souciait de Julie par ce temps maussade. La jumelle ne portait qu'un tricot de laine sous un imperméable. Mathilde économisait au compte-gouttes en vue d'acheter un manteau d'hiver à Julie, mais quelques dépenses inévitables, tels les effets scolaires et les visites au médecin, grevaient son budget déjà restreint.

Au grenier, quelques manteaux usés à la corde et cent fois reprisés agonisaient dans les boules à mites. Mathilde espérait en dénicher un à la taille de Julie. La femme pourrait toujours faire du neuf avec du vieux en le retournant. Ça lui exempterait de quémander à Rose. Mathilde se sentait mal à l'aise d'emprunter à sa sœur mieux nantie des vêtements presque neufs.

Mathilde couvrit ses épaules d'une veste de cheviotte démodée et grimpa au grenier par l'étroit escalier de meunier. Sous les combles, des fils d'araignée empoussiérés pendaient aux poutres de pruche. Mathilde les fit disparaître d'un coup de plumeau laissé là intentionnellement. Puis son regard fit lentement le tour des lieux. Une selle, un collier de harnachement et des sangles en cuir souple vieillissaient dans un coin. Une grosse malle qui ressemblait à un coffre-fort, une table chancelante, un berceau et quelques boîtes se perdaient dans la vaste pièce. À chaque versant de l'immense pièce se trouvait une toute petite lucarne qui diffusait un peu de clarté à la mansarde.

En ouvrant le coffre, une forte odeur de naphtaline saisit Mathilde à la gorge. La future mère laissa retomber le couvercle et recula de trois pas en retenant sa respiration. Les émanations étouffantes de l'antimite risquaient des conséquences pour l'enfant qu'elle portait. Mathilde se rua vers la fenêtre, tira la crémone et entrebâilla la fenêtre. Elle retourna le contenu de la malle sans résultat. Les quelques manteaux relégués au fond du coffre n'étaient plus que des guenilles trouées. Mathilde prêterait donc son propre manteau à Julie. Ainsi, sa sœur Rose ne se rendrait pas compte que la famille Gauthier vivait un peu à l'étroit. Mathilde chamboula ensuite les boîtes de lingeries anciennes en quête de sa layette de nouveau-né. La future maman voulait s'assurer que rien ne manquerait à son enfant. Il lui faudrait bien sûr ourler des couches et tailler une courtepointe pour le berceau. Ça allait de soi. Mathilde l'avait fait à chaque naissance.

Une porte claqua. Mathilde en accusa d'abord le vent. Mais en bas, une voix appelait :

– Papa ! Maman ! Il y a quelqu'un ?

Mathilde descendit prudemment le petit escalier raide et aperçut Julie, adossée au mur. Épuisée de courir face au vent, l'adolescente tentait de rattraper son souffle régulier.

– Qu'est-ce qui se passe ? questionna Mathilde étonnée. Tu devrais être à l'école, toi, à cette heure-ci !

– On grelotte dans la classe. Toutes les filles ont leur manteau sur le dos. Sœur Gervaise a accusé papa en pleine classe : « Vous pouvez bien geler, qu'elle disait aux élèves, monsieur Gauthier ne chauffe pas. » J'ai couru jusqu'ici pour avertir papa, sans la permission de sœur Gervaise. Je vais sûrement payer pour !

– Prends le temps de te calmer un peu, toi ! Je t'entends respirer d'ici. Tu aurais dû te rendre d'abord à la chaufferie du couvent. À l'heure qu'il est, ton père devrait être là. Cours vite si tu veux le rattraper avant l'angélus.

Sitôt informé de la situation, Émery monta à la classe d'un pas régulier. Il entra sans frapper et se rendit directement aux calorifères. Le chauffage était fermé. Émery le remit en marche. D'une main ferme, le sacristain saisit sœur Gervaise par un bras et la traîna hors de la classe.

– Julie, ordonna-t-il, descends avec nous !

La religieuse s'arc-boutait des mains et des pieds au mur, à la porte, à la rampe d'escalier et criait d'une voix aiguë :

– Lâchez-moi ! Mais lâchez-moi donc !

Émery ne fit aucun cas de ses miaulements. Il traîna sœur Gervaise jusqu'aux fourneaux qui chauffaient à l'excès. La religieuse avait beau se démener comme un diable, l'homme, ferme mais poli, la maîtrisait facilement la petite sœur légère comme une plume. Devant la fournaise, Émery ouvrit la porte de fonte toute grande et tint l'enseignante à bout de bras exposée à la chaleur vive. Un feu d'enfer roussissait sa figure. L'haleine désagréable du charbon sembla déplaire à la religieuse qui tournait la tête comme une girouette. Émery tenait à ce que sœur Gervaise endure son purgatoire jusqu'à expiation des humiliations dont ses filles avaient été victimes. Julie, appuyée contre la porte, craignait que ces mesures draconiennes entraînent des conséquences néfastes pour elle et sa sœur. Son père serait-il encore disposé à intervenir ? Il était si imprévisible.

Émery avait la tête dure et la main impitoyable. Il maintint la petite religieuse à sa merci, jusqu'à ce que ce ne soit plus tenable pour lui. Il desserra le bras squelettique de la religieuse, referma les portes de fonte, et remonta lentement à la classe, suivi de Julie. Devant eux, sœur Gervaise, affolée, s'élançait dans l'escalier avec l'impétuosité d'une chatte qui tombe dans les mals. Émery constatait une fois de plus qu'en fait de sobriquet, les enfants jouissaient d'une faculté de comparaison hors pair. Dans la classe, devant tous les élèves muets d'étonnement, Émery avisa sœur Gervaise sans lever le ton :

– Ne touchez plus jamais au réglage des calorifères ou vous aurez affaire à moi.

Le sacristain retourna à ses occupations aussi calme que si rien ne s'était passé.

* * *

Au retour de l'école, Doris, qui n'était plus qu'une loque humaine, semblait retrouver un peu d'allant. La démarche musclée de son père agissait sur elle plus que ne l'aurait fait le meilleur remède. L'adolescente raconta ce qui se passait dans sa classe :

– J'ai vu sœur Gervaise fermer le couvercle du pupitre sur la tête de Denise Paquin. On a entendu un gros boum. Denise a pleuré tout le reste de l'après-midi. Elle n'est jamais revenue en classe. Une autre fois, Fernande Lapalme est arrivée à l'école avec une permanente. La sœur lui a coupé les cheveux, en disant : « Je vais vous couper ces frisettes, moi ! Vous avez l'air d'une délurée. Votre mère n'a pas de dignité. » Le lendemain, madame Lapalme est venue faire une scène à sœur Gervaise devant toute la classe. Si vous l'aviez entendue lui crier : « Touchez à ma fille une autre fois et je vous décapuchonne ! »

Doris porta la main à sa bouche, honteuse devant sa mère de dénoncer la tyrannie d'une religieuse. Mathilde eut l'idée de faire taire l'adolescente, mais les irrégularités qui se produisaient dans la classe de ses filles représentaient un trop grand intérêt. La mère continua, mine de rien, d'éplucher ses pommes de terre. Comme personne n'entravait son élan, Doris, sous l'effet d'une vive émotion, continuait à dénoncer les mauvais traitements que les élèves subissaient. Juste le fait de parler épuisait la pauvre fille. Des gouttes de sueur perlaient sur ses tempes. Mais rien ne l'arrêtait.

– Une autre fois, pour punir Jeanne Rivest qui jasait en classe, sœur Gervaise l'a fait agenouiller sous son pupitre et s'est assise devant. En tentant de se lever, sœur

Gervaise est tombée par terre, étendue de tout son long. Jeanne, sous le pupitre, avait noué ensemble les deux bottines de l'enseignante.

Doris s'arrêta, épuisée. Un tremblement l'agitait. La jumelle frictionnait ses bras comme si elle avait froid.

Mathilde, inquiète de voir sa fille si faible, lui suggéra d'aller se reposer. Mais Doris ne bougeait pas. De tout laisser sortir exorcisait ses angoisses. Pour la première fois depuis le début des classes, Doris se vidait le cœur et revendiquait une justice. Son père, qu'elle avait cru indifférent, avait pris le parti de ses filles. Et sa mère, qui faisait mine de ne rien entendre, l'avait écoutée jusqu'au bout, que d'une oreille, mais quand même !

Mathilde se devait tout de même d'inculquer à ses enfants de bons préceptes.

– Gardez tout ça pour vous autres ! Vous devez le respect à vos professeurs.

Doris but un grand verre d'eau, d'un trait. Est-ce qu'on la respectait, elle ?

Mathilde, profondément bouleversée par ce qu'elle venait d'entendre, se reprochait d'avoir réprimandé Doris à tort et à travers.

* * *

Ce soir humide d'automne, dans le silence de la cuisine, on n'entendait plus que le crépitement du feu dans l'âtre. Mathilde rapiéçait un pantalon déplié sur ses genoux quand, enfin, son mari entra. Émery essuya la boue de ses semelles et coucha ses bottines crottées sur le paillasson. Il accrocha son trousseau de clefs au clou, sa casquette par-dessus et s'assit, recru de fatigue. Il était près de dix heures, mais peu importait, Mathilde aurait attendu son homme toute la nuit, s'il le fallait, pour se vider le cœur.

— Nous envoyons nos enfants à l'école dans le but de les instruire, dit-elle, alors que c'est tout l'inverse qui se produit. Sœur Gervaise leur donne en exemple la malveillance et le dénigrement. Une belle formation, hein! Mais là, c'est trop fort! La santé de Doris et l'éducation des filles sont trop importantes pour que je passe l'éponge sur les bêtises de sœur Gervaise. Il faut régler ce problème sans tarder, même si je devais pour ce faire remuer ciel et terre!

— Si les commissaires mettaient leurs culottes, reprit Émery, la petite chatte serait déjà dehors de l'école. Il me semble que c'est pas demander la mer à boire que de lui régler son compte à celle-là!

— Voyons donc, Émery! Tu sais bien que c'est mauvais de chasser une religieuse. Ça porterait malheur à la paroisse.

— Eh bien, tant pis! Tu conviendras qu'il y a pas cinq cents solutions. On va retirer les jumelles de l'école.

Mathilde le regardait, l'œil perplexe. Elle ne pouvait imaginer ses deux adolescentes à croupir à cœur de jour à la maison, à se languir pour les garçons. Cet aboutissement lui déplaisait carrément, c'était sûr. Du reste, ses vues sur ses filles étaient plus nobles. Mathilde visait la vie religieuse pour ses filles. Et, ce soir-là, elle se cassait les méninges pour inventer un moyen acceptable de les soustraire aux monstruosités de sœur Gervaise.

— Tiens, tiens! Si j'écrivais à Rosemarie? fit-elle. Avec un peu d'aide, les jumelles pourraient peut-être bien fréquenter un pensionnat.

— Sacrebleu! Ça prend des gros sous et on ne roule pas sur l'or. On ne trouve même pas le moyen d'acheter un manteau à Julie.

— J'ai ma petite idée là-dessus.

Tard dans la nuit, Mathilde s'assit au bout de la table et écrivit une longue lettre à Rosemarie où elle brassa un portrait exact de la situation précaire des jumelles. La mère insista sur l'obligation de retirer Doris de l'école et sur son maigre savoir qui risquait de nuire à ses projets. Mathilde mit aussi l'accent sur l'obéissante et la docilité des jumelles qui, selon elle, feraient de bonnes candidates pour la vie religieuse. La femme se garda bien de quémander certains avantages pour ses filles. Certes, elle comptait sur les faveurs de la supérieure, comme dans le temps pour Rosemarie, qui bénéficiait d'une pension ridicule. Mais Mathilde, fine mouche, usait de moyens détournés pour arriver à ses fins. Ses belles-sœurs religieuses l'avaient prévenue qu'au noviciat, toute la correspondance des novices passait aux mains de la prieure, et que celle-ci filtrait sévèrement la correspondance. Donc, Mathilde était bien consciente que, dans un jour ou deux, le temps que le courrier parvienne à destination, la supérieure serait au courant du problème des jumelles.

Le lendemain, Émery jeta la missive audacieuse à la poste.

VIII

Au collège de Saint-Pierre-du-Portage, on comptait embaucher un nouveau chauffeur. L'employé en place, vieux comme Mathusalem, oubliait d'ouvrir les soupapes de sûreté pour éviter les explosions. Après maints appels à la prudence, le chauffeur négligeait toujours les sages avertissements. Le père Carignan n'attendait qu'un remplaçant pour licencier le vieillard.

Noël Lamarche eut vent du poste à combler. Sur le coup, il eut le vif pressentiment que cette charge susciterait l'intérêt d'Émery. Le soir même, l'électricien se rendit à Sacré-Cœur-de-Jésus-de-Crabtree discuter de l'emploi éventuel avec son beau-frère.

Émery cachait son vif intérêt sous un air indifférent. Au fond, pas un mot de la conversation ne lui échappait. Le sacristain prenait le temps de retourner tous les aspects de la proposition. Ce poste lui aurait semblé avantageux, mais il comportait aussi certains risques. Le père procureur exigerait sans doute un appel d'offres en soumissions et Émery ne détenait aucun diplôme témoignant de ses compétences. Il n'avait jamais passé de test.

Cet emploi suscitait vivement l'intérêt de Mathilde. Le grand collège, sous la coupe des prêtres, dispensait le cours classique et le cours classique, ce n'était pas rien ! Il était indispensable à la prêtrise. Or, ses fils aînés étaient tous deux en âge de le fréquenter.

— Tu ne dis rien, Émery? le stimulait Mathilde. Pense un peu aux études des grands, dans tout ça. On ne laisse pas passer pareille occasion sans sauter dessus à pieds joints!

Émery alors s'anima. L'homme semblait sortir d'une longue hibernation. Il répondit:

— Il faudrait d'abord que je me renseigne. Je ne connais rien des attentes du collège. Il y a aussi le salaire qui entre en ligne de compte.

Noël Lamarche, qui s'attendait à voir Émery sauter de joie, était rebuté par le peu d'empressement de son beau-frère. Il regrettait presque de lui avoir proposé cet emploi qui, selon lui, représentait une solution logique à tous les problèmes des Gauthier. L'électricien ajouta avec moins d'enthousiasme, cette fois:

— Je ne veux rien avancer, mais au collège, les gages doivent être plus élevés que ton salaire actuel. C'est un chauffage de supérieur à celui d'une église. En plus, au Portage, le logement est fourni. Être logé, ça remonte les gages. Tu devrais tenir compte de ça.

Émery ne disait mot et sa femme s'en désolait. À la seule pensée de sœur Gervaise, Mathilde éprouvait une grande envie de s'exiler, de se débarrasser des conflits, de vivre en paix. Elle ne comprenait absolument pas qu'Émery puisse hésiter un seul instant devant cette offre alléchante. Même à salaire égal, la famille y gagnerait au change. Mathilde ne voyait pas que derrière son silence, Émery pesait le pour et le contre. Finalement, il se décida à parler.

– Soit ! Je peux aller voir de quoi ça retourne.

Il n'en fallait pas plus pour que Mathilde s'emballe. La partie n'était pas gagnée, mais Émery démontrait un certain intérêt. Noël retrouvait son entrain, comme si l'affaire était déjà conclue.

– Ma femme voulait t'offrir d'héberger les jumelles pour l'année scolaire, vu qu'elles en ont plein le dos d'endurer leur sœur Chose. Mais si, par chance, Émery arrivait à négocier une entente intéressante avec le procureur, ça réglerait du même coup son problème d'augmentation et celui des jumelles.

Cette échappatoire tirait une épine du pied à Mathilde. Advenant que le projet d'Émery tombe en déconfiture, la femme comptait un atout de plus dans son jeu. Mathilde remercia son frère, toujours prêt à se dévouer, ce qui compensait Émery qui méditait comme s'il eut été seul dans la pièce.

Noël parti, Mathilde laissa déborder son enthousiasme :

– Ce travail est pour toi, Émery ! Je le sais ! Je le sens !

Mathilde avait beau s'enflammer, au fond, elle entretenait un doute sur la réalisation de ce merveilleux projet. Qu'un autre chauffeur devance Émery et c'en serait fait de son fol espoir !

Assis en face d'elle, Émery occupait ses mains à faire rouler le petit jonc de platine qu'il portait à l'annulaire.

– J'irai demain, dit-il, si je trouve un remplaçant. Un sourire pinçait ses narines. Un homme comme moi, ça se remplace pas si aisément

– Demande à Laurent ! C'est pas une journée d'absence qui va lui faire perdre son année !

Laurent accepta de bon cœur. Il observerait la consigne. Le garçon connaissait le travail de sacristain de a à z. Depuis l'âge de raison, le fils suivait son père sur les talons.

En dépit de l'heure tardive, Mathilde sortit le fer et la pattemouille pour défriper la chemise et l'habit d'Émery. L'entrevue avec le procureur valait bien que sa femme déploie tout son talent à rehausser la prestance de son homme. Demain, à la même heure, Mathilde aurait un vague aperçu de la situation. Demain ! Dieu que c'était loin, demain !

* * *

Le soir tombé, la vie se prolongeait à l'intérieur du foyer. Au coucher, Hélène avait l'habitude de s'accroupir sur le grillage qui permettait à la chaleur de monter aux chambres, pour écornifler ce qui se passait en bas. À son poste de guet, la fillette crut comprendre que son père cherchait un emploi. Elle retourna à son lit, tourmentée par cette révélation obscure.

Hélène, d'une étonnante précocité, vivait dans l'insécurité face à l'argent. Ses craintes s'étaient fondées suite à une banale demande de sous où son père, pour refuser à sa fille l'achat d'une crème glacée, avait répondu : « Je n'ai pas d'argent ! » Émery avait omis d'ajouter : « à gaspiller. » Hélène avait interprété les paroles de son père à sa façon et, depuis, le manque à gagner s'avérait pour cette enfant un souci continuel. Ce soir-là, Hélène confia ses craintes à Célestine :

— Papa va arrêter de travailler et nous n'aurons plus d'argent pour manger.

Célestine, sceptique, fronça les sourcils. Tout père devait gagner le pain de sa famille. La chose allait de soi. Mais Hélène avait l'air si atterrée qu'elle semait le doute chez la fillette. Célestine sauta du lit.

— On va mourir de faim ! s'exclama-t-elle. Je vais demander à maman.

— Non, arrête ! C'est un secret et je ne peux pas en parler. J'ai entendu ça sur le grillage. Tu en sais des secrets, toi aussi ?

— Oui ! fit Hélène, hésitante, un seul !

— Tu me le dis et j'efface les dix sous que tu me dois. Je n'en parlerai à personne, bouche cousue.

Et Hélène croisa rapidement l'index sur ses lèvres, en deux sens pour sacraliser sa promesse. Célestine hésita un moment et, d'une voix basse, rapporta à sa sœur la correspondance assidue entre Julien et mademoiselle Constance, la maîtresse d'école. Hélène jubilait. Elle mitrailla sa cadette de questions et insista pour lire les lettres, mais Célestine refusa net.

— Je t'en prie, Célestine, dis oui, insistait Hélène. C'est comme ça qu'on va apprendre à écrire des lettres aux garçons.

— Non ! Je ne veux pas écrire aux garçons !

— On la lira, ou je le dis à maman.

— Non ! Tu as juré, Hélène Gauthier !

Les yeux d'Hélène brillaient de malice, ceux de Célestine s'embuaient. Célestine regrettait d'avoir dévoilé son secret. Quelle idée aussi de tant vouloir se donner de l'importance vis-à-vis Hélène? Maintenant, sa stupidité se retournait contre elle. La gamine décida tout de même de tenir ferme. Elle tourna le dos à sa sœur et s'endormit.

* * *

Au déjeuner, Émery parla peu. Sa piètre expérience comme chauffeur de bouilloires le préoccupait. Si au collège, les gages étaient avantageux, en retour, le procureur était en droit d'exiger une certaine compétence. En dépit des tracasseries qui lui pesaient, pas une fois pourtant ne lui vint l'idée d'hésiter ou de reculer. Au pis aller, advenant un refus, le sacristain nourrirait un autre plan, vendre sa maison. Avec le profit, Émery achèterait une ferme.

Rasé de frais, Émery revêtit un habit gris à fines rayures sur une chemise blanche au col amidonné. Mathilde l'exhortait à porter une cravate, mais Émery s'y opposa, alléguant comme excuse que sa corde de pendu serait cachée sous son foulard. Mathilde réussit à lui faire avaler qu'une corde de pendu était un porte-bonheur. Émery enfonça sur sa tête un feutre gris à large bord, s'emmitoufla dans une longue redingote noire et sortit.

Sa femme lui criait à travers la porte:

– Ne va pas marcher dans le crottin de cheval avec tes souliers à bagues d'argent!

Les mains plongées dans les poches de sa lévite, Émery se dirigea d'un bon pas vers la petite gare.

* * *

Devant le collège, le sacristain s'exclama : « Superbe ! » Puis il se demanda s'il avait parlé tout haut. Il jeta un coup d'œil rapide autour de lui et ne discerna personne d'autre qu'une madone en bronze. Émery, immobile, admirait l'institution.

Les murs de pierres de trois pieds d'épaisseur étaient percés d'une riche fenestration. Au deuxième, d'étroites ouvertures, voûtées en plein cintre, laissaient entrer le jour dans ce qu'Émery devinait être la chapelle. Une coupole, surmontée d'un clocheton, dominait le fronton central. « Ce collège est une merveille d'architecture », pensait le sacristain.

Il tourna la petite sonnette en cuivre et leva la tête. Au-dessus de la barlotière, gravée dans la pierre, Émery lut quatre mots en latin : *Parare Domino plebem perfectam*. Le père portier, un lambin pâle et silencieux, ouvrit et conduisit Émery à la procure.

Le père procureur était tout le contraire du portier, un homme riant, communicatif, dont la simplicité plaisait. C'était un organisateur de premier ordre, une intelligence remarquable. Émery sentit passer un courant de sympathie entre eux. Tout en conversant, le proviseur guida le postulant vers la chaufferie. Le bâtiment, un peu en retrait du collège, comprenait deux vastes pièces : la chambre des bouilloires et la chambre des réchauds. La chaufferie puait le charbon à plein nez. Un bruit infernal obligeait les deux hommes à crier pour se faire entendre. En face, un grand mur de fonte noir était bourgeonné d'une multitude de cadrans et de valves de contrôle. Les jauges de pression ressemblaient toutes à des boussoles. La vapeur servait aux cuisines où sept petites sœurs de la Sainte-Famille étaient chargées des repas et de l'entretien des prêtres et des collégiens.

Émery prit conscience que le nouveau chargé de fonction aurait beaucoup à apprendre et ne pourrait se permettre aucune erreur, on congédiait l'ancien chauffeur pour ses bévues. Le sacristain ravala son embarras. Après tout, on ne lui avait pas encore assuré l'emploi.

Un vieil homme au crâne dénudé, courbé sur sa brouette, passa devant les deux hommes sans leur accorder le moindre regard. Le déplumé déplia son squelette, ouvrit les portes de fonte et alimenta le feu de brusques pelletées de charbon. Les fourneaux jumeaux donnaient l'impression de deux grandes gueules aux muqueuses rouges qui dévoraient du charbon à pleines brouettées.

Au bout de la pièce, une chaise berçante et deux droites, fournies par le collège, servaient aux visiteurs qui passaient à l'occasion faire une brève causerie. Ces derniers ne restaient que le temps d'arrêt des souffleries. En marche, les puissantes machines obligeaient à crier pour se faire entendre. C'était l'enfer. Mais Émery convint par expérience que gagner sa croûte était rarement le paradis. Il y avait une seule bâtisse entre la maison des chauffeurs et la chaufferie. C'était la boulangerie. La petite dépendance avait l'allure d'une jolie maisonnette. Le procureur entraîna Émery vers le logement.

* * *

Émery Gauthier revint chargé à bloc de Saint-Pierre-du-Portage, contrat dûment signé en main. «C'est Mathilde qui va être contente», se dit-il. Le salaire de chauffeur se trouvait à lui seul, plus élevé que la tâche de sacristain, le chauffage du couvent et le ménage des écoles réunis. Toutefois, le proviseur l'astreignait à suivre un cours par correspondance afin d'acquérir une licence de deuxième classe, alors exigée. On lui permettait d'étudier tout en surveillant le chauffage. De plus, le chauffeur était tenu, toutes les deux heures, d'exercer un guet de nuit autour de l'institution et des dépendances et poinçonner à divers endroits pour confirmer le suivi du contrôle. Et comme de fait, le logement était une gratuité motivée du collège.

Mathilde jubilait. Déménager dans deux semaines dépassait ses attentes. Le couple vendrait la maison et disposerait enfin d'une petite réserve d'argent.

* * *

Ce mercredi, deux gamines de six et sept ans rentraient de la classe sur une route boueuse. Hélène, avide de découvrir des secrets étranges, tentait par tous les moyens de s'approprier la lettre de Constance, mais Célestine la repoussa du coude et étreignit son sac d'école. La petite curieuse fit mine d'oublier l'incident et, au souper, vive comme une flèche, elle s'immisça sournoisement dans la penderie, saisit l'enveloppe et la tendit à sa mère, dénonçant ainsi sa petite sœur:

— Regardez, maman ! Célestine charrie des lettres d'amour de mademoiselle Constance à Julien !

Célestine sursauta. Une frayeur passa dans ses yeux. Tout s'était déroulé à la vitesse de l'éclair. Et le beau Julien souriait, l'air fanfaron. Devant ses frères et sœurs, le garçon se flattait de jouir d'une grande popularité auprès des filles ! Julien semblait se ficher de Constance. Malgré son jeune âge, Célestine se posait des questions sur les sentiments de Julien envers Constance.

Dans le feu de l'action, Mathilde, vexée, froissa la dépêche et la glissa dans la poche de son tablier. La petite coupable reçut un sévère avertissement :

— Je tiens à être au courant de tout ce qui se passe dans ma propre maison ! Vous m'entendez tous ? Et foudroyant Célestine du regard : Toi, que je ne te voie plus jamais, au grand jamais, jouer au facteur ou tu auras affaire à moi !

Célestine, indignée, serrait les dents. Sa mère lui imputait toute la faute sans jeter aucun blâme ni sur Julien ni sur Hélène.

À la fin du repas, Hélène tenta de banaliser les faits en invitant sa cadette à jouer aux quatre coins avec ses frères, mais Célestine s'entêtait dans un silence froid. Hélène n'acceptait pas facilement d'être laissée pour compte. À titre d'aînée, elle s'attribuait sa propre autorité. Elle avisa Célestine d'une voix intransigeante :

— Ça t'apprendra à m'obéir ! C'est moi la plus vieille, donc c'est moi qui mène ! Un point c'est tout !

Rien ne réussit à atteindre Célestine. La réaction de son enseignante la tracassait bien davantage que l'autorité d'Hélène. « Si mademoiselle Constance se mettait à m'en vouloir ou à m'ignorer? Peut-être Julien ira-t-il lui rapporter mon manque de discrétion?» Le cœur au bord des lèvres, la petite s'imaginait que tout le monde tramait contre elle.

* * *

Le sonneur de cloches résigna ses fonctions dans une lettre qu'il porta lui-même au curé.

– Tenez! C'est ma démission.

Le prêtre fixait le sacristain, l'air abasourdi. Puis, après un moment de réflexion, il contesta sa décision:

– Vous n'aurez pas sitôt passé la porte que vous regretterez votre choix. Reprenez votre lettre. Vous ne tirerez rien d'une vengeance. Pensez donc! Avec dix enfants sur les bras! Je parlerai aux marguilliers en votre faveur. Ils réagiront sûrement devant un départ éventuel.

– Je ne me venge pas, monsieur le curé! J'ai trouvé ailleurs un emploi plus avantageux et j'ai seulement deux semaines pour entraîner un remplaçant.

L'abbé, plus triste que furieux, dévisageait le sacristain. Émery tourna les talons, embarrassé de décevoir son curé.

* * *

Chez les Gauthier, le poêle dégageait une douce chaleur. Des pommes rissolaient dans le four, fleurant bon la muscade et la cannelle. L'école finie, les enfants entraient en coup de vent dans une cuisine invitante, souriante, mystérieuse.

Mathilde, radieuse, déposa un chaudron au centre de la table et servit une bolée de soupe aux pois, à son mari d'abord, aux enfants ensuite. La mère surveillait étroitement la salière et la poivrière qui exécutaient mille culbutes au-dessus des bols de faïence. Les petites mains avaient tendance à abuser de ces deux épices. Avant de toucher à sa portion, Mathilde déposa la louche et annonça la nouvelle du déménagement.

Les cuillères figèrent entre bols et becs. Dix paires d'yeux clairs fixaient Mathilde. Les réactions ne se firent pas attendre. Les jumelles étaient ravies de changer d'enseignante. Guillaume, que son vélo intéressait par-dessus tout, se promettait de longues excursions sur les rues bitumées. Célestine, chagrinée à l'idée de ne plus avoir Constance comme professeure, s'élança impétueusement vers l'escalier. Son père la rappela aussitôt. La fillette vint se rasseoir à la table et, l'air maussade, ingurgita son repas de force. Laurent et Julien, soulagés de se décharger du balayage des classes, se frappaient mutuellement dans les mains.

Leur mère leur recommanda de ne pas se réjouir trop vite, que d'ici là ils devraient effectuer le ménage à l'école des garçons sans son aide. Elle ajouta:

– Vous changerez l'eau de lessive au moins trois fois par classe. Vous devrez récurer les marques de souliers et utiliser l'eau de javel pour effacer les taches d'encre. Et surtout, pas question de bâcler l'ouvrage pour finir plus vite.

Mathilde tenait à ce que personne ne trouve à redire au sujet des parquets. Célestine mangea peu et, comme un petit oiseau blessé, se pelotonna dans la berceuse.

Assise sur sa jambe repliée, la tête sur un poing, la fillette méditait.

– Célestine! semonça sa mère. Assieds-toi donc comme du monde! Tu vas te déboîter le corps à force de te tenir toute croche.

– Elle n'a pas fini de bouder, maman! fit Guillaume. Avec elle, ça dure toujours longtemps. On dirait qu'elle ne sait plus s'en sortir.

Mathilde avait appris à fermer les yeux sur les bouderies de Célestine. C'était sa façon de décourager les silences obstinés et les regards désinvoltes qui, chez les siens, devenaient une véritable épidémie. Le déménagement occupait bien davantage ses pensées. Mathilde délégua ensuite des tâches aux jumelles. Toutefois, elle hésitait, craignant d'abuser des forces de Doris. La pauvre décharnée commençait tout juste à reprendre un peu d'allant. Julie tendit une main secourable:

– Je peux balayer les six classes et la salle toute seule, mais je vous promets pas d'être à l'heure pour le souper.

Julien et Laurent offrirent d'aider Julie sitôt le ménage du collège terminé.

* * *

Une dépêche arrivait par le courrier de quatre heures. Le timbre portait l'estampille de Montréal. Mathilde brûlait d'impatience d'en dévorer le contenu, mais l'heure du repas approchait et les petits ventres affamés réclamaient la soupe. La femme déposa à regret la petite enveloppe blanche sur la tablette de l'horloge.

Vint l'heure où les bruits de la maison s'éteignirent. Mathilde leva les petites pages sous la lumière blafarde du plafonnier et tout en les parcourant, son visage s'éclairait. Le pensionnat ne comptait qu'un seul lit vacant dans un des dortoirs communs. Le coût de l'internat était basé sur celui de l'allocation familiale de l'élève, soit six dollars par mois. La pensionnaire devrait cependant exécuter certains petits travaux en compensation pour sa piètre pension. La mère supérieure la priait de régler l'entente au plus tôt, si les conditions convenaient, naturellement. Elle proposait en plus de prêter le costume d'une ancienne élève pour épargner travail et argent.

Mathilde déposa les petites feuilles devant elle et porta la main à son ventre gros de sept mois. Son regard se tourna vers Émery :

— Tu avais bien raison de dire que chaque enfant apporte son pain ! Mais celui-ci, c'est toute sa fournée qu'il apporte ! Une fille pensionnaire, un nouvel emploi et fini le ménage des écoles. Fini aussi de tirer le diable par la queue !

Mathilde jugea bon d'envoyer Julie au pensionnat.

Debout, près de la table, Émery, les lunettes sur le bout du nez, lut les deux petites pages et les déposa sur la nappe en toile cirée. Le père ne réagit pas à l'offre avantageuse de la supérieure. Il se retira dans sa chambre, un peu étonnée que sa grande ne dénote aucun signe d'ennui.

Les jumelles étaient montées depuis un bon moment, mais Mathilde entendait encore des pas et des chuchotements en haut. Elle appela Julie, mais cette dernière hésitait à descendre.

– Ça ne peut pas attendre demain, maman? Je suis en jupon!

– Peu importe! Nous serons seules dans la cuisine.

Julie s'assit dans la berceuse. À la manière détournée dont sa mère lui présentait les choses, la jumelle, perspicace, alimentait un doute. «Ça commencerait par le pensionnat et ça finirait par le noviciat.» Julie s'enferma dans un mutisme buté.

Mathilde ne sentait aucun enthousiasme de sa part.

– Voilà qu'on t'offre l'instruction et les honneurs, et toi, tu tournes le dos à tout. Je te dis! Si j'avais eu cette chance, moi! Pourquoi n'essaierais-tu pas? Au moins pour une année? Et réponds donc quand je te parle!

– Je ne suis pas faite pour cette vie-là, maman!

– Et tu es faite pour quelle vie? La vie mondaine? Les garçons? La perdition? À ton âge, comment peux-tu savoir ce qui est bon pour toi? En tout cas, sois assurée que je ne laisserai pas s'échapper une si belle occasion d'envoyer une de mes filles au pensionnat. Et plus bas, Mathilde renchérit, le ton menaçant: C'est encore moi qui mène dans ma propre maison.

Julie rétorqua:

– Maintenant qu'on déménage, tout s'arrange pour l'école!

– Là, n'est pas la question! Ce sera bon que Doris et toi preniez un peu de distance.

Puis la mère retrouva son calme et demanda à Julie le silence sur leur conversation. Mathilde préférait parler elle-même à Doris.

Julie n'avait pas gravi deux degrés d'escalier que sa mère la rappelait :

– Je dois répondre à la lettre de Rosemarie et j'aurai besoin de toi tantôt pour corriger mes fautes.

* * *

Installée au bout de la table, Mathilde laissa tomber sa plume sur les petites feuilles dépliées. Le front appuyé sur ses mains ouvertes, elle se cassait la tête à agencer les mots les plus banals. Finalement, elle trempa la plume dans l'encrier et traça des phrases d'une fine écriture, dont Julie disait des pattes de mouche.

Une saine discipline de vie ne pourrait qu'être favorable à Doris. Mathilde passa sous silence, pour un certain temps encore, le déménagement et le nouveau travail d'Émery pour qu'ainsi, l'offre des sœurs ne risque pas d'être déclinée. Bien entendu que dans peu de temps, le nouveau salaire d'Émery permettrait de combler la pension. Mathilde, d'une honnêteté scrupuleuse, s'en voudrait d'abuser des largesses de la communauté à son égard. Elle promit d'envoyer Doris le dimanche suivant.

Au dîner, les enfants s'arrachaient la lettre de Rosemarie. Doris bouillait d'impatience. L'adolescente souhaitait que sa mère arrête son choix sur elle. Sa joie fut débordante lorsqu'elle apprit son entrée prochaine au pensionnat. Suite aux recommandations de Mathilde, Doris promit de rattraper les mois perdus. Sa mère lui fit comprendre qu'elle devrait s'orienter vers l'enseignement.

Doris, sidérée, se raidit :

– Mais maman, je veux être infirmière, pas enseignante !

Sa mère avait prévu ce contretemps, mais la communauté recrutait des enseignantes. Mathilde se garda bien de révéler à sa fille ses intentions formelles au sujet du noviciat. Elle ne lui laissa pas le temps de s'entêter dans son idée.

– Tu feras ce que je te dis sans discuter, un point c'est tout !

Doris, sans droit de parole, s'inclina devant l'autorité, mais d'un coup, son enthousiasme tombait.

À midi tapant, la famille était attablée devant une casserole de fricassée de poulet. Seul Guillaume manquait à l'appel. Mathilde étira le cou à la fenêtre. De l'autre côté de la rue, son beau Guillaume embrassait sans gêne la petite voisine du deuxième, Luce Deslauriers. Mathilde figea sur place. Son regard se durcit.

– Doris, ordonna-t-elle, cours chercher Guillaume et dis-lui d'entrer sur-le-champ !

Cette intervention déplaisait à Doris, déjà désabusée. Comme l'adolescente allait quitter la maison nue-tête et vêtue seulement d'un gilet léger, sa mère la prévint qu'elle allait attraper son coup de mort, mais Doris ne voulait rien entendre. La mine basse, la jeune fille referma la porte sur elle. Pris sur le fait, Guillaume fonça tête baissée derrière la maison des Deslauriers tandis que sa jeune complice escaladait en vitesse l'escalier tortueux de fer forgé. Doris éprouvait une certaine sympathie envers Guillaume dont elle jugeait le geste plus anodin que méchant. Elle lui laissa le temps de déguerpir et l'appela, juste pour la forme. Doris entra ensuite prévenir sa mère :

– Disparu !

Mathilde s'inquiétait au sujet de son garnement de fils. Guillaume venait tout juste d'avoir onze ans, était le sixième de la famille et le premier à se permettre des écarts de conduite. Mathilde appréhendait ces expériences où la vertu entrait en jeu. Le soir, à l'heure du coucher, elle retint Guillaume pour le semoncer dans le particulier. Tout le temps du sermon sur le sixième commandement, Guillaume affichait un air de suffisance dont il ne se départait presque jamais. Mathilde avait toujours l'impression avec ce petit insolent, de parler dans le vide. Finalement, elle leva le ton :

– Si tu ne veux pas marcher dans le droit chemin, nous te placerons dans une école de réforme où on dresse les jeunes libertins comme toi qui n'en font qu'à leur tête. Là-bas, au besoin, ils se servent du fouet.

Guillaume, un garçon aussi espiègle que joli, gardait la tête haute et un éternel sourire collé aux lèvres.

Mathilde soupira :

– Bon, à présent, monte te coucher !

Le soir, elle rapporta à Émery, l'écart de conduite de Guillaume :

– Ça a encore la couche aux fesses et ça se permet des gestes de gens mariés ! Quand j'essaie de lui inculquer un peu de respect, le beau Guillaume s'avise de me dévisager d'un air moqueur. Qu'est-ce qu'on va faire de cet enfant-là, dis-moi donc ?

En parlant, Mathilde retrouvait sur les traits de son mari, l'air railleur de Guillaume, ce qui dénonçait, une fois de plus, sa tolérance envers son fils. Mathilde ne savait plus quoi penser. Elle en était à se demander si l'effort d'éduquer ses enfants en valait la peine.

IX

Les jeunes, entassés dans l'auto de l'oncle Viateur, s'amusaient à compter les véhicules qui venaient en sens inverse. Sur la banquette avant, Mathilde tenait une pendule sur ses genoux. Ce précieux cadeau de mariage était une relique. L'horloge lui venait de sa sœur et, depuis le décès de celle-ci, Mathilde avait l'impression qu'à chaque tic-tac, elle entendait battre le cœur d'Emma.

Odette la petite dernière se tenait debout, coincée entre les épaules de ses parents. L'enfant s'amusait à peigner Émery. Elle s'y prenait gauchement. Son père la laissait faire sans bouger. Cela devait pourtant l'agacer, surtout quand Odette lui descendait le peigne sur le nez. Émery semblait absent. Il était resté l'esprit accroché à sa paroisse qu'il désertait. L'homme ressentait un vide en dedans de lui, comme était vide sa charmante maison qu'il venait d'abandonner à de purs étrangers. Émery avait bien escompté y finir ses jours. Le sacristain se réservait, comme il se doit, une bonne pensée pour les paroissiens. Il se faisait un devoir de rendre un dernier hommage à son passé avant de repartir à zéro. Et si le creux en lui persistait, Émery y mettrait le temps. Là bas l'attendait un monde nouveau qu'il avait choisi de son plein gré et le sacristain le voulait agréable.

Du haut de la côte, il pointa du doigt la nouvelle demeure :

– C'est là, en bas, la maison grise !

Aussitôt les mauvaises remarques et les déceptions fusèrent de la bouche des jeunes : C'était laid. Les persiennes étaient toutes écaillées, la cour trop petite.

Mathilde incita les enfants au calme :

– Attendez au moins de visiter l'intérieur. Vous lui trouverez peut-être un attrait quelconque.

En plein centre de la porte, une sonnette de cuivre, munie d'une manivelle, fut le seul attrait. Passé le seuil, une marche basse qui donnait sur le salon prenait tout le monde au dépourvu. Émery signala l'obstacle à sa femme et traversa à la cuisine. Une odeur de moisi et un froid pénétrant le saisirent. La première chose que fit l'homme fut de préparer un bon feu de bois. Deux voisins charitables surgirent et offrirent un coup de main à Émery. C'étaient le chauffeur de relève et son grand garçon de seize ans qui habitaient dans le logement adjacent à celui des Gauthier.

Tout en bourrant le poêle de copeaux, Émery surveillait les enfants du coin de l'œil. Ceux-ci exploraient recoins, placards, hangar. Guillaume était à la recherche d'une baignoire.

– Il n'y a même pas de bain dans cette vieille bicoque-là ! fit remarquer le garçon.

– Non, rétorqua Mathilde, une cuvette le remplacera. Un bain, c'est un luxe et peu de maisons en possèdent. Il faut bien supporter quelques petits désagréments pour gagner votre ciel. Ici, nous sommes logés pour rien et ça vaut beaucoup plus qu'un bain

Mathilde, elle-même déçue, était sur le point de pleurer. Le trottoir collait sans gêne à la maison. Les murs étaient minces comme des feuilles de papier. On entendait parler les voisins dans le logement d'à côté. Les ans avaient crevassé les plafonds et les murs. L'état des pièces était lamentable. Mathilde arriverait-elle à redonner un peu de dignité à cette cambuse ? Elle s'en faisait une montagne.

La femme se plia en deux. Une crampe lui labourait le ventre. Elle se redressa et compta discrètement sur ses doigts. Il devait bien rester six semaines avant la naissance, mais allez donc savoir ! La future mère n'avait pu justifier au médecin la date de sa dernière indisposition. Pour le moment, elle se préoccupait davantage de son emménagement.

– Julie, fais chauffer de l'eau pour laver les garde-manger et la vaisselle, qu'on arrive à se tirer d'embarras pour les repas.

Julie ne trouvait ni bouilloire ni casserole. Les jeunes, sans moyens de s'occuper, avaient l'air des désœuvrés et leur oisiveté renforçait leur dissipation. Leurs taquineries ralentissaient le travail des grands et exaspéraient la future mère, déjà préoccupée par son état. Une douleur la traversa du ventre aux reins. Quelques minutes après, une nouvelle contraction suivit et une autre. À chacune, la femme demandait l'heure jusqu'à ce que Julie trouve sa manie bizarre et place l'horloge bien en vue sur le comptoir de cuisine.

Dans l'escalier, Guillaume, Marc, Hélène et Célestine riaient comme des fous. La bande de diablotins nuisait au transport des matelas et impatientait leur mère.

— Guillaume et Marc, commanda Mathilde, allez aider Julien à assembler les lits. La mère s'adressa ensuite à Hélène et Célestine qui, surexcitées, étouffaient un fou rire. Vous deux, mes saprées tannantes, allez vous asseoir !

— Impossible ! fit Hélène, il n'y a pas de chaise !

Les filles éclatèrent d'un rire en cascade qui se changeait en de longs cris aigus que les gamines étiraient au bout de leur souffle.

— Vous allez passer pour deux petites fofolles devant les étrangers, chuchota Mathilde, roulant de gros yeux.

Et le rire convulsif des filles s'enchaînait au rythme de leur nervosité extrême, comme il arrive souvent aux enfants qui rompent leurs habitudes. Mathilde fit mine de les ignorer.

Le camion vidé, toutes les pièces étaient sens dessus dessous Mathilde se traînait péniblement d'une chaise à l'autre et s'assoyait à chaque contraction en disant : « L'ouvrage me rentre dans le corps. » Elle accusait le déménagement pour dissimuler son mal. La pauvre femme aspirait à ce que chaque gros meuble gagne sa place avant de réclamer le médecin. Elle priait pour que le travail retarde. Aux accouchements précédents, elle priait pour que tout se passe vite. Finalement, Mathilde rejoignit Émery qui déposait de lourdes boîtes de vaisselle sur la table et lui chuchota à l'oreille :

— Conduis les enfants chez Rose et ramène le médecin ! Ça presse !

Le départ des enfants soulageait Mathilde d'un poids énorme. D'abord pour sauvegarder le secret qui entourait les mystères de la naissance, ensuite, pour se retrouver seule derrière une porte close et s'offrir un bon savonnage.

Mathilde remplit un broc d'eau tiède et le transporta à sa chambre où un petit problème l'ennuya. La fenêtre nue donnait directement sur le trottoir, l'exposant à la merci des indiscrétions. Elle réfléchit. Quelques pages de papier journal suffiraient à masquer la vue aux passants ; il en traînait partout. Le problème était de les maintenir solidement aux carreaux. Soudain, Mathilde eut un éclair de lucidité. Les persiennes vertes, malgré leurs quelques lattes manquantes, la soustrairaient aux regards des piétons. Dire qu'elle croyait ces vieilleries hors d'usage ! Mathilde tourna l'espagnolette et ferma les volets à claire-voie.

Sa toilette achevée, Mathilde se mit à la recherche de sa chemise de nuit. Elle trouvait dans ce désordre : parapluies, cruches, cadres, album de photos, partitions de piano, tout sauf sa liseuse à minuscules fleurs jaunes. La pauvre femme s'assit sur le pied du lit et, désœuvrée, fondit en larmes.

Soudain, la petite sonnette de cuivre retentit. Mathilde essuya ses yeux. Ce ne pouvait être Émery, il venait à peine de quitter la maison pour Sacré-Cœur. Ce ne pouvait être que les prêtres du collège qui passaient leur souhaiter la bienvenue. C'était une habitude noble de la part des ecclésiastiques, mais combien gênante en raison des circonstances où se trouvait la femme. Mathilde appréhendait cet événement depuis son arrivée. Pendant qu'elle se rhabillait, les arrivants entraient. C'étaient Noël et Éloïse. Mathilde s'exclama soulagée :

La fille du sacristain

– Ah ! Vous deux, si vous saviez ! Je n'arrive pas à mettre la main sur ma jaquette et ma literie !

– Va te reposer, lui conseilla Éloïse en voyant sa face congestionnée et gonflée. Je m'occupe de te trouver ça. Et surtout, pas question d'accoucher avant l'arrivée du médecin, tu m'entends ?

Mathilde regardait son lit nu et éprouvait un irrésistible besoin de s'y allonger. Assise inconfortablement sur le banc de la machine à coudre, poussé à tout hasard, près de la fenêtre, la future maman s'impatientait de la lenteur d'Éloïse à trouver les oreillers et les draps. Comme Émery lui manquait en ce moment crucial ! C'est lui qui devrait être là ! Noël aurait pu tout aussi bien aller à Sacré-Cœur à sa place, mais personne n'y avait pensé. Les larmes montaient et la pauvre femme réussissait mal à cacher son désarroi. La voix tremblotante, elle cria :

– Noël, j'ai une toile quelque part, faudrait la trouver et l'étendre sur le lit.

Mathilde se tut aussitôt pour se concentrer sur son mal. Ses mains poussaient avec force sur ses reins qu'une nouvelle crampe brisait. La douleur à peine passée, elle réclama son ensemble de baptême. Mais Éloïse vint plutôt s'asseoir près d'elle. Les douleurs augmentaient en force et en temps. À chacune, Mathilde grimaçait puis, aussitôt le mal passé, elle se remettait à parler comme si de rien n'était :

– Ça me gêne de recevoir le docteur dans le déménagement. Un pur étranger !

– Ne fais donc pas tant de chichis ! Ce n'est pas le temps de te gonfler d'orgueil, surtout pas aujourd'hui, hein !

– Je ne trouve pas la toile, criait Noël. Tu es certaine d'en avoir une ? Tiens, ici, j'ai un vieux tapis de table en toile ciré. Ça pourrait peut-être aller ?

– Ce n'est pas ce qu'il y a de mieux, mais apporte-le quand même !

Noël et Éloïse l'installèrent sur le lit et le recouvrirent d'un drap blanc.

– On distingue les fleurs rouges à travers le drap ! bougonna Mathilde avec une expression qui marquait le mépris.

Éloïse dut mordre les lèvres pour ne pas laisser passer son exaspération.

– Si on ajoutait un autre drap par-dessus celui-ci ? proposa Mathilde.

– Moi, je suis contre, rétorqua Noël. Je trouve même que c'est un heureux présage de recevoir un enfant dans les fleurs.

Éloïse étendit un second drap et installa deux oreillers pour soutenir la tête de Mathilde. Tout rentra dans l'ordre. Ainsi, le bébé arriverait dans un lit blanc et l'orgueil de Mathilde serait sauf.

La maman s'allongea enfin sur son lit, toutefois, elle bougeait sans cesse, ne trouvant aucune position confortable.

Éloïse se mit en frais de nettoyer le berceau avec un chiffon et un détergent antiseptique. Le fait de préparer un ber de bébé la rendait mélancolique. Un violent besoin de maternité refaisait surface. « Comme la vie est injuste ! » se dit-elle.

Pendant quinze ans, Éloïse avait espéré connaître les joies de la maternité tandis que Mathilde, elle, avait des enfants plein les bras. De mois en mois, constamment ballottée entre l'espoir et la désillusion, Noël la consolait, pour en fin de compte, lui faire promettre de ne plus en parler. Éloïse se soumit, mais, dans son for intérieur, elle ne renonçait pas. Puis, soudain, ce fut comme si le vent chassait les nuages. Est-ce qu'elle était prête à souffrir ces douleurs qui faisaient grimacer Mathilde? Éloïse l'entendait maintenant pousser. Plus nerveuse que la mère elle-même, Éloïse flageolait sur ses jambes. Heureusement, des pas martelaient le perron. Le médecin entra le premier.

– Attention à la marche! cria Noël.

Le docteur Jacob courut à la cuisine, savonna ses mains puis se précipita dans la chambre et referma la porte sur lui. Il arriva juste au moment de la délivrance. Il déposa sur la mère une petite chose, gluante de sang, et toute ratatinée. Une fille toute menue vagissait. Émery entra, jeta un œil sur le poupon, puis rejoignit Éloïse à la cuisine. Il lui confia, ému: «Elle est si petite que je me demande si on va la réchapper. Une puce, je te dis! Elle tiendrait là-dedans!» Le père exhibait une main ouverte. Nerveux, Émery revint sur ses pas et cette fois, examina mieux le bébé. Il se surprenait, lui, un homme solide, de se préoccuper d'une si petite chose. Il demeurait assis, sans façon, sur le banc de la machine à coudre, essayant de se rajuster de rentrer dans son cadre d'homme impassible. Émery avait beau refuser de s'attendrir, c'était bien pour rien. Quelque chose de plus fort que sa volonté, une enfant fragile, qui s'étirait comme un chaton, remuait en lui quelque émotion. Celle-là, il se jurait de la regarder grandir, d'en profiter. Il ne se rappelait pas que les autres avaient été si petits. Émery regrettait de ne pas s'y être arrêté davantage. Maintenant, il se sentait injuste envers eux. Le père délia la petite main toute neuve qui se referma sur son index. Il aurait voulu que la petite ouvre les yeux, qu'elle le regarde.

– Si on l'appelait Virginie ? dit-il.

Mathilde était soulagée et heureuse que tout se soit si bien passé. Le docteur Jacob conseilla à la mère de la garder bien au chaud :

– Si possible, tout contre vous. Un nouveau-né est toujours un peu plus délicat s'il arrive avant terme. Et pour cause, je préfère attendre un peu avant de vous quitter. Je dois surveiller la respiration du bébé. Chez les prématurés, les petits poumons sont fragiles.

Éloïse servit un café que le docteur savoura de bon gré. Ce dernier se tourna vers la mère :

– Madame Gauthier, vous vous êtes surmenée. C'est pour ça que le bébé est arrivé avant terme.

– Comment diable faire autrement ? Si vous pensez que le déménagement m'amusait !

– Maintenant, vous connaissez la consigne ? Dix jours au lit avec défense de vous lever sous aucun prétexte !

– Vous savez bien, docteur, que je vais vous obéir à la lettre. Les relevailles, c'est le seul temps où une mère de famille peut se faire servir.

Éloïse décida de consacrer le reste de la journée à Mathilde. Elle colla une chaise contre la porte ouverte du four et déposa un bol à main rempli d'eau chaude. À trente-trois ans, Éloïse ressentait une joie intense à baigner le bébé. Elle se revoyait toute gamine avec sa poupée, mais cette fois, la toilette du bébé prématuré demandait mille précautions. Éloïse emmaillota soigneusement l'enfant dans une couverture de flanelle. Après avoir gavé la petite fille de baisers, Éloïse la rendit à la mère. Puis elle resta plantée là, attendrie, le regard accroché au poupon.

– Celle-là, ce sera la mienne ! fit-elle, envieuse. Je l'ai presque vue naître.

Mathilde colla sa fille sur son corps pour la réchauffer. Les yeux émerveillés, elle caressait les cheveux soyeux et rebelles. Cette enfant, Mathilde la possédait tout entière. Une joie immense envahit son cœur de mère.

X

Deux ans durant, la vie coulait normale, sans imprévu.

Le curé du Portage cherchait à attirer Julie et Laurent dans le mouvement Jeunesse étudiante catholique. Le dimanche, après la messe, le prêtre les rejoignit sur le perron de l'église.

– Il y aura un souper aux bines à la salle paroissiale. Pourquoi n'en profiteriez-vous pas pour vous mêler un peu aux jeunes de votre âge ?

L'abbé leur tendit deux billets. Julie les accepta. C'était la première fois qu'on lui lançait une invitation sociale, elle n'allait pas la dédaigner. C'était l'occasion à saisir pour enfin sortir de sa coquille !

Au retour, Laurent et Julie s'entretenaient de ce souper qui leur mettait le cœur en fête. Ils décidèrent d'attendre le moment propice pour en parler à leur mère.

Dans la cuisine, Laurent, adossé à l'armoire, confiait ses doutes à Julie :

– Tu sais bien que maman ne voudra jamais qu'on y aille. Elle devient méfiante dès que je croise une fille sur la rue. Moi, tant qu'à endurer ensuite des sermons à n'en plus finir sur la pudeur, le péché et le feu de l'enfer, j'aime mieux rester dans mon trou.

– Si maman ne veut pas pour toi qui a dix-neuf ans, comment diable voudra-t-elle pour moi qui n'a pas dix-sept ? Ce serait dommage… Nous n'allons pas vivre cloîtrés dans la maison pour le restant de nos jours ?

Tandis que Julie s'affairait au dîner, Laurent se plaçait sans cesse en travers de son chemin pour retenir toute son attention.

– Moi, dit-il, je veux partir de la maison.

Les yeux agrandis par la surprise, Julie négligea le repas et poussa Laurent au salon.

– Qu'est-ce que tu racontes ? Partir où ?

– Travailler ! N'importe où ! J'ai hâte de me mener tout seul.

– Et les parents ? Tu penses qu'ils te donneront leur bénédiction, comme ça, sans dire un mot ?

– Bien tiens ! Pourquoi pas ? Faudra bien en venir là, un jour où l'autre.

Julie enviait Laurent. Son frère, lui, avait l'avantage d'être un garçon.

– Moi, je ne vois pas le jour où viendra mon tour. Ce n'est pas à moisir au fond de la maison que je vais faire mon avenir. Pour moi, tout est défendu. Je ne suis rien qu'une fille, et toute jeune fille bien, ta, ta, ta !

Julie balançait de la tête d'un côté et de l'autre, en se moquant sans méchanceté des paroles usées de sa mère. Elle s'en fut retrouver cette dernière qui mettait de l'ordre dans sa chambre. Mathilde était en train de tabasser un oreiller avachi pour lui redonner sa forme. Julie s'empressait envers elle :

– Voulez-vous que je vous aide, maman ?

– Non ! Range plutôt les chambres du haut.

Julie s'assit sur le pied du lit. « Voilà la belle occasion », se dit-elle. Et elle lui fit part de l'invitation du curé.

Mathilde, intraitable sur la question des sorties, refusa net :

– Mes enfants ne vont pas se mettre à trotter ! trancha-t-elle.

– Mais maman, nous ne sommes plus des enfants, j'ai presque dix-sept ans et Laurent dix-neuf !

– Hé oui ! C'est bien ce que je disais. Des enfants ! Non, ma fille ne perdra pas son âme à courir des veillées sans surveillance.

Julie insistait :

– Mais ce sera surveillé maman ! Monsieur le curé…

– Laisse faire le curé. J'ai dit non ! Un point c'est tout !

Julie ravalait. Même si elle s'attendait à ce refus, au fond, la jeune fille espérait un miracle. Elle rétorqua d'un ton rancunier :

– Les filles de tante Rose ont le droit, elles, de sortir et de rencontrer des garçons !

– Rose a la conscience un peu élastique, mais elle a bien beau élever ses filles comme elle l'entend. Je ne suis pas responsable des siennes. Moi, je ne pense qu'au bien de mes enfants. Plus tard, tu me remercieras.

– Pourtant, sa Cécile est religieuse !

Le regard de Mathilde se durcit. Elle avait cru régler l'affaire par un non catégorique. Pourtant Julie s'acharnait, suppliait même.

– Dites donc oui ! J'aimerais tellement ça, maman !

– Des veillées ! s'exclama Mathilde d'un ton indigné. Des occasions de perdition ! Non, pas mes filles. Non, non et non !

Julien semblait étudier dans un coin. Un livre sur les genoux. Le garçon avait suivi le débat du fond de la cuisine. Il argumenta tout haut :

– Vous faites bien, maman ! Les filles font mieux d'apprendre à passer le balai.

Julie toisa Julien, l'œil méchant, et lui donna la réplique :

– Maman n'a pas besoin d'un petit vicaire pour la seconder.

Et elle monta aussitôt retrouver Laurent dans sa chambre. Les mains sur les hanches, Julie, amère, se planta devant la fenêtre. Les employés sortaient de chez Bernier, la manufacture de portes et châssis. C'était l'heure du dîner et Julie, que la déception rendait hostile, ne se pressait pas d'aider sa mère. Elle secoua les épaules en signe de défaite :

– C'est non ! Ce que maman peut être vieux jeu ! Elle ne veut rien entendre et son petit vicaire l'appuie.

– Je te l'avais bien dit ! Avec elle, c'est toujours non.

– Eh bien, tant pis ! Si c'est comme ça, maman aura quatre vieux garçons et six vieilles filles !

* * *

Le dimanche suivant, à la messe, Julie sentait un regard insistant, venant du banc voisin. Elle tourna la vue discrètement et ses yeux rencontrèrent ceux d'un garçon au teint clair, au visage bien rasé. Il portait l'uniforme du collège, blazer marine, boutons dorés. Aussitôt, Julie replongea le nez dans son missel. Dans son for intérieur, elle se sentait flattée d'être remarquée. Tout le reste de l'office, Julie resta fidèle à ses dévotions. À la communion, le garçon la talonnait. À la balustrade, le coude du collégien touchait le sien. Une certaine émotion la gagnait, mais Julie savait dominer son trouble. À la sortie de l'église, la jeune fille demanda la permission à son père de rentrer à pied sous le prétexte de prendre l'air. Émery, qui ne voyait que du bon chez ses enfants, accéda à son désir. Toutefois, il la prévint :

– Ne t'amuse pas en chemin. Tu sais que ta mère a besoin de toi pour garder pendant la grand-messe. Puis il ajouta négligemment : À la communion, il y avait un garçon à côté de toi qui semblait avoir un torticolis.

Émery se moquait avec un air innocent que Julie interpréta tout de travers. Elle détestait que son père passe ses impressions sur ce qui concernait ses sentiments. Émery n'était pas aveugle. Il voyait bien sa fille se transformer. Son teint frais éblouissait, sa taille s'affinait et cette brillance dans ses yeux lui rappelait Mathilde au même âge.

Au retour, Julie marchait le cœur léger. Comme un enfant, elle respirait les odeurs de l'automne. La défeuillaison avait coloré d'un ton ocre le petit trottoir riant qui se déroulait devant elle. La fille s'amusait à traîner les pieds pour le simple plaisir d'entendre le bruissement des feuilles mortes.

Soudain, Julie sentit une présence la talonner. Elle se retourna et reconnut le garçon séduisant qui avait attiré son attention à l'église. Les pommettes rouges de confusion, la jeune fille pressa le pas. La maison approchait et Julie redoutait que sa mère ne la surprenne en galante compagnie.

Rendue chez elle, Julie s'immobilisa entre deux portes et suivit le jeune homme des yeux. Il montait la côte d'un pas égal sans se retourner.

XI

En feuilletant *L'Étoile du Nord*, une annonce retint l'attention de Germain. Un cultivateur des continuations de Saint-Jacques-de-l'Achigan, propriétaire de deux fermes, cherchait un jeune homme pour le seconder. Germain pensa aussitôt à son neveu Laurent qui parlait d'abandonner ses études. Le lendemain, il prit le chemin du Portage en compagnie de sa femme, Rose.

Ce jour-là, Laurent remplaçait le sacristain du Portage. Germain tendit à Mathilde une déchiqueture de journal.

— Tiens, dit-il, tout est là ! Je ne connais pas les Robichaud, mais j'ai pensé que si le travail l'intéressait, Laurent s'informerait lui-même. Le numéro de téléphone est inscrit là : 618 sonnez 5.

Mathilde promit de parler de l'offre à Émery. En réalité, elle cherchait à s'accorder un temps de réflexion.

— Ça me tracasse un peu de laisser mes enfants à eux-mêmes !

— Vous devrez couper le cordon un jour ou l'autre ! osa Julie.

— Toi, rétorqua la mère, monte te coucher !

Mathilde semblait l'évincer, mais c'était seulement une manière de l'écarter de la conversation. Julie ne bougea pas d'un poil. Rose et Germain se regardaient sans parler. Julie venait d'exprimer tout haut leur pensée.

* * *

À la chaufferie, Émery laissa tomber ses gants et sa combinaison bleue. La poussière de charbon maquillait ses yeux. Le chauffeur échangea ses bottines de travail contre des chaussures propres, remit les clés au gardien de nuit et fila à la maison.

La cuisine était silencieuse comme un cloître. Mathilde tricotait, Julie lisait, Laurent méditait. Émery se fit une toilette rapide et fila dans la berceuse. Mathilde ramena sur le tapis, la demande d'emploi concernant Laurent. Émery approuva :

— Laurent devra travailler s'il refuse d'étudier.

— Soit, mais avant, je me ferai un devoir de rencontrer ces gens pour voir quelle sorte de monde mon garçon fréquentera.

Une résignation forcée se lisait sur les traits de Laurent qui aspirait à son autonomie.

Au coucher, Julie fila directement à la chambre des garçons et s'appuya au chambranle de la porte. L'indépendance de Laurent marquait davantage son propre désenchantement. Son frère s'en allait, elle restait. Ses rêves s'estompaient. Julie déplorait n'avoir aucun droit.

— Pour toi, au moins, tout s'arrange !

Laurent n'ajouta rien, mais il posa sur sa sœur un regard plein de compassion. Julie sentit passer un courant entre elle et Laurent, une complicité qui rendrait son sort plus supportable.

* * *

Le voyage à Saint-Jacques s'organisa rapidement. Les fèves au lard enfournées la veille mijotaient encore. Mathilde chargea Julie d'enlever le couvercle pour les brunir et lui recommanda de les surveiller.

— Tâche de préparer ton repas pour midi tapant et fais-toi aider pour la vaisselle. Prends garde aux portes, que la petite ne prenne pas froid. Surveille l'escalier. Tu sais que Virginie peut se tuer dans les marches ! Et ne la berce pas trop ! Tu la gâtes sans bon sens.

Virginie ressemblait à un angelot blond aux boucles molles que la famille idolâtrait. La petite ne portait pas à terre.

— Pas plus que les autres, maman. Tout le monde est après et je ne peux jamais la prendre.

Les recommandations de sa mère laissaient sous-entendre qu'elle s'absentait pour un mois, alors qu'en réalité Mathilde ne s'éloignait que l'espace d'une petite journée. Julie se sentait talonnée, harcelée de tous ses conseils.

— Maman, arrêtez de me dire quoi faire et ne pas faire. Quand je serai mariée, vous ne serez pas derrière moi pour me dicter vos ordres.

Le visage de sa mère se rembrunit et, très stricte, elle murmura :

— Pauvre petite fille, il n'y a rien de pressant là !

Par delà le rejet des hommes que lui inspirait Mathilde, Julie tentait d'élever la voix. À force de revenir sur le sujet du mariage, Julie espérait endoctriner sa mère, gagner du terrain, l'amener à son point de vue qui se résumait à quelques sorties décentes et aux fréquentations.

Le nez à la fenêtre, la jeune fille aperçut son oncle Noël qui mâchouillait un cure-dent au coin de la bouche. Elle appela :

— Maman ! Noël arrive !

— Que je t'entende, toi, tutoyer ton oncle comme s'il avait ton âge !

Julie sourit. Elle essayait juste de se mesurer aux adultes. Laurent allait à sa rencontre.

Mathilde sortit sur le perron vêtue d'un costume noir et coiffée d'un chapeau à voilette. Elle grimpa sur la banquette entre Noël et Laurent. Le moteur démarra dans un bruit sourd et prolongé. Tout au long du trajet, selon les caprices du chemin, le levier de changement de vitesse heurtait les genoux de Mathilde. Assise bien droite sous son petit chapeau à bord roulé, elle supportait ce léger inconvénient sans se plaindre. La mère de famille, qui ne sortait habituellement que pour la messe, prenait goût à ce petit voyage en pleine campagne.

À ses côtés, Laurent fixait la route de sable étroite et sinueuse. Il trouvait l'aspect désolant. Le paysage était vaste et découpé en grands carrés. De chaque côté du chemin défilaient des champs de tabac rasés où pointaient des rangées de trognons. Entre les guérets, les pluies récentes avaient laissé des lisières d'eau qui miroitaient au soleil comme des filets d'argent. De cette campagne épuisée subsistait un restant de vie. Un rosier sauvage, accroché aux barbelés d'un enclos, égayait de roses rouges le décor blême.

– Les églantines sont à la veille de geler, nota Mathilde qui cherchait à meubler le silence. La plaine, quelle différence avec le Portage où on ne voit pas plus loin que notre nez avec cette côte devant la maison qui retient la fumée des usines !

Le camion franchit le ruisseau du Nord, un petit cours d'eau capricieux qui serpentait aux confins de Sainte-Marie. De là, les voyageurs pouvaient distinguer les Laurentides, une chaîne de montagnes plus bleue que le ciel. Le véhicule atteignit le rang du bas des Continuations. Étonnamment, sur ce chemin, toutes les maisons exposaient leur devanture au soleil de midi. Noël ralentit son train de roulement pour permettre à Laurent de lire les noms sur les boîtes aux lettres. «Quentin… Gaudet… Forest… Richard… Bilodeau… Thériault… Dugâs… Robichaud ! »

– C'est ici, signifia Laurent d'un geste de la main.

Noël freina brusquement et immobilisa le véhicule dans une cour empierrée qui menait aux bâtiments. Devant l'étable, un homme s'occupait à réparer un carreau brisé.

– Je vous avertis, maman, trancha Laurent, j'ai besoin de personne pour discuter à ma place ! Attendez-moi dans le camion.

Mathilde haussa les épaules sans daigner répondre et descendit quand même. Elle tirait le bras de Laurent qui cherchait à prendre les devants. D'un coup de coude impatient, le garçon s'en dégagea. Il s'avança et donna une poignée de main à l'étranger :

– Laurent Gauthier, dit-il. Je viens pour l'emploi !

Monsieur Robichaud détailla Laurent de la tête aux pieds. L'homme déchantait. Ce garçon à l'ossature délicate manquait de tonus et n'inspirait aucune confiance pour abattre les gros travaux.

L'homme pria les intéressés de le suivre à la maison où une odeur de ragoût épicé de clous de girofle mijotait sur le poêle. La cuisine vaste et claire s'étendait sur tout le côté sud où trois grandes fenêtres à rideaux fleuris accueillaient un soleil affaibli par l'automne. Quatre chaises, peintes en jaune, encadraient une table de même ton. Un couvre plancher à carreaux verts, frais astiqué, reluisait comme un miroir. Mathilde en était jalouse. Quand est-ce que son plancher à elle brillait ainsi? Ses enfants ne lui en laissaient guère le temps.

Mathilde en était à se demander si cet homme vivait seul, quand, par la porte arrière, une femme apparut. Elle enleva des savates déformées, sales de terre et une casquette d'homme qu'elle accrocha à un poteau de chaise. La nouvelle arrivante vida lentement son panier de légumes dans l'évier. De temps à autre, elle tournait la tête et lançait des regards bienveillants. Finalement, la femme rinça ses mains et serra la pince des trois visiteurs. Ensuite, elle leur offrit un café. Malgré un refus général, la dame agit comme si tous avaient accepté. Elle approcha sa bouilloire de cuivre au-dessus du feu vif et tira de l'armoire, cinq gobelets en étain.

Mathilde analysait tout. Ce couple faisait contraste. Lui, petit, blond, plutôt rondelet, portait des lunettes épaisses. Elle, mi-brune, mi-rousse, les joues criblées de taches de rousseur, portait les cheveux courts et frisés. La femme, de bonne apparence, avait des manières distinguées.

Laurent était plutôt réticent. Il entrevoyait des journées harassantes et longues à n'en plus finir. Le fermier pressentit que le garçon était dépassé par tant de besogne. Il le guida aux bâtiments et le rassura tout en marchant.

— En campagne, l'hiver, c'est pas mal plus tranquille, mais il faudra *écotonner* le tabac et bûcher. De toute façon, nous commencerons en douceur.

Mathilde était restée à la cuisine afin de mieux connaître la dame. Cette dernière lui raconta qu'elle n'avait qu'une fille de dix-sept ans, donc, pas de relève pour les fermes. Madame Robichaud disait regretter que son mari ait acheté une deuxième terre. Son homme se plaignait sans cesse de la difficulté à trouver de l'aide et, qu'en plus de leur inculquer les rudiments du métier, les jeunes se permettaient de chiquer la guenille.

Mathilde n'écoutait que d'une oreille. Cette fille de dix-sept ans la préoccupait. Obsédée par les valeurs morales de son fils, Mathilde s'inquiétait du comportement qu'adopterait Laurent envers la jeune fille. Elle redoutait que le contact quotidien entraîne à la longue des familiarités entre les jeunes gens. Mathilde voyait bien que son Laurent, distingué et sage, exerçait une fascination sur la gent féminine. La fille des Robichaud s'emballerait que Mathilde n'en serait pas étonnée.

Dès qu'elle put entraîner Laurent un peu à l'écart, sa mère l'exhorta à accepter le travail. Elle ajouta :

— Les Robichaud semblent de braves gens.

Laurent avait l'air très ennuyé. Quand est-ce que sa mère cesserait de tout décider à sa place ?

Le cultivateur conduisit les visiteurs à la maison ancestrale, située à deux arpents près. D'un geste de la main, il la désigna à Laurent en lui signifiant que désormais, ce serait là sa demeure. Trois gros érables dissimulaient la cambuse.

– C'est la maison paternelle, celle où je suis né.

L'homme en était fier. Ses yeux pétillaient d'admiration quand il désignait la vieille bicoque. Mathilde interpréta cet émerveillement comme un attachement sentimental. La maison centenaire devait emprisonner un tas de beaux souvenirs.

Laurent, lui, n'y voyait qu'une masure abandonnée à l'air humide et sombre. Un côté de la longue galerie en bois vermoulu penchait de tout son poids vers le chemin. L'habitation semblait plus négligée que laide. Mais Laurent, peu intéressé aux soins d'une maison, s'en accommoderait. D'ailleurs, il ne réclamait qu'un lit pour dormir et une table pour manger. Seule une berçante manquait à son confort et le garçon se promettait de gruger sur sa première paie pour satisfaire ce petit caprice bien légitime.

– La maison n'est plus habitée depuis belle lurette, prévenait monsieur Robichaud. Ça nécessitera un coup de torchon. L'hiver, quand nous ferons les coupes, il y aura quinze cordes pour toi. Comme les chambres du haut ne seront d'aucune utilité, tu n'auras qu'à fermer la trappe de l'escalier. Au bout de la maison se trouve un puits où tu peux descendre tes viandes et ton lait, si tu tiens à manger ici, comme de raison, sinon, nous nous arrangerons à l'amiable.

L'homme se tourna vers Mathilde :

– J'en prendrai soin comme si c'était mon fils. Comptez sur moi !

Laurent, le visage fermé, considérait ces paroles comme superflues, lui qui rêvait tant de liberté et d'indépendance ! Toutefois, il se trouvait chanceux qu'on lui ménage un coin où trouver refuge. Les arrangements convenaient aux deux parties. Il fut entendu que Laurent rentrerait au travail le lendemain. Sur ce, les visiteurs se retirèrent.

À la maison, Mathilde fit mille et une recommandations à Laurent :

– Ne chauffe pas trop fort, surtout la nuit. Et n'amène personne dans cette maison. Pas de rendez-vous d'amis, sinon les Robichaud ne te garderont pas. Arrange-toi pour qu'ils aient confiance en toi et sois respectueux envers leur fille. Rappelle-toi toujours le proverbe : « Bonne renommée vaut mieux que ceinture dorée. » Et souviens-toi que Dieu te voit, partout et toujours, où que tu sois.

Laurent était gavé des religiosités de sa mère. Il monta à sa chambre et ferma la porte sur lui. Le garçon s'allongea sur son lit, les bras sous la tête, pour réfléchir dans le silence. Il se remémorait les événements de la journée, quand il entendit des pas venant vers lui. Julien, le moralisateur, le rejoignit et lui demanda de donner ses payes aux parents, pour les aider à faire vivre la famille convenablement. Laurent ne l'entendait pas ainsi :

– Si ça vaut pour moi, ça vaut aussi pour toi !

– Je n'ai pas fini mes études et à chacun sa vocation.

– Ta vocation, je la mets en doute ! De toute façon, je n'aime pas que tu te mêles de mes affaires. Tu comprends ?

Laurent ferma les yeux, feignant de dormir pour se débarrasser de son importun de frère.

Julien souriait, heureux d'avoir acculé son aîné au pied du mur. Ça l'amusait de provoquer Laurent. Lui, Julien, petit de taille, se mesurait à son grand frère et quand il réussissait à le piquer, il avait l'impression de gagner quelques pouces en grandeur.

XII

L'hiver fut long et venteux. Les haies et les broussailles paressaient sous un édredon ouaté.

Le logement des Gauthier était confortable. Mathilde avait calfeutré toutes les fenêtres pour emprisonner la chaleur. Dans le bas de la côte, les maisons et les dépendances, entassées les unes contre les autres, se protégeaient entre elles, des grands vents.

Mathilde avait recouvert adroitement les fauteuils de reps cramoisi, tapissé les pièces de papier peint, accroché des tentures aux fenêtres. Un bonheur tranquille habitait le logis. Hélène et Célestine apportaient leur bulletin de mars pour le faire signer. Leur mère y jeta un coup d'œil ravi :

– Regardez-moi ça ! Deux premières de classe. Quel honneur ! Allez les montrer à votre père, ça lui fera plaisir. S'il n'y a pas de dérangement, après le souper, je vous amènerai en promenade chez votre oncle Noël.

Les fillettes jubilaient. La tante Éloïse aurait comme toujours des petites gâteries pour ses invités. Son sucre à la crème dur était sans pareil.

Julie aurait aimé les accompagner, mais Mathilde lui expliqua que Noël et Éloïse, habitués sans enfant, seraient découragés d'en voir arriver neuf du coup.

Julie avait remarqué que ces derniers temps il prenait à sa mère des envies de sortir, en commençant par ses petites visites à la chaufferie. Même si Mathilde n'y restait que quelques minutes, ces échappées lui valaient un bon tonique. Elle avait été si captive par le ménage des écoles et la famille. Julie s'estimait la seule apte à prendre la relève, elle encouragea sa mère à sortir :

— Allez-y maman et profitez-en, ça vous fera du bien !

— Ce soir, nous réciterons le chapelet, tout de suite après le souper, au cas où nous reviendrions un peu tard.

* * *

Les fenêtres donnant sur la rue étaient embuées. Julie essuya un coin de la vitre, du poignet de son chemisier. D'un bras, elle soulevait le rideau, de l'autre, elle retenait Virginie sur sa hanche. La jeune fille regardait tristement les siens s'éloigner à la lumière des lampadaires. Ils marchaient, vacillant dans les restes de vieilles glaces fondantes, puis disparurent au premier coin de rue. Mais Julie restait accrochée à la fenêtre, essayant de se faire une idée de cette ville qu'elle habitait depuis deux ans et qu'elle connaissait si peu.

La soirée s'annonçait ennuyante. Odette promenait ses doigts dans la buée froide des carreaux, pendant que Julie, le regard perdu, rêvassait. Elle aurait bien aimé laisser les classes, tout comme Laurent. En campagne, presque toutes les filles abandonnaient leurs études après l'école du rang. Malheureusement, Julie n'était pas maîtresse de ses décisions.

Ces derniers temps, elle s'absorbait dans des rêveries sans fin. Quelle sorte d'avenir l'attendait? Son cœur monta la grande côte devant la maison. Reverrait-elle le beau jeune homme? Devrait-elle l'oublier? Au Portage, elle menait une vie solitaire au milieu de sa famille, sans aucune amie. Quelle fille accepterait de partager son amitié? Il n'était pas question d'en inviter à la maison. Sa mère avait tranché la question en disant : «Chacun chez soi.»

Sa jumelle lui écrivait régulièrement du pensionnat, mais, avec Doris, Julie retenait ses confidences. Sa sœur étant une vocation en herbe, les filles n'auraient plus jamais les mêmes espoirs. Dire qu'il n'avait suffi que de quelques mois pour que Julie échappe sa jumelle. La mélancolie la gagnait. Elle aurait voulu Doris, là, à ses côtés, et tout lui raconter, comme dans le temps. Le cœur à la tristesse, la jeune fille laissa tomber le rideau et prit la main d'Odette.

– Viens, nous allons chanter comme autrefois, quand Laurent était ici. Va me chercher un cahier de *La Bonne Chanson* sur le piano.

Odette courut au salon et rapporta, en trottinant, un livre de chants de l'abbé Gadbois. Les trois filles s'entassèrent dans la berceuse. Julie choisit des refrains sujets à captiver ses petites sœurs. Des fins de phrases jaillissaient des lèvres enfantines de Virginie. Julie riait et serrait l'enfant contre elle. Le concert à peine commencé, la porte de la cuisine s'ouvrit. Julien entrait, suivi de deux garçons. Julie cessa net de chanter et de bercer. C'était lui! Son cœur se mit à palpiter. Elle crut d'abord à une hallucination, puis au miracle. Un court instant, ses yeux rencontrèrent ceux du garçon. Julie ressentit une joie intense. Elle le détailla mieux. Très grand, d'immenses yeux profonds, d'un bleu foncé, un nez un peu effilé qu'une bouche sensuelle faisait oublier. Le garçon portait une chemise blanche, un pantalon gris et un blazer marine orné de l'écusson du collège. Julie sourit poliment :

– Julien, fais asseoir ton monde.

Ce dernier présenta sa sœur et, aussitôt, d'un signe de tête vers la gauche, invita les garçons à passer au salon. Le garçon s'approcha de Julien et lui suggéra tout bas :

– Dis à ta sœur de venir nous retrouver.

De peur d'être dédaigné de la fille, il avait fait mine que l'idée ne venait pas de lui. Il s'approcha du piano et, de l'ongle de son pouce, écrasa les touches d'ivoire, d'un bout à l'autre des huit octaves, faisant résonner une longue traînée de notes, de la plus haute à la plus grave.

Julien appela :

– Julie, viens nous retrouver.

– Je vais coucher les petites tantôt, j'irai après.

Sitôt les enfants ensevelis dans leur lit mollet, Julie se posta devant la fenêtre de sa chambre. Il faisait noir dehors et la jeune fille s'y mirait comme dans une glace. Préoccupée de paraître à son meilleur, Julie rajusta sa ceinture, tordit sa tignasse à la hâte et la fixa à sa nuque. Elle traversa ensuite à la chambre d'Hélène, lui chipa en douce deux gouttes de parfum de muguet et en imprégna l'arrière de ses oreilles. Allègrement, Julie descendit à la chambre de sa mère et sans permission, chaussa ses souliers à talons aiguilles. Ensuite, pleine d'une impatience joyeuse, elle passa au salon et s'assit sur la bergère à fleurs rouges.

Julien, les yeux écarquillés, le sourire aux lèvres, fixait les talons hauts. La jeune fille fit mine de l'ignorer en espérant qu'il se taise. Les deux autres garçons ne la quittaient pas des yeux. Intimidée, Julie détourna la vue. Fort heureusement, ce fut son beau jeune homme qui approcha son fauteuil du sien. Il s'appelait Louis Gélinas et lui fit part qu'il était étudiant en classe de philo et que, les fins de semaine, il travaillait au marché de son père. Sa famille habitait le logement au-dessus du magasin.

Julie se surprenait d'être à l'aise avec lui. Elle le trouvait simple et attachant.

Louis la suivit à la cuisine et l'aida à faire du feu. La porte du poêle refermée, le garçon secoua la jupe de Julie pour enlever le bran de scie qui s'y était attaché. À ce contact, l'émoi cloua la fille sur place. « Sciures bénies », pensait Julie. Louis ne retourna pas au salon. Il préférait la berceuse de la cuisine.

– Chez nous, dit-il, c'est toujours la guerre pour la chaise berçante. Il ajouta gaiement, et c'est toujours moi qui gagne.

Un pli, à la commissure des lèvres, ne faisait qu'ajouter à son charme.

– Ici, quand ce n'est pas Guillaume, c'est Célestine, releva Julie. Je serais prête à gager que notre berceuse bat le record de millage de toute la ville.

La conversation allait bon train. Le couple ignora Julien et Réjean, le frère de Louis, qui jouaient aux dés sur la table du salon.

Les parents, qui risquaient d'entrer d'une minute à l'autre, gardaient l'attention de Julie en éveil. Comment arriverait-elle à leur expliquer la visite des garçons ? Sa mère imaginerait sûrement un coup monté, mijoté d'avance. Et si par malheur, celle-ci s'en prenait directement aux frères Gélinas et les flanquait carrément à la porte ? Quelle honte Julie essuierait-elle ! Son entrain tombait peu à peu. Enfin, elle se persuada c'était la faute de Julien. Ce serait à lui de répondre de ses invitations. Après tout, lui et sa mère formaient une bonne équipe. Au pis aller, l'enchantement de revoir le garçon faisait bien le poids contre une simple réprimande et Julie était prête à en assumer le risque.

Marc et Guillaume entrèrent les premiers. Vivement, les garçonnets lancèrent leur manteau sur une chaise et s'attablèrent devant un bol de céréales. Julie tentait de les en dissuader.

– Vous n'allez pas sortir du manger le soir ? Vous avez soupé comme tout le monde !

Les parents entrèrent à leur tour suivis des fillettes. En apercevant les garçons, le visage de Mathilde se glaça. Julie passa devant sa mère et, instinctivement, poussa Louis dans la pièce d'à côté pour l'éloigner de celle-ci, dont elle redoutait la réaction.

Mathilde, muette d'indignation, entra lentement dans sa chambre, le manteau sur le bras. « Bon ! Voilà que les fréquentations commencent », se dit-elle.

Louis Gélinas, les yeux agrandis par la surprise de voir tant de monde, comptait sur ses doigts, Julie le devança :

– Treize avec les parents. Trois autres sont à l'extérieur.

– Mariés ?

– Non! Une religieuse, une pensionnaire et un frère qui travaille à Saint-Jacques!

Émery préféra s'asseoir avec les garçons pour faire plus ample connaissance. Un album de famille traînait sur le guéridon. Tout en causant, Louis l'ouvrit et tourna lentement les pages. Julie lui ferma la couverture cartonnée sur les doigts. Sa belle main, ouverte en étoile, appuyait ferme sur la couverture. Quel besoin ce garçon avait-il de la voir à tout âge et de fouiller ses souvenirs, sa vie? Sans doute pour en rire… Julie se trouvait moche sur toutes les photos. Elle-même s'en moquait, mais de là à s'exposer à la risée des garçons. Louis, curieux, ne lâchait pas prise. Il leva l'album dans les airs. Offensée, Julie le planta là et fila à la cuisine. Louis ferma l'album de famille. Les garçons se retirèrent poliment.

Julie soupirait en regardant Louis s'éloigner. Son cœur courait après lui et elle restait là, silencieuse, amoureuse. Elle avait l'impression de l'échapper.

Mathilde savait déceler les sentiments de Julie, juste par son air mélancolique. Les yeux de la femme s'arrêtèrent sur ses escarpins qu'elle reconnut, mais elle passa l'éponge sur le sans-gêne de sa fille. Pour la première fois, Mathilde remarquait les longues jambes de Julie et sa taille élancée. Ou sa fille avait encore grandi ou bien c'étaient ces fameux talons. Presque une femme! Mathilde ressentit un petit pincement au cœur. À ce moment, elle eut la certitude que Julie ne serait jamais religieuse.

– Tu peux monter, ordonna Mathilde. Non, attends donc un peu! C'est toi qui sens le parfum comme ça?

Julie ne dit rien. Elle se dépêcha de faire disparaître toutes traces d'odeur et, pressée de rêver, elle se dirigea vers l'escalier menant aux chambres. Julien la suivait au pas.

– Psitt, Julie ! Comment as-tu trouvé Réjean ?

– Qui ?

– Idiote ! Réjean Gélinas ! Où diable étais-tu ?

Julien était déçu de voir ses plans déjoués.

– Bien ! Sûrement bien !

Julie avait le goût que Julien lui foute la paix avec son Réjean. Elle ne se rappelait même pas les traits de son visage. La jeune fille fila à sa chambre afin de se débarrasser de son importun de frère. Mais Julien offensé lui collait aux talons :

– J'avais prévenu Réjean que je lui présenterais ma sœur et, toi, pauvre sotte, tu n'as même pas levé les yeux sur lui. Ensuite, ne sois pas surprise si tu restes sur le pavé toute ta stupide de vie !

Julie avait le goût de lui crier « Ça t'apprendra à m'embarquer dans tes histoires sans m'en parler », mais elle se contrôla. Peut-être aurait-elle besoin de l'intervention de Julien pour revoir Louis ? Julie hésitait à se confier à lui, mais elle tenta de le mettre sur la bonne piste.

– J'ai trouvé Louis plutôt gentil.

Réjean répéta d'un ton gnangnan :

– Louis ! Gentil ! J'ai bien vu ça. Ce n'est pas à Louis que je voulais te présenter.

– Va surtout pas te mettre en tête que tu me l'as présenté, hein ! Je le connaissais déjà.

Julien mit l'accent sur la profession de Réjean pour gagner sa sœur à sa cause.

— Réjean sera notaire.

Réjean ou Louis, qu'est-ce que ça pouvait bien changer dans la vie de Julien ? Julie dévia le sujet. L'humeur de sa mère la préoccupait davantage.

— Je n'ai pas hâte à demain. Maman va sûrement exploser à retardement.

Julie poussa la porte sur son frère, l'obligeant ainsi à se retirer.

Hélène et Célestine dormaient déjà, Julie se déshabilla dans l'obscurité et se coula dans son lit. Les draps et l'oreiller semblaient plus moelleux qu'à l'accoutumée.

XIII

Doris, revenue du couvent, ne quittait plus Julie d'une semelle. Tout le travail s'exécutait à deux. Les jumelles profitaient pleinement des vacances d'été. Assises sur le perron, elles jasaient comme dans le temps.

— Tu veux te faire religieuse ? s'informait Julie.

— Non ! Même si maman veut choisir pour moi, je n'ai pas dit mon dernier mot. Je serai infirmière, envers et contre tous.

Julie ouvrit grand ses yeux.

— Tu n'es pas sérieuse ? Avec tous ses scrupules, maman ne voudra jamais que tu étudies l'anatomie masculine. Tu n'y penses pas ? Ton âme ! Doris, tu perdrais ton âme !

Les filles pouffaient de rire.

— Moi, reprit Julie, je voudrais arrêter d'étudier.

— Et tu ferais quoi ?

— Rien… mon trousseau !

— Toi, serais-tu amoureuse et que je ne serais pas au courant ?

— Non ! En tout cas, pas encore.

Julie garda le silence sur Louis qu'elle ne voyait plus, mais la langue lui démangeait.

— J'en ai assez de l'école ! dit-elle.

– Et si tu acceptais d'être pensionnaire avec moi ? Ce serait la belle occasion pour nous retrouver. Tu sais, on s'y amuse tout en s'instruisant.

Doris lui raconta toutes les petites espiègleries dissimulées à Rosemarie, sa sœur religieuse. Ces faits, si amusants pour elle, n'étaient pas racontés sur les lettres à sa jumelle, au cas où leur mère les lirait.

Julie redevint sérieuse. Collée contre sa sœur, elle détourna la tête. Jamais elle ne s'éloignerait du Portage ou de Louis qui avait pris son cœur.

– Pourquoi nous éloigner, murmura Julie. Nous serions si bien ensemble, comme aujourd'hui ? Moi, je ne veux pas aller au juvénat parce qu'il est nullement question que je fasse une sœur. Tu sais, ajouta-t-elle, quand maman a reçu la lettre de Rosemarie, elle m'a bien expliqué que le juvénat est la préparation des futures religieuses. J'ai refusé d'y aller. Maman n'a pas insisté, mais elle m'avait défendu de t'en parler avant ton départ.

Doris, les yeux agrandis par cette révélation insoupçonnée, dévisagea Julie.

– Quoi ? À moi, maman a seulement dit : « Les sœurs te recevront comme une future vocation. » Je ne m'y suis pas arrêtée plus qu'il ne faut. Tu connais maman, elle a toujours des phrases de même en bouche.

– Moi, j'ai pour mon dire que si tu mets un pied là-dedans, c'est un pied dans l'engrenage.

– Ça me sert à quoi de continuer, maintenant que je connais le petit manège. Je ne veux pas me faire embarquer comme Rosemarie. À la gare, j'ai bien vu qu'elle partait à reculons. C'est difficile avec maman de faire notre vie comme on l'entend. Si elle me force, j'irai, mais je reviendrai aussi vite. C'est le meilleur moyen pour qu'elle ne m'en parle plus jamais.

– Attention! Sortir ne sera peut-être pas aussi facile que tu le prétends.

Pendant un moment, Doris, dépitée, demeura silencieuse. Sa mère était en train d'exercer sur elle une domination féroce et Doris, en petite fille docile, se laissait embobiner. Une crainte la saisit. C'était comme si son avenir, sa propre vie, lui échappait. Puis Doris redressa l'échine. Elle renverserait le système dictatorial par sa volonté tenace. L'adolescence n'était-elle pas un temps de transition propice pour prendre sa vie en charge?

Finalement, les jumelles retrouvèrent leur gaieté en voyant arriver Laurent avec l'oncle Noël. Enjouées, les filles coururent près du camion, saisirent chacune une main de Laurent et le tirèrent vers la maison.

– C'est maman qui va être contente, fit Julie. Depuis le temps qu'elle attend de tes nouvelles.

Julie avait hâte de parler avec Laurent en privé. Elle en avait si long à lui raconter. Elle se promettait d'aller le retrouver dans sa chambre, le soir, quand tout le monde serait endormi. À lui, elle pourrait se confier. Julie savait que Laurent l'écouterait attentivement.

– Entrez! proposa Julie. Maman ne devra pas tarder. Elle est allée faire un tour à la chaufferie et, avec le bruit des souffleries, vous savez!

Mathilde avait pris un détour, histoire de se dégourdir les jambes. Du haut de la côte, elle aperçut le camion stationné devant la maison et pressa le pas.

– Enfin, toi ! Ce n'est pas trop tôt. Les filles, donnez des chaises à la visite.

Laurent, bronzé comme jamais, avait bonne figure, ce qui contenta Mathilde. Le garçon en était à sa première visite et tout le monde le harcelait de questions sur son nouvel emploi.

– On travaille comme des bœufs. Le tabac est fini de piocher. Mais, après mes trois jours de congé, il faudra faucher et ramasser le foin. À la ferme, ce n'est pas l'ouvrage qui manque, croyez-moi !

Laurent ajouta qu'il n'y avait qu'un inconvénient, les congés étaient rares. Mathilde tenta de parler seule avec son garçon. Elle lui fit signe de le suivre à sa chambre. Laurent redoutait un long interrogatoire. Il profita du fait d'être seul avec sa mère, pour lui remettre l'argent qu'elle lui avait avancé. Et, dès qu'il le put, il se retira :

Près de la table, Julie s'affairait à servir le thé pendant que Doris, grimpée sur un escabeau, sortait les tasses et soucoupes à gerbes de blé.

Dans la cuisine, Julie s'informa de la tante Éloïse, à l'oncle Noël. Celui-ci lui répondit au plus court et changea d'à-propos.

– À Saint-Jacques, il y a des beaux gars, Julie. J'en ai vu quelques-uns qui feraient tourner la tête aux filles les plus difficiles.

Julie demeurait songeuse. Elle ne voyait que Louis, depuis la soirée passée chez elle. Elle ressentait un vague à l'âme.

Laurent monta sa valise. Julie le suivit à sa chambre et lui demanda par simple curiosité :

– Comment sont les jeunes de la paroisse, dit-elle, tu dois bien en connaître quelques-uns?

– Il y a tellement de travail sur la ferme, que je ne sors que pour la messe et la neuvaine à la croix du chemin.

Julie n'était pas sitôt montée que sa mère la rappelait.

* * *

Ce soir-là, Mathilde épuisée, s'était retirée un peu plus tôt. Depuis le temps que Julie cherchait quelques minutes pour jaser avec son frère, elle profiterait de sa dernière chance. Laurent devait repartir le lendemain. Sur la pointe des pieds, elle contourna le lit prenant soin de ne pas déranger Doris. Habituée de se coucher tôt au couvent, sa jumelle dormait déjà. Julie fila à la chambre des garçons dont la porte était grande ouverte. Julien, couché sur le côté, les couvertures remontées jusqu'au cou, gardait les yeux fermés, mais Julie s'en méfiait. «Je fais mieux de passer mes paroles au peigne fin», se dit-elle. Elle s'installa aux pieds de Laurent et tira la chaînette de la lumière, sans égard pour Julien.

– Et puis, Laurent, chuchota-t-elle, parle-moi donc des filles des continuations?

– Des filles? J'en vois peu, tu sais. Chez les Robichaud, il y a Alice, une grande rousse, pas laide, pas belle, mais une rousse, ce n'est pas mon genre. À vrai dire, elle ne m'intéresse pas du tout et elle doit le sentir parce qu'elle garde ses distances. Ailleurs, il y a des filles en masse dans presque toutes les maisons.

Laurent passa sous silence que depuis qu'il mangeait chez les Robichaud, Alice surveillait étroitement chacun de ses gestes. À la table, maintes fois, leurs regards se croisaient et Laurent éprouvait depuis quelque temps une impression étrange qu'il osait à peine reconnaître.

— Et des garçons, il y en a aussi ? insistait Julie.

— Bien sûr ! Il y a plein de grosses familles dans le rang, même que chez les Bilodeau, ils sont dix-sept à la table, neuf garçons et six filles.

— Hein ? Pas quinze enfants ? Qu'est-ce qu'ils ont l'air ? Raconte !

— Qu'est-ce qu'ils ont l'air ? C'est une bonne question.

Laurent sourit. Julien écoutait silencieux, il ouvrit un œil inquisiteur et demanda à Julie :

— Te cherches-tu des prétendants, la sœur ?

Julie riposta du tac au tac :

— Tu faisais semblant de dormir, le frère ?

— Il y a Louis Gélinas qui soupire après toi ! Il ne me lâche pas d'une semelle.

Julie se redressa, révoltée. Depuis que Louis était venu chez elle, toutes ses pensées secrètes le rejoignaient, et pendant cette longue absence, son admiration pour le jeune homme s'était amplifiée, au risque de l'inquiéter. Julie se morfondait dans une attente anxieuse, une incertitude intolérable. Elle avait été jusqu'à croire qu'il l'avait oubliée, et Julien, lui, savait.

Elle rouspéta :

— Ce n'est pas trop tôt pour m'en parler, hein ?

Le cœur de Julie battait la chamade. Puis elle craignit que, par sa respiration précipitée, Julien puisse deviner ses sentiments. Finalement, elle lui expliqua que, depuis la visite des frères Gélinas, sa mère lui avait défendu de retourner au magasin. Maintenant, le rêve la soulevait de terre. Les aveux de Julien faisaient briller ses yeux. Toutefois Julie s'efforçait de freiner ses élans. Elle affectait une grande réserve pour se prémunir contre les moindres indiscrétions que Julien pourrait rapporter à Louis, concernant ses sentiments. Avec un grain de malice, elle ajouta, frisant l'indépendance :

— Tu l'avises que pour avoir la fille, il faut braver la mère.

Julien, tel un ressort, s'assit dans son lit.

— Tu ne le trouves pas de ton goût ? J'ai cru que tu craquais pour lui, le soir où les Gélinas sont venus à la maison. Tu ne te voyais pas ! Tu le dévorais tellement des yeux que tu en avais l'air dingue.

— Tu exagères. Faut dire que je ne le trouve pas trop mal.

Julie ajouta :

— S'il tient vraiment à me voir, il connaît mon adresse.

— Louis dit que maman le gêne.

Feignant le désintéressement pour déjouer son frère, Julie ajouta :

— Moi, je vais dormir. Il est déjà tard.

Dans la pénombre de sa chambre, Julie, comblée de bonheur, s'élança sur le lit, sans égard pour sa jumelle. Sa hâte d'être seule avec elle-même était si grande qu'elle en oublia Laurent avec qui elle avait anticipé de longues heures de conversation. Juste un mot concernant Louis et Laurent perdait toute son importance.

Julie s'allongea en pleine euphorie et lutta contre le sommeil pour rêver, tout éveillée, le plus longtemps possible, à celui qui s'insinuait si tendrement dans ses pensées.

Entre les volants des rideaux de mousseline, la belle regardait danser la lune rose sur les nuages blancs.

XIV

La porte s'ouvrit et se referma en coup de vent. Dans son énervement, Noël ignora la marche d'entrée. Il fléchit les genoux, se redressa aussitôt et cria à corps perdu :

– Mathilde ! Mathilde !

– J'arrive !

De l'étage, Mathilde avait reconnu la voix de son frère. Elle apparut en haut de l'escalier, son balai à la main.

– Sapré bon sang ! Qu'est-ce qui se passe ?

– C'est Éloïse qui file mal !

Noël lui confia qu'Éloïse était enceinte et que, depuis le matin, elle perdait un peu de sang. Mathilde lui conseilla de consulter un médecin.

– Julie et Doris sont à l'église, à leur réunion d'enfants de Marie. Elles ne devraient pas tarder à rentrer. Dès leur retour, je me rendrai chez toi. Hé bien, quelle surprise ! Après quinze ans de mariage ! C'est la preuve qu'il ne faut jamais désespérer. Tu sais, quand cette machine-là se met en marche, elle ne s'arrête plus. Regarde-moi ! N'en suis-je pas la preuve vivante, avec mes onze ?

– À trente-cinq ans, ça m'étonnerait qu'on se rende à onze. Bon, je cours chercher le médecin.

Au retour des filles, Mathilde saisit son gilet qui l'attendait sur le bras de la berceuse. Elle jeta le tricot sur ses épaules sans le boutonner.

– Julie, dit-elle, tu serviras le souper, sans moi. Ton père doit rentrer d'une minute à l'autre, tu lui diras que je suis chez Éloïse.

– Vous êtes donc bien pressée maman, ça ne vous gêne pas d'arriver chez le monde, juste avant le souper?

– Je n'ai pas de temps à perdre. Ta tante est malade.

Les yeux de Julie s'agrandirent.

– Tante Éloïse! Qu'est-ce qu'elle a?

Sa mère fuyait son regard.

– Je n'en sais rien, le docteur doit la voir tantôt.

– C'est grave?

Mathilde s'esquiva sans répondre. Julie fit part de ses doutes à Doris.

– Tante Éloïse serait enceinte que je ne serais pas étonnée, avança Julie. As-tu remarqué que maman détournait la vue en me parlant? Elle ment mal.

– Tante Éloïse, enceinte? Ça me surprendrait! Ça fait si longtemps qu'ils sont mariés. En tout cas, on le saura bien, tôt ou tard. Tu as lu des livres pour te renseigner à ce sujet?

– Non! Mais je ne crois plus aux cigognes depuis belle lurette!

Julie alluma la radio. Elle profitait de l'absence de sa mère pour monter le son au maximum. La musique tournait et retournait ses notes à tue-tête. La pièce en vibrait. Les filles riaient et rythmaient quelques pas en dressant les couverts.

Le lendemain, Doris dut s'éloigner de sa jumelle pour assister Éloïse pendant deux semaines.

* * *

Julie informa sa mère que, le lendemain, Louis Gélinas viendrait veiller au salon. Mathilde resta hébétée :

– Où as-tu revu ce garçon ? Je t'avais pourtant défendu !

– Nulle part. Il a passé le message à Julien.

Mathilde était bien disposée à se renseigner sur les Gélinas. Elle était prête à toutes les curiosités indiscrètes pour la postérité des Gauthier. Et si la famille de ce Louis ne lui convenait pas, Mathilde mettrait un point final aux fréquentations de Julie, et ce, sans égard pour les sentiments de sa fille.

Les informations furent brèves. Mathilde les rapporta à Julie mot pour mot :

– Les Gélinas sont des gens très bien. La sœur de Philippe, le père de Louis, est mariée au docteur Légaré. Mathilde ajouta, satisfaite de l'aboutissement de ses recherches : Leur famille compte deux religieux. Ce qui n'est pas à dédaigner.

– Qui vous a renseignée, maman ? questionna Julie, méfiante. Ça me déplaît, ces enquêtes-là !

– Je n'ai pas de permission à demander. Je ne laisserai pas mes filles frayer avec n'importe quel individu. Plus bas, la mère ajouta : Ton oncle Noël les connaît bien.

– Maman, je ne le marie pas, je le reçois au salon !

– Ah, dis-moi qui tu fréquentes, je te dirai qui tu es, répliqua sa mère sur un ton soutenu. Et ce soir, tu t'arrangeras pour que ce jeune homme ne s'éternise pas. Vous veillerez dans la maison, pas sur le perron. Tu m'entends bien ?

Mathilde décida que Julie abandonnerait les études pour la seconder à la maison. Pour Julie, c'étaient deux points de gagnés.

Penchée sur sa machine à coudre, Mathilde consacrait toute son application à confectionner une robe à Julie. Sa fille, dotée d'une certaine grâce dans la minceur de ses formes, se devait d'être élégante dans ses vêtements. Et bien sûr, des souliers à talons hauts mettraient l'accent sur son pied léger et sa cheville fine. Mathilde grugerait jusqu'au dernier sou s'il le fallait pour lui procurer des escarpins en cuir verni. Tout pour que la famille des Gauthier soit à la hauteur des Gélinas.

Julie rangeait la cuisine, lessivait, astiquait les parquets allègrement. Ça lui paraissait brouillé, décousu, cet orgueil, venant de sa mère. Avec Mathilde, être honnête et bonne chrétienne valaient bien davantage que toutes les beautés de la terre.

Le lendemain, Julie enfila une robe rose cendré qui se mariait bien à son teint clair. Elle releva ses cheveux en chignon et appliqua un peu de fard sur ses joues rondes. Elle descendit ensuite au salon et, en attendant Louis, plongea le nez dans un bouquin.

Pendant la soirée, ses jeunes frères ne cessèrent de les importuner. Guillaume crânait et Marc l'encourageait de son rire.

— Maman nous a demandé de te surveiller, mentait effrontément Guillaume.

— Vous deux, ordonna Julie, allez-vous-en et laissez-nous jaser en paix!

Guillaume ne s'en laissait pas imposer.

— Maman a confectionné une robe à Julie pour qu'elle soit à la hauteur des Gélinas.

Julie rougit, Louis sourit.

— Maman a décidé aussi que pour se marier et laver des couches, Julie était assez instruite.

Julie, poussée à bout, s'excusa auprès de Louis et d'un pas décidé, fila à la cuisine. Elle s'élança sur une chaise et croisa les bras de dépit.

— Maman, si vous ne sortez pas les jeunes du salon, je n'y retourne pas. Ils nous coupent la parole continuellement avec leurs niaiseries. C'est incroyable, toutes les bêtises que Guillaume peut sortir de sa petite tête écervelée et le beau Marc, son acolyte, l'encourage de son rire. C'est bien simple, ils me font honte.

Émery se leva lentement et se pointa à la porte du salon. Il n'eut qu'à adresser un petit coup de tête aux gamins pour que ceux-ci traversent à la cuisine.

Julie, ayant obtenu la permission de fréquenter Louis, Doris décida de tenter sa chance à son tour. Elle exposa simplement à ses parents, son projet de quitter le juvénat pour le couvent de Saint-Jacques. Émery acquiesça aussitôt. Ce pensionnat, situé plus près, convenait beaucoup mieux. Émery gagnerait du temps en déplacement et Laurent aurait la possibilité de visiter sa sœur chaque dimanche, après la messe. Mathilde approuva. Cependant, elle n'écartait pas l'idée de faire de Doris une religieuse.

XV

L'hiver 1949 était glacial. Le poêle bouffait tellement qu'Émery avait la certitude de manquer de bois avant la fin de la saison froide.

C'était la fête des Rois. Avant le déjeuner, Émery jeta un œil au thermomètre extérieur et mâchonna :

— Le *wercure* est à *chon* plus bas degré, trente-cinq *chous* zéro. On n'a pas vu *cha chouvent*.

À ces mots mal articulés, Émery semblait en état d'ébriété. Tous le dévisagèrent. Mathilde, prise de panique, figea.

— Qu'est-ce que vous dites, papa ? fit Julie inquiète.

Émery n'ajouta rien. Les enfants observaient leur père, une frayeur dans les yeux. Julie poussa sa mère du coude pour la secouer.

— Ça ne va pas, Émery ? Questionna Mathilde. Tu as de la difficulté à parler. Tu ne ressens aucune douleur ?

— Non !

— Va te regarder dans le miroir, tout un côté de ton visage ne bouge plus.

Émery avait décelé une raideur en se rasant, mais il restait muet, comme si de rien n'était. Il détestait attirer l'attention sur lui.

Mathilde se demandait si Émery réalisait ce qui lui arrivait. Accepterait-il de consulter ? Au pis aller, elle le forcerait et en aurait le cœur net. «J'irai seule s'il le faut, se dit-elle, mais j'irai.»

Le congé des fêtes prenait fin. Julien avertit le proviseur du collège qu'Émery n'entrerait pas au travail, vu son mauvais état de santé. Le père Carignan lui conseilla un bon médecin, un ancien confrère de classe. Il griffonna un nom et une adresse sur un bout de papier et le remit à Julien.

À la maison, Mathilde fit à Julie une série de recommandations :

– Pendant mon absence, je ne veux aucun garçon ici. Tu comprends bien ce que je veux dire ? Et vous autres, les jeunes, vous obéirez à Julie.

Émery ne résista pas. À quoi bon s'obstiner puisque quelque chose n'allait pas ? Toute cette poussière de charbon qu'il respirait et mouchait devait être mortelle pour ses poumons. Il avait confiance qu'un bon médicament nettoie ses voies respiratoires et règle tout comme par enchantement.

Julien s'installa au volant de la vieille Chevrolet, mais comme il connaissait peu la grande métropole, Noël et Éloïse les accompagneraient à Montréal. Noël lui indiqua le trajet jusqu'à l'avenue du Parc.

Arrivé à destination, comme il restait encore un peu de temps avant la rencontre du médecin, Émery téléphona à Sarah, sa sœur religieuse, et lui demanda d'aviser Rosemarie qu'il passerait la visiter dans le courant de la journée. Il s'excusa de sa difficulté de parler et lui en donna la raison.

La religieuse s'y opposa. Elle trouvait insensé que son frère, déjà en mauvaise forme, fasse le trajet par un froid pareil. Sarah fit part à Émery de son intention de se rendre elle-même à la clinique.

Comme les religieuses devaient obligatoirement être escortées, Sarah sauterait sur l'occasion pour conduire Rosemarie auprès de son père malade. Le règlement l'interdisait, mais la tante n'était pas stricte quand il s'agissait des siens.

Au noviciat, Rosemarie ramassa sa grande jupe noire pour ne pas culbuter en dévalant les escaliers. En bas, elle freina net, honteuse d'arriver essoufflée et fébrile, en face de la maîtresse des novices qui incarnait le calme et la réserve. Rosemarie prit une grande respiration avant de frapper. Dans le petit office, elle s'inclina devant la religieuse. Celle-ci la pria de s'asseoir. Rosemarie se demandait pourquoi tant de cérémonies quand elle était si pressée. Tout pouvait autant se demander debout.

Sa demande fut refusée. La novice eut beau expliquer que sa tante l'accompagnerait et que celle-ci l'attendait au parloir. Rien n'y fit. La supérieure lui rappela la règle :

– Vous traversez un temps de renonciations et de prières. Vous devez vous détacher de toute affection terrestre. Vous connaissez le règlement : Aucune novice n'a le droit de sortir pendant son noviciat, même pas pour la mortalité. Vous devez obéir à la règle.

Rosemarie s'inclina devant la religieuse et la remercia, comme il se devait. Elle sortit, amèrement déçue. « Obéir à la règle ! » La petite novice en voulait tellement à la règle. « Je me demande si le Bon Dieu en exige tant de ses enfants ! Si je pouvais sortir d'ici », bougonna Rosemarie, la gorge serrée.

Rien ne pressait plus. La petite novice revint sur ses pas, aviser sa tante : « Je n'ai pas la permission. » Rosemarie éclata en sanglots.

Sœur Sarah ne remit pas l'autorité en question, mais sa voix accusait une colère mal retenue. Elle articula, pressée :

– J'irai seule ! Je dois partir tout de suite pour ne pas manquer le prochain tramway.

Sarah sortit, furieuse.

* * *

Rosemarie s'assit, solitaire dans le grand parloir silencieux où une statue de la Vierge veillait dans un coin.

En pensée, elle entreprit un petit voyage dans son village, dans la coquette maison de la rue Saint-Paul, située tout près du couvent. De la cuisine, elle admirait le Sacré-Cœur qui surplombait le toit de l'église, puis le grand clocher qui, tel un paratonnerre, préservait la paroisse des fléaux. Rosemarie frôla les belles portes à vitres biseautées qui séparaient la cuisine du salon. La vue du piano lui rappelait sa famille agglutinée autour de l'instrument, à chanter les merveilleuses chansons de son enfance, et ce souvenir lui arrachait le cœur. En haut, elle fit le tour des chambres, la bleue des garçons, celles des filles, une peinte en vert, l'autre en rose, et restait celle du bord, la crème, qu'autrefois elle partageait avec la petite Odette. Toutes avaient en commun des courtepointes aux gais coloris qui racontaient gentiment l'histoire des robes et des chemisettes de la famille. Des arômes de farine grillée, d'épices et de ragoût emplissaient ses narines. Tout était resté bien gravé dans la mémoire de Rosemarie : les odeurs, le décor, les sentiments. Elle retrouvait son père, si bon, et sa mère, exigeante, qui les aimait à sa façon. Puis elle se rappela amèrement que des étrangers habitaient maintenant leur maison. Ce serait désormais la seule où Rosemarie pourrait imaginer les siens. Finalement, sa pensée rejoignit son corps au noviciat. Elle essuya ses larmes et se résigna obligatoirement à la règle.

* * *

Mathilde suivit son mari dans le cabinet du médecin. Émery subit un long interrogatoire, suite à quoi, le docteur lui expliqua qu'il devait abandonner son travail de chauffeur. Le chaud et le froid extrêmes étaient la cause de sa paralysie. Le docteur gribouilla une ordonnance illisible et la remit à Émery. Il observait son patient et attendait de lui une réaction. Émery ne dit rien. Il sortit un petit rouleau d'argent de sa poche, régla sa visite et se retira.

Sarah l'attendait dans la salle d'attente. Émery s'informa de Rosemarie dont l'éloignement le tracassait davantage que sa propre santé. Sarah lui dit d'un ton ennuyé que tout allait bien.

Les paroles maquillées de Sarah sonnaient faux. Émery flaira tout de suite une cachotterie. Il décida de se rendre compte lui-même de l'attitude de Rosemarie. Ayant connu le pensionnat et l'autorité tranchante, sans tolérer la discussion, Émery se demandait jusqu'à quelle limite la règle de conduite des religieuses pouvait primer sur les droits légitimes des novices.

Émery invita Sarah à monter avec eux. Celle-ci hésitait.

– Je peux retourner en tramway. L'auto est déjà remplie.

Sarah souhaitait que son frère insiste. Il insista :

– On se tassera.

Mathilde s'y opposa. À chaque visite, Rosemarie s'accrochait davantage et Émery quittait le couvent aussi bouleversé que le jour du grand départ. Mathilde saisit comme défaite :

– Tu sais que le médecin t'a conseillé de faire attention au froid. Avec la tempête qui s'annonce, nous risquons fort de rester prisonniers des neiges, à traîner d'un bord et de l'autre.

Émery saisit Sarah par le bras et la poussa vers la portière de l'auto. Rien ne servait à Mathilde de renchérir. Contrariée, elle s'assit sur la banquette arrière et demeura silencieuse jusqu'à noviciat.

* * *

Dans la même pièce où tantôt, la petite novice pleurait, Rosemarie embrassait les siens. Une animation joyeuse réchauffait l'atmosphère et emplissait le parloir. Rosemarie affichait un sourire de complaisance, mais ce n'était qu'une façade en vue de se montrer agréable. Une obsession accaparait toute ses pensées : retourner à la maison avec ses parents. Cette idée fixe l'empêchait de profiter pleinement des siens. Tantôt, elle subirait encore une séparation brutale, insupportable. Après les rares visites des siens, la novice se retrouvait chaque fois dans un état de prostration maladive.

Émery scrutait à la loupe chaque mot, chaque geste, chaque émotion de Rosemarie. La petite novice ne débitait que des banalités. Elle avait dans l'expression quelque chose de blessé qui inquiétait son père. Émery aurait voulu connaître la cause de son abattement. L'envie de la ramener à la maison l'obsédait. Toutefois, il prit le parti d'ajourner sa décision. L'affaire ne regardait que Rosemarie et, aujourd'hui, Mathilde en ferait un boucan de tous les diables en présence de la famille.

Sarah invita les visiteurs à déguster quelques biscottes aux cuisines.

– Ça vous fera du bien de vous mettre quelque chose sous la dent en attendant le souper.

«Des biscottes», pensait Émery dont la moitié de la bouche souriait. «Si Sarah connaissait ma grosse faim!»

Une cloche sonnait le rassemblement des novices à la salle commune. Rosemarie, redoutant un manquement à la règle, promena un regard de bête traquée autour d'elle. Puis elle se ravisa. La visite de ses parents était une bonne excuse pour se soustraire au règlement. La maîtresse de discipline vint la chercher. Pour les religieuses, la moindre omission devenait un acte impie. Rosemarie refoulait ses émotions pour ne pas décourager sa mère de revenir la visiter. Émery, qui, deux minutes plus tôt, était souriant, éclata en sanglots et quitta rapidement le réfectoire. Cette douloureuse séparation lui arrachait le cœur. Émery se sentait infirme d'une fille et ce membre lui manquait terriblement. Mathilde l'excusait, mettant l'incident sur le compte des énervements de la journée. C'était bien pour rien. La jeune novice savait faire la part des choses.

Le froid était si intense que les pneus de la Chevrolet roulaient carrés. Dans l'auto, personne ne parlait. Autant Mathilde était satisfaite, autant Émery était contrarié. Ce qui rendait l'atmosphère ambivalente, un peu embarrassante pour Noël et Éloïse.

Contrairement aux visites précédentes, Rosemarie n'avait offert aucune résistance et Mathilde en éprouvait un assouvissement, une satisfaction profonde. Pour elle, la vocation de Rosemarie était enfin fixée à perpétuité. Désormais, sa fille accepterait de prononcer ses vœux.

Mathilde força la conversation.

– Il faudra te trouver un travail ailleurs, Émery. Dire qu'on vient à peine de s'installer.

Son mari ne voulait rien entendre de cet aboutissement :

– Tantôt, *che* vais reprendre mon travail à la chaufferie ! *Ch'étais* bien là.

– Tu n'es pas sérieux ? Le docteur a été assez catégorique là-dessus. Tu peux oublier le chauffage pour de bon. On ne badine pas avec la santé.

Noël et Éloïse ne prenaient pas parti dans leur désaccord. Ils espéraient quand même qu'Émery ne fasse pas la bêtise de retourner à la chaufferie.

Émery, lui, trouvait son cas bénin. Après avoir redouté que la paralysie persiste ou empire, comme celle de sa tante Louisa qui était morte après avoir traîné, alitée pendant des années, il s'accommodait du diagnostic de son médecin.

L'auto empruntait le pont du bout de l'île. De gros flocons de neige dansaient devant les phares. Julien ralentit.

– Qu'est-ce qui va arriver du logement fourni par le collège, si vous ne travaillez plus pour eux?

Émery protesta, alléguant que sa santé refaite, il reprendrait son travail à la chaufferie.

– Quand même papa! Avouez que ce serait une folie.

Mathilde, qui se tracassait pour son homme, se demandait jusqu'où le mènerait son entêtement.

Le vent s'élevait et la neige tourbillonnait, inquiétant un peu les passagers. Mathilde avait vu juste. La tempête se déchaînait. Le voyage se termina dans la crainte, mais sans complications.

* * *

À la maison, Émery enleva son paletot et fila directement à sa chambre. Il ne s'habituait pas à laisser Rosemarie derrière lui.

Mathilde avait gardé intentionnellement son manteau et ses bottes. Elle étira le cou vers la chambre où Émery reposait.

– Je m'en vais au collège donner de tes nouvelles au père Carignan. J'ai certains points à régler. Comme ça se doit d'être fait, aussi bien que ce soit tout de suite.

Émery savait que Mathilde allait régler les choses à sa façon. Il était déçu d'abandonner un travail qu'il appréciait, et ce, juste au moment où il venait de réussir sa licence de deuxième classe. Mathilde s'enroula la tête et le haut du corps dans un grand châle de laine qu'elle ramena sur sa figure et quitta la maison. La porte se referma brusquement sous la poussée du vent.

Célestine, postée à la fenêtre, regardait sa mère s'éloigner. Ses mains gantées, croisées sur sa poitrine retenaient un vieux fichu gris. La tête penchée en avant, Mathilde bravait la poudrerie. La neige courait tantôt en blanches fumées, rasant le sol, tantôt soufflée par le vent. Elle formait un rideau blanc qui voilait le collège pour ensuite s'engouffrer en monticules, près de la boulangerie et de la chaufferie. Célestine s'inquiétait. Sa mère retrouvera-t-elle le chemin de la maison ? En attendant son retour, la fillette aida Julie à dresser la table pour le souper.

Sur l'entrefaite, deux bonshommes de neige entraient essoufflés. C'étaient Marc et Guillaume qui s'ébrouaient sur le paillasson. Marc criait :

– Qu'est-ce qu'on mange ?

– Chut ! l'apaisa Julie. Papa est couché.

Guillaume coupa une tranche de pain qu'il beurra et engloutit voracement. Marc l'imita.

Mathilde entra à son tour avec une rafale de neige. À l'aide d'un coin de son châle, elle débarrassait ses sourcils et ses cils d'une accumulation de frimas.

Julie déposait un bol fumant devant chaque chaise. Tout en soupant, Mathilde raconta son entretien avec le père Carignan. Elle revenait satisfaite. Le père procureur trouvait dommage que le malaise d'Émery arrive sitôt ses examens réussis. Il conseilla à Mathilde de laisser son mari se rétablir avant de régler la question du logement.

* * *

Ce jour-là, Mathilde et Julien roulaient vers Saint-Jacques. Ils ramèneraient Laurent qui disposait d'un congé de deux jours. Depuis le temps que son grand demeurait à l'extérieur, sa mère se tracassait à son sujet. Par la même occasion, Mathilde se rendrait au pensionnat du village porter des beignets frais à Doris.

De loin, Mathilde aperçut une petite lueur blême dans une fenêtre nue. La maison où logeait Laurent semblait déserte et froide. La cheminée fumait peu.

Julien mit le pied sur le frein, tourna le volant et la vieille Chevrolet enfila prudemment dans la cour. De l'auto, Mathilde vit Laurent se lever, saisir sa canadienne et se poster devant la fenêtre.

– Pauvre Laurent, le plaignait sa mère, il est bien seul.

– Comme Rosemarie, maman !

– Oh non ! Rosemarie est entourée de toutes les novices qui sont devenues ses sœurs.

– Moi, je ne pense pas comme vous. Laurent est libre, lui, Rosemarie ne l'est pas.

– Tu sais, Julien, personne n'est jamais complètement libre.

– Peut-être bien !

Julien ne comprenait pas trop le sens des paroles de sa mère. Il ouvrit la portière.

En dedans, Laurent, fin prêt, se leva. Il put enfin distinguer qui accompagnait son frère.

– Ah ! C'est vous, maman ?

– Mon Dieu, Laurent, tu dois geler ici ?

– Je n'ai jamais froid.

— As-tu assez de couvertures? Tu sais, c'est déjà arrivé que des gens ont été trouvés morts gelés dans leur maison.

— Voyons donc, maman!

Laurent retenait un demi-sourire. Sa mère n'avait pas changé. Elle s'inquiétait toujours au sujet de ses enfants. Pour elle, ils étaient tous des bébés.

— Fais-moi penser de te donner une couverture en pure laine, à ton retour. J'espère au moins que tu portes des combinaisons d'hiver?

Mathilde furetait un peu partout.

— Si tu calfeutrais tes fenêtres… Regarde ici, comme le vent entre, rien ne l'arrête. Mets ton poignet là, et tu verras comme j'ai raison.

La main sur la poignée de la porte, Laurent soupirait. Mathilde le plaignait :

— Pauvre enfant!

— Bon! On s'en va? insistait Laurent.

— Si j'avais plus de temps, je t'arrangerais ça, moi!

Au même moment, une idée lui effleura l'esprit.

— Attendez donc vous deux! Donnez-moi une minute. Toi, Laurent, ouvre la trappe de l'escalier.

Laurent monta et souleva la trappe, convaincu que sa mère l'espionnait. Un air froid envahit aussitôt l'étage du bas.

— Vous pouvez regarder, il n'y a personne.

Mathilde lui demanda de l'ouvrir plus grande. Elle monta quelques marches, étira le cou et compta trois chambres à coucher. Laurent referma aussitôt. Sa mère sortit, traversa la cuisine d'été et se rendit au hangar où, tout au fond, des portes jumelles donnaient sur des toilettes de bois.

— On y va? s'impatientait Laurent. Je n'ai pas envie de passer mes jours de congé ici!

Mathilde revint à la cuisine, songeuse. Elle saisit son sac à main et, perdue dans ses pensées, sortit. Laurent demanda à conduire l'auto. Julien, fier d'en paraître le maître, lui confia les clés en le prévenant:

— Sois prudent!

Laurent ignora sa mise en garde et démarra. Sur le chemin qui les menait au pensionnat, Mathilde avait du mal à suivre la conversation. Dans sa tête, un projet prenait forme, un projet sur lequel elle concentrait toutes ses pensées.

À la maison, Laurent parlait peu. Sa mère avait beau lui tirer les vers du nez pour découvrir comment il occupait ses soirées. Elle ne put rien lui arracher d'autre, qu'il prenait ses repas chez les Robichaud pour ne pas avoir à s'en préparer.

Quand il eut passé deux jours chez ses parents, Laurent ne tint plus en place. Sa mère, méfiante, supposait des cachotteries.

— Tu es donc bien pressé de t'en retourner, qu'est-ce qui t'attire tant à Saint-Jacques? Tu ne te plais pas ici?

— Oui, mais j'ai besoin d'un peu de solitude.

Mathilde doutait.

— De solitude! À ton âge? Vois-tu des filles là-bas?

— Non!

— La fille des Robichaud, comment elle est?

– Une grande rousse.

– Est-ce une belle fille ?

– Non ! Elle est plutôt moche.

Si Laurent exagérait, c'était dans le but de dissiper les doutes qui tiraillaient sa mère. Mathilde se rassurait un peu sur la conduite de son fils, mais elle n'était pas complètement satisfaite.

– Tu n'amènes personne chez toi ?

– Non !

Laurent pensait : « Ça recommence ! »

– Prends bien garde Laurent ! Il y a des filles qui sont prêtes à perdre leur âme pour l'amour d'un garçon. Prie et demande au Bon Dieu de te garder en état de grâce, tout le temps. Est-ce que tu vas à la messe tous les dimanches ?

– Oui !

– Et tu communies ?

– Oui !

À chaque réponse, Laurent baissait le ton.

– Et à confesse ?

Laurent semblait maintenant sourd et muet.

XVI

Le temps venu, Mathilde exposa son projet à Émery. L'argent, qui provenait de la vente de leur maison, pourrait servir d'acompte sur l'achat d'une ferme.

– Comme ta santé est délicate, fit Mathilde, la terre serait une sécurité.

Émery se berçait. Chez lui, c'était signe de satisfaction. Un rêve, qu'il croyait condamné aux oubliettes, rebondissait.

Mathilde lui rapporta que madame Robichaud avait dit regretter l'achat d'une deuxième terre. Restait à savoir si monsieur Robichaud était du même avis.

Intéressé par cette proposition, Émery crut bon d'aller visiter quelques fermes avant de fixer son choix. Mathilde consentit, mais elle gardait un œil intéressé sur Saint-Jacques-de-l'Achigan.

Les projets semblaient favoriser la guérison d'Émery. Un regain d'énergie et de bonne humeur avait envahi la maison. L'homme s'emballait, devenait plus taquin. Mathilde se posait la question à savoir si c'était le goût de la ferme ou les mois de repos qui donnaient tant de vigueur à son homme.

Émery surveillait la sortie de *L'Étoile du Nord*, le journal de la région de Joliette, qui paraissait chaque mercredi. Accoudé à la table, il dévorait les pages des petites annonces. Debout derrière son homme, Mathilde exerçait une vérification, un contrôle, par-dessus son épaule. Émery encerclait d'un crayon de mine, chaque ferme qui pouvait l'intéresser. Ensuite, il découpait l'entrefilet et le déposait sous la statuette de la Vierge.

Le projet tenait à cœur, autant à Émery qu'à Mathilde. Dès que le couple se retrouvait seul, tout n'était que calculs et avantages. Déjà, Émery parlait de se monter un gros troupeau.

Malheureusement, les Gauthier durent patienter jusqu'à la fonte des neiges afin de sonder si la terre était argileuse ou meuble, légère ou compacte.

À l'occasion, Mathilde ramenait la terre des Robichaud sur le tapis :

— Veux-tu me dire ce qui t'attire là ?

— Je ne sais pas trop, le rang peut-être, la paroisse. Enfin, c'est que je m'y sens comme chez nous. De l'extérieur, les bâtiments semblent solides. Pour la maison, c'est autre chose. Elle, va un peu à l'abandon, mais c'est peut-être un avantage, ça peut jouer sur le prix. Un coup installés, nous pourrions y mettre la main. Si le sol est fertile et que les arrangements nous conviennent, je ne vois pas la raison de chercher ailleurs.

— Pour comparer avec d'autres ! Quoique mes oncles disaient qu'aux Continuations, les sols sont riches. Mais j'aime mieux ne me fier qu'à moi.

Émery regarda l'horloge.

— Onze heures dans vingt ! Si on se couchait ?

Les Gauthier, emportés par leur projet, ne voyaient plus le temps filer. Un coup de sonnette les fit sursauter.

– Entrez donc! lança Émery.

Noël apparut, le sourire fendu jusqu'aux oreilles, il criait à tue-tête, sans respect pour les enfants qui dormaient:

– Ça y est! J'ai une belle fille!

– Assieds-toi! invita Mathilde en avançant une chaise. Tu as bien failli nous prendre au lit. J'allais éteindre juste comme tu sonnais.

– Mais voyons! Je vous aurais réveillés.

Les jeunes, tirés de leur sommeil, se pelotonnaient dans l'escalier.

– Vous l'appellerez comment? s'informa Julie.

– Laurette!

– À qui elle ressemble?

– Les ressemblances, je ne vois pas ça! Mais c'est la plus mignonne de toutes les créatures de la Terre. Toute chaude et mollasse, elle se laisse bécoter. Et si vous voyiez sa belle petite bouche qu'elle avance en bec de canard. Tout en dormant, la petite gueuse ronronne comme un petit chat. Il faut avoir un enfant bien à soi pour savoir ce que c'est!

Julie murmura: «Tante Éloïse! La chanceuse!»

Tour à tour, les jeunes retournaient à leur lit. Mathilde promit à son frère que dès le lendemain, elle irait admirer cette petite merveille.

XVII

La terre avait enlevé sa robe de mariée et exhibait sans pudeur ses dessous vert-tendre. Le ciel était gris, mais la radio annonçait des percées de soleil.

Émery lança des vieilles bottines derrière le siège d'auto au cas où la terre des allées serait détrempée par les dernières pluies. Mathilde se munit d'un parapluie en cas d'erreur de la météo.

Mathilde et Émery, le cœur gonflé d'enthousiasme, demeuraient silencieux. Leur vie prenait un tournant important. Ce n'est que lorsque la Chevrolet eut dépassé le pont que Mathilde délia la langue. Elle traînait avec elle ses inquiétudes et les problèmes de la maisonnée qui lui collaient à la peau. Pour Mathilde, en dehors de sa famille, plus rien n'existait.

— Il y a la belle Julie que je ne reconnais plus, dit-elle. Il s'agit que le premier venu lui fasse une courbette, et hop, elle perd la tête aussitôt. J'aime donc pas ça lui refiler la garde de la maison. J'ai l'impression de lui lâcher la bride sur le cou, surtout depuis que le jeune Gélinas lui tourne autour.

— Voyons donc! Elle ne fait rien de mal, releva Émery.

— Pas encore, mais il ne suffit que d'un écart de conduite et son sort en est joué! Tu n'as pas remarqué, toi, la façon dont le jeune Gélinas la dévore des yeux? Ça parle tout seul. Ah! Quelle lourde responsabilité que de devoir veiller à la réputation des filles! Sept filles! Les fréquentations ne font que commencer.

Mathilde reprit son aplomb et se mit à vanter les mérites de la paroisse de Saint-Jacques, d'avoir donné tant de prêtres à l'Église. La sainte femme espérait que ces vocations déteignent sur ses enfants. L'auto quitta l'asphalte et tourna à droite pour s'engager dans la cour des Robichaud. Laurent courut au-devant de ses parents et ouvrit la portière toute grande.

– On vous attend en dedans, dit-il. Venez!

* * *

À la maison, Julie s'appliquait à broder à petits points réguliers une taie d'oreiller. Déjà, elle se figurait un grand lit drapé de broderies où un amoureux poserait sa tête contre la sienne. Le visage de Louis s'y imprimait entre les fleurs multicolores et les oiseaux bleus. Comment imaginer quelqu'un d'autre? Tout respirait Louis. Elle piqua l'aiguille sur le bec d'un oiseau et abandonna son écheveau de fil sur ses genoux, pour se concentrer corps et âme sur ses sentiments. Comment savoir si Louis la fréquentait seulement pour passer le temps? Julie se gardait bien de lui demander. Ce serait prendre les devants et risquer une désillusion. Par contre, la jeune fille préférait les situations claires. Elle se rappelait les longues attentes empreintes, tantôt de mélancolie, tantôt d'espoir, si difficiles à vivre. Finalement, Julie prit la résolution d'attendre sagement que Louis lui déclare son amour plutôt que de se casser la tête de suppositions quelconques. De plus en plus amoureuse, la jeune fille se pencha sur sa broderie, y mettant tout son cœur.

Les parents revinrent déçus, Mathilde surtout. La ferme n'était pas à vendre. Julie se réjouissait. Elle souhaitait que ses parents en dénichent une, plus près du Portage.

Les jours qui suivirent, une pluie abondante se déversait sur la ville. Quand enfin, le ciel s'éclaircit, un grand vent s'ensuivit.

* * *

La visite des Gauthier avait troublé la tranquillité des Robichaud. Le couple était bien conscient que si les Gauthier achetaient une ferme, ils perdraient Laurent, et perdre Laurent voulait dire, pour le fermier, recommencer à entraîner des jeunes gens à répétition. Madame Robichaud encourageait son mari à vendre :

– Avec les Gauthier comme voisins, vous pourriez travailler ensemble sur les deux terres. Ainsi, tu ne perdrais pas Laurent complètement. C'est le premier employé sur qui tu peux te fier.

– Il m'en coûte bien gros de vendre le bien paternel. Ça me semble un sacrilège.

– Pourtant, il le faudra bien un jour ou l'autre. La vieille maison a été fermée assez longtemps. Elle est en train de rendre l'âme.

– C'est à bien y penser.

– Ne tarde pas trop. Les Gauthier, eux, cherchent ailleurs pendant que tu penses.

Alice, témoin de leur conversation, se mit à espérer. La jeune fille refusait de voir Laurent s'éloigner. Laurent s'était immiscé dans son quotidien ajoutant un brin de jeunesse à sa vie. Même s'il n'ouvrait la bouche que pour répondre, Laurent était là. Depuis son arrivée dans la famille, Alice ne vivait que pour l'employé. Comment se pouvait-il qu'il ne la voie même pas ? Elle se leva promptement. «Au point où j'en suis, se dit-elle, j'en aurai le cœur net.»

La jeune fille retira de l'armoire un petit pot à bec verseur. Elle chaussa ensuite les bottines de Laurent. Ainsi, Alice avait l'impression à ce contact, de le toucher, sinon au cœur, au moins aux pieds. Elle couvrit ses épaules du gros gilet de laine de son père. Comme elle allait sortir, sa mère l'avertit :

– Habille-toi plus chaudement. Au moins boutonne ta veste, on n'est pas encore en été. Et, où vas-tu comme ça, étriquée comme la chienne à Jacques ?

– À la laiterie, chercher de la crème pour faire du sucre à la crème dur.

Madame Robichaud se demandait pourquoi cette envie de faire du dessert après le souper. Et, chose curieuse, contrairement à sa nature, Alice avait employé un ton catégorique.

La jeune fille sortit d'un pas décidé. Ce soir, elle parlerait à Laurent et les mots ne resteraient point coincés au fond de sa gorge comme les autres fois. Au diable les phrases préparées qu'elle s'était répétées au moins cent fois pour rien. Dans la pénombre, Alice guidait ses pas sur la faible lueur de la laiterie.

La porte grinça. Une fille entrait. Laurent se pinçait le nez pour ne pas sourire. Si Alice le prenait mal! Dans l'accoutrement dont elle s'était affublée, Alice faisait plutôt drôle. Laurent reconnut ses bottes et cette complicité remuait quelque chose en lui. La jeune fille s'assit tout bonnement sur un bidon à lait et croisa les jambes. Au regard tendre de Laurent, le cœur d'Alice ne fit qu'un tour. «Encore l'émotion qui me gagne, se dit-elle, faut surtout pas que Laurent remarque mon trouble.» Le petit pot entre les mains, Alice attendait, balançant le bout de son pied. Laurent referma la porte restée entrouverte.

– C'est à cause des papillons, fit-il.

Il regarda ses longues jambes. Jamais, auparavant, le garçon ne les avait remarquées. Il devina par sa position, qu'Alice s'installait pour un bon moment. Que lui voulait-elle? De la crème?

Comme c'était la première fois qu'ils se retrouvaient seuls, un malaise commun les habitait. Alice ne faisait rien pour exciter son désir, pourtant, elle le provoquait. Si Laurent avait eu la certitude de ne pas être dérangé, il l'aurait embrassée sur la bouche, juste pour voir l'effet. Après un court silence, Alice se hasarda:

– Tes parents parlent d'acheter une ferme? Ça veut donc dire que tu vas partir? Ce serait dommage, hein! Ton aide est si précieuse ici.

Laurent évitait son regard. Il ne parlait pas.

– Toute la famille s'est habituée à toi! Ça va creuser tout un vide!

Comme elle aurait voulu ajouter «là-dedans» en lui désignant son cœur, mais encore une fois, il lui fallait prendre sur elle. Alice savait Laurent avare de paroles, mais elle n'allait pas démissionner pour autant.

— Tu te plais dans la maison paternelle ?

Il posa ses yeux bleus sur elle.

— Tu sais, je ne suis pas bien exigeant.

Il baissa aussitôt le regard. Alice enchaîna :

— Tu sais que mes parents t'aiment bien ?

— Je ne savais pas.

« Où diable, voulait-elle en arriver ? » Ce jour-là, il trouvait Alice toute simple et gentille. Elle n'était plus l'enfant gâtée qui monopolisait toute l'attention de ses parents. Laurent l'avait toujours jugée snob, surtout quand il la comparait avec ses sœurs, si peu exigeantes. Ce soir, il voyait la fille des Robichaud sous un autre jour.

Alice bavardait. Elle soutenait l'intérêt de Laurent en dépit de son regard fuyant, de ses réponses brèves.

— T'ennuies-tu par ici ?

— Plus maintenant, je m'habitue à la solitude. Chez nous, ça bouge un peu fort à douze dans la maison. Donc, quand je reviens dans le coin, je suis content de retrouver ma petite tranquillité.

— Tes sœurs ne viennent jamais te voir ? J'aimerais bien les connaître.

En parlant, Laurent portait une attention continuelle à son travail. Vint le temps de changer le bidon plein de lait contre un vide. Comme Alice était assise dessus, Laurent s'empressa de tirer un petit escabeau pour remplacer son siège.

Alice prit son geste pour une invitation à rester. Elle jucha les pieds sur la deuxième marche.

Laurent ne parlait plus. Il surveillait l'écrémeuse afin qu'aucune goutte de lait ou de crème ne se perde. Alice étudiait chacun de ses gestes. Elle connaissait tout de lui : sa démarche, sa toux, sa voix, même le souffle de sa poitrine. Mais absolument rien de ses pensées.

Adossé au mur, Laurent reprit la conversation.

– Julie serait contente d'avoir quelqu'un de son âge avec qui jaser.

– Je te trouve chanceux d'avoir des frères et sœurs. Moi, je m'ennuyais à mourir avant que ton arrivée.

Laurent, surpris de l'avoir désennuyée, lui jeta un regard bref.

Alice en profita pour lui faire son plus beau sourire, découvrant une belle rangée de dents lustrées, parfaitement alignées.

Tout en parlant, les phrases s'allongeaient. Alice trouvait regrettable de ne pas avoir bravé plus tôt. Avant, ils n'échangeaient que des regards gênés. Pourquoi avait-elle attendu que Laurent soit sur le point de partir pour oser un premier pas vers lui ? Maintenant, en confiance, Alice lui rapporta la discussion de ses parents au sujet de la ferme.

L'écrémage terminé, Laurent boucha hermétiquement les récipients de crème qu'il devait descendre au puits. Alice regrettait de devoir s'en aller. Comme elle se levait, Laurent l'invita à revenir jaser.

Alice le quitta avec un sourire, puis revint aussitôt sur ses pas.

– Ah ! J'allais oublier, j'étais venue chercher de la crème fraîche, mais comme les bidons sont fermés…

– Attends un peu ! Si c'est pour du sucre à la crème, ça en vaut bien le coup.

Laurent tirait à deux mains sur les couvercles de métal.

En retirant le petit pot des mains de la fille, Laurent effleura ses mains. Alice en fut troublée.

XVIII

À Saint-Jacques, sur le coin de la table, les Gauthier signaient une promesse d'achat conditionnelle à une prochaine visite.

Au retour, les garçons coururent chercher des boîtes vides à l'épicerie.

Ce soir-là, la veillée débutait quand Julie s'informa à Louis si, une fois qu'elle serait rendue à Saint-Jacques, il continuerait ses fréquentations assidues.

Devant le silence du garçon, Julie fixait le plancher.

Louis saisit son menton tremblant et tourna la triste figure vers lui.

– Tu sais bien que oui!

Julie respira à fond et le nœud dans sa gorge se dénoua.

– Personne ne m'a pas demandé mon avis au sujet de ce déménagement. Ça me déplaît carrément.

– C'est de t'éloigner de moi qui te préoccupe tant?

Julie hésitait à répondre. Ce serait lui avouer ses sentiments de la façon la plus évidente. C'était à lui de se déclarer le premier.

Louis fouillait son âme.

– Est-ce que tu tiens à moi tant que ça?

Julie rougit.

Embarrassée, elle balbutia:

– Et toi, Louis?

Louis colla sa joue contre celle de Julie, l'émotion faisait trembler sa voix grave :

— Assez pour te retrouver même au bout du monde.

À cette révélation divine, Julie éprouva une sensation jamais ressentie. Elle avait l'impression de posséder Louis tout entier.

Les yeux bleus s'accrochèrent aux yeux bruns et ce fut comme si le ciel embrassait la terre.

* * *

À Saint-Jacques, Célestine fut étonnée de voir une maison si délabrée. Sur la façade, une longue galerie s'inclinait devant le chemin. Les marches du petit escalier extérieur étaient creusées par les sabots de quatre générations. Les fondations étaient fissurées. Une vigne sauvage s'y agrippait. La fillette aurait tout donné pour que le camion de déménagement passe son chemin. Elle s'exclama :

— C'est la pire maison de tout le rang et il fallait tomber sur celle-là. Yark ! Regarde, Hélène ! Les mauvaises herbes poussent même devant les marches.

Hélène ajouta :

— À chaque déménagement, les maisons sont de plus en plus laides.

Le moustiquaire de la porte était largement défoncé. Les fillettes se faufilèrent par la déchirure et pénétrèrent dans une cuisine d'été où, tout au bout, une porte donnait sur un perron entouré d'une balustrade. Cette galerie arrière était bien droite. C'était le seul côté agréable de la maison. Les filles continuèrent leur visite. Célestine fut désolée de ne pas avoir sa chambre en propre. Elle essayait de fixer son choix sur la plus agréable, mais toutes lui répugnaient. Elle descendit à la cuisine. Devant la fenêtre, sur une vieille machine à coudre de marque *Singer*, de vieux journaux jaunis étaient si secs qu'au toucher, ils brisaient comme du verre. Les murs de la cuisine étaient peints en gris et le prélart était orange. À travers les vitres sales, les rayons du soleil perdaient de leur énergie. Dans un coin de la pièce, un meuble ancien supportait un évier écaillé et une pompe en métal rouge munie d'un long bras. Pour un simple verre d'eau, il fallait pomper énergiquement. Au début, rien ne venait, puis tout à coup, un flux de liquide, qui puait les œufs pourris, jaillissait en soubresauts et continuait de couler après avoir cessé de pomper. Célestine se défendait bien de boire.

Les petites visiteuses entrèrent ensuite dans la chambre du bas où couchait Laurent. Un papier peint, à fleurs bleues, déchiqueté à maints endroits, tapissait les murs. Une vitre était rapiécée avec du mastic qui la traversait en diagonale. Vint le tour du salon. La fenêtre était attifée de vieux rideaux de dentelle qui avaient dû être beaux dans le temps. Célestine les souleva et un nuage de poussière s'en détacha. Les filles se mirent à éternuer.

Depuis qu'il prenait ses repas chez les Robichaud, Laurent n'entretenait pas la cuisine. Le peu de vaisselle qu'il possédait gisait, toute sale, dans l'évier.

Les fillettes n'étaient pas au bout de leurs surprises. Au bout de la cuisine, une porte vitrée donnait sur un hangar. Curieuse, Célestine l'ouvrit et constata que la pièce était plus propre que la maison. Tout au fond se trouvaient des portes jumelles en planches rudimentaires. Croyant ouvrir des placards, les filles découvrirent, deux cabinets de toilettes bourrées de grosses mouches vertes. Chacune était composée d'un banc à trou où on voyait le jour. Sous les sièges, l'air circulait librement. Une odeur infecte emplissait les latrines. Les fillettes reculèrent instantanément en se bouchant le nez. Il n'y avait aucune lumière ni dans le hangar ni dans les cabinets d'aisance. Seule la lueur venant de la porte de cuisine guidait les fillettes. Célestine boudait pour ne pas pleurer. Elle avait l'impression qu'on lui interdisait les deux principaux besoins d'un être humain. En traversant le hangar, elle reluqua un vieux balai qui pourrait lui être utile. Célestine se cherchait un coin qu'elle transformerait en maison. Il devait bien exister un endroit retiré quelque part, parmi toutes les dépendances : hangar, remise, séchoir, grange et étable. La fillette jeta un regard inquisiteur autour de la pièce et soupira. « Dommage qu'il y ait du bois de corde ici ! Ce serait l'endroit idéal pour m'installer. »

Mathilde était du deuxième voyage. Elle entra visiter, même si c'était chose faite. Aujourd'hui, c'était différent, Mathilde entrait chez elle. La maison lui semblait pire que ce qu'elle avait vu. Émery avait promis de la rénover, mais dans combien de temps ? « Avec toutes ses ambitions, pensait Mathilde, Émery n'aura jamais le temps de restaurer avant l'hiver. »

Louis et Julie entraient main dans la main. Ils firent le tour des pièces. Si Julie avait su, elle n'aurait jamais amené Louis dans cette vieille baraque. Elle désigna la plus grande chambre qui serait la sienne. Louis ne parlait pas et la honte de Julie s'amplifiait. Le garçon referma la porte derrière eux et s'y adossa solidement. Julie était nerveuse.

– Attention! Si maman nous trouvait ici? Je ne réponds pas d'elle.

– Oublie ta mère!

– Je t'en prie, Louis, ouvre!

Louis ne voulait rien entendre. Il écrasa ses lèvres sur celles de sa belle. Julie ferma les yeux et ploya sous le baiser volé, sous cette bouche tant désirée. L'enchantement ne dura pas. La porte forçait sous une poussée énergique. Louis et Julie reculèrent promptement et Mathilde apparût, très droite, dans l'encadrement, brisant la douce béatitude.

– Julie! ordonna sa mère d'un ton sec. J'ai besoin de toi en bas. Arrive tout de suite!

Mathilde retourna à la cuisine, laissant la porte ouverte toute grande. Julie rougit de honte. Elle n'avait aucune excuse pour se justifier. À l'avenir, sa mère resserrerait sa surveillance et aurait un point d'appui pour ses interdictions. Louis et Julie descendirent lentement. Mathilde insistait:

– Julie, mouve! Il y a plein de stock à débarquer.

L'atmosphère était refroidie, mais Louis la réchauffa par un clin d'œil prometteur. Julie se remit au travail avec entrain.

Julie avait la certitude que Louis l'aimait. Ce baiser ardent ne parlait-il pas de lui-même? L'envie de crier son bonheur l'étouffait, mais le camion vert, reculé au perron, ramena la fille sur terre. Il fallait s'y mettre. Heureusement, cette fois, l'amour lui donnait des ailes.

* * *

Pour la première journée, Célestine en avait assez vu. Elle s'élança d'un seul élan vers la berçante et se mit à chanter *Un Canadien errant* pour bercer sa déception.

Pendant ce temps, Laurent montait son lit au deuxième, afin de libérer la chambre du bas pour ses parents. Il avait l'impression de reculer dans le temps. Le garçon retombait sous la domination de sa mère. Et déveine, Laurent quittait les Robichaud au moment où il se découvrait un penchant pour Alice.

Julie et Mathilde lavaient les armoires dont l'espace était réduit à deux portes en haut, trois en bas. Julie profita du temps que les hommes soient occupés à entrer le piano pour supplier sa mère :

– Maman, est-ce que Louis peut coucher ici, ce soir ?

Mathilde lui roula de gros yeux et la sermonna tout bas :

– Ce n'est pas convenable qu'une fille couche sous le même toit que son ami, même pas pour des fiancés. Et tâche de te tenir comme du monde avec les garçons pour te garder en état de grâce en tout temps, sinon, tu iras brûler en enfer pour l'éternité.

Julie regrettait son audace. Elle savait bien que sa mère refuserait toute concession, surtout après la scène de la chambre.

* * *

Tôt, le lendemain, les coqs poussaient des coquericos éclatants.

Au déjeuner, Mathilde écoutait *Le Réveil rural* à Radio-Canada et Émery écrivait sur un bout de papier la cote du porc, du bœuf, du veau et des volailles. Le prix du porc baissait sensiblement et Émery en déduisit que c'était le temps d'acheter. Il fallait commencer la tournée des fermes à la recherche de bêtes à cornes et de petits gorets.

– Amène-toi, Laurent, dit-il, on ne reviendra pas tard. Toi, Mathilde, prépare-nous quelques beurrées qu'on mangera dans l'auto pour tenir jusqu'au souper.

Marc posa le pied sur la machine à coudre et pédala en vitesse.

– Toi, va avec ton père, il aura sûrement besoin de toi.

Le gamin accepta joyeusement l'idée. Il criait: «Oui! Si je peux me trouver un chien, un chien blanc!

– Va! Va! le chassait Mathilde.

* * *

Le poulailler était juché sur des blocs de ciment. Monsieur Robichaud se le réservait. C'était noté sur le contrat.

Célestine y entra. «Qu'il est beau! Plus encore que cette piètre maison.» Spacieux, de grandes fenêtres à petits carreaux faisaient face au soleil du midi et éclairaient deux pièces séparées par un demi-mur. Il y régnait une chaleur bienfaisante. L'examen fut minutieux. Les cloisons formées petites planches étaient peintes en blanc. N'ayant jamais servi, la dépendance était d'une propreté remarquable. Célestine décida d'y installer ses pénates.

À l'aide de clous rouillés, elle fixa une longue corde à lieuse qui servirait d'étendoir. Ensuite, elle accrocha un calendrier au mur.

Dans les boîtes mises au rancart, la fillette dénicha de vieux rideaux fleuris qu'elle suspendit aux fenêtres. Deux bûches et une planche faisaient office de table. Des caisses d'oranges vides ayant servi au déménagement de la vaisselle se transformèrent en berceaux pour ses enfants, cinq vieilles poupées ayant appartenu à ses sœurs. Deux avaient été éventrées par Guillaume qui avait extirpé de leur corps le truc qui les faisait pleurer. Célestine les avait rembourrées et avait recousu la plaie adroitement.

Dans le hangar, la fillette découvrit du linge de bébé qui datait d'avant Virginie. Elle s'empara en cachette des plus beaux morceaux : des ensembles de gilets en laine et soie torse, des couvertures de flanelle. La fillette les caressait contre sa joue. Émerveillée, un peu inquiète de sa trouvaille, elle demanda à sa mère la permission de s'en servir pour ses poupées :

– Prends-les si tu veux, mais ne va pas les éparpiller d'un bord et de l'autre.

– Promis, maman !

Sa mère acceptait. Ça tenait du miracle. Célestine était au comble du bonheur. Son cœur faisait boum boum dans sa petite poitrine. La fillette courut rassembler ce qui restait du contenu de la boîte pour l'emporter dans son refuge. Essoufflée, elle se répétait : « Des trésors ! De vrais trésors ! Ils sont à moi. » La fillette extasiée s'assit et inspecta minutieusement chaque morceau : des camisoles, des robes blanches brodées à la main, des jaquettes à petites fleurs, des couches trop grandes pour ses poupées. Célestine les tailla en quatre. «Je n'aurais jamais cru, se dit-elle. D'abord une maison, ensuite la layette. C'est le plus beau jour de ma vie!»

* * *

Célestine collait chez les Robichaud. Alice, qui avait le double de son âge, s'en occupait comme une grande sœur. Célestine restait le seul lien entre elle et Laurent. Ainsi, Alice se tenait au courant de tout ce qui touchait le garçon. Elle initia Célestine au lavage de l'écrémeuse avec ses cent petites soucoupes numérotées qu'elle devait placer chacune à leur rang.

L'histoire en arriva aux oreilles d'Émery qui présuma que si sa fille pouvait aider chez le voisin, elle pouvait tout aussi bien le faire chez elle. C'est ainsi que Célestine hérita du lavage du centrifugeur. Puis, avec le temps, s'enchaîna le travail aux champs et à l'étable.

Dès qu'on lui accordait une minute de répit, Célestine courait à sa maison de poupées tout ensoleillée. Dans une petite chaudière d'eau, la fillette, accoutrée d'une longue jupe, lessivait à la main, quand soudain, la porte s'ouvrit et sa mère surgit dans l'embrasure.

– Qu'est-ce que c'est que ce désordre? Célestine Gauthier, enlève tes guenilles d'ici immédiatement. Ce poulailler ne nous appartient pas. Tiens! Mes ciseaux sont rendus ici, je pouvais bien les chercher, et… Ah non!

Bon sang! Pas ma jupe grise et mes épingles à linge. La voix de Mathilde tremblait de colère quand elle ajouta: Tu mériterais une bonne fessée.

La petite, les yeux agrandis par la surprise, dévisageait sa mère. La cruelle interdiction lui serrait la gorge. Son bonheur s'arrêtait là.

— Mais maman, le poulailler ne sert pas. Si vous voulez, je demanderai à monsieur Robichaud de me le prêter.

— Non! Ramasse tes cliques et tes claques. Et je tiens à ce que tu rapportes chaque chose à sa place, tu m'entends?

Sur ce, Mathilde descendit prudemment, la marche élevée et disparut. Célestine, désolée, s'assit. Du regard, elle enveloppa la pièce, sa maison, son coin à elle. Tout tombait en ruine, au moment où elle venait à peine de s'installer. Le cœur brisé, elle vivait son premier chagrin d'enfant. Sa maison, son seul plaisir, sa raison de vivre depuis l'achat de cette vieille ferme qu'elle détestait. Elle laissa couler librement ses larmes. Avant d'abdiquer, la fillette fila chez les Robichaud sans tenir compte de la défense de sa mère.

Comme il allait entrer chez lui, le voisin vit approcher Célestine dans une attitude de défi. Il posa les poings sur ses hanches et attendit. Arrivé à sa hauteur, l'homme remarqua les yeux rougis de la fillette. Célestine lui demanda suppliante, s'abstenant de lui avouer que c'était déjà fait:

— Est-ce que je peux vous emprunter votre poulailler pour me faire une maison de poupée? Dites oui, s'il vous plaît?

La petite était attendrissante. Il sourit.

– Tant qu'on ne le déménagera pas, fais comme chez toi.

– Oh, merci !

Célestine tourna aussitôt les talons et courut aviser sa mère de son nouveau droit. Mathilde lui refusa carrément l'accès au poulailler et la sermonna pour avoir dérangé monsieur Robichaud avec des peccadilles semblables.

– Monsieur Robichaud m'écoute toujours, lui. Je ne le dérange jamais. C'est à lui le poulailler et comme il me le prête, j'ai le droit d'y jouer tant que je voudrai !

Mathilde, qui n'acceptait pas qu'on lui réplique, s'emporta :

– Célestine, je ne te le dirai pas deux fois, vide le poulailler de tes guenilles.

– C'est toujours comme ça dans cette maison ! Vous ne voulez jamais rien.

– Tais-toi ! Quand tu manques de politesse envers tes parents, tu fais de la peine au petit Jésus.

– Si je demandais à papa, il voudrait lui.

Célestine piquait sa mère au vif. Les enfants en étaient rendus à exploiter le désaccord entre les parents.

Désolée, Célestine ne s'expliquait pas pourquoi sa mère démolissait ainsi toutes ses maisons. La fillette ressentait la même impression que si on la jetait hors de chez elle. Elle se dit que de toute sa vie jamais aucune peine ne l'affligerait autant.

Sans se presser, Célestine ramassa les petits vêtements, les déposa délicatement dans une boîte et les réserva pour une nouvelle maison, qui, celle-là, elle l'espérait, ne dérangerait personne. Mais où ? Elle déposa le précieux paquet dans le hangar, en refoulant une envie de pleurer.

Elle traversa la cuisine, en coup de vent. Marc ne manqua pas sa chance de la blesser davantage.

— Bébé ! Catineuse !

Guillaume le secondait :

— Quand même… Célestine… à onze ans…

Hargneuse, la fillette bougonna en regardant Guillaume de travers :

— Pas onze, dix !

Toute la famille s'en mêlait, même Hélène ne jouait plus à la poupée avec elle depuis un bon bout de temps. « Pour faire la grande », l'accusait Célestine.

Elle toisa la berceuse, sa place attitrée pour bouder, mais cette fois, la cuisine n'était pas l'endroit idéal. La fillette retourna à la ferme voisine tout raconter à monsieur Robichaud. Il l'écoutait déblatérer contre son sort. À la fin, elle ajouta :

— Tout le monde est sur mon dos.

Victor Robichaud posa la main sur son épaule.

— Viens t'asseoir un peu sur les marches.

Les pouces sous les bretelles de sa salopette, le voisin lui raconta qu'il était venu au monde dans la vieille maison qu'elle habitait.

— Tu vois le chêne et les deux gros érables devant chez toi ? dit l'homme en les pointant. Ils ne sont pas jeunes. À la plus basse branche de celui de gauche, mon père avait installé une balançoire en câble. Des années plus tard, je répétais le même geste pour mon Alice. Tu remarqueras, les traces d'usure sont encore visibles. Ça te plairait d'en avoir une ? La branche est toujours là.

Une balançoire, tout ce qui berçait envoûtait Célestine.

– Si tes parents sont d'accord, je peux continuer la tradition.

– Avec eux, c'est toujours non ! Mais je vais leur demander quand même.

La fillette était consolée. Par la même occasion, Victor Robichaud s'amusait à reculer d'une génération.

XIX

Deux années passèrent. La maison jouissait maintenant d'une toilette à l'eau. Émery avait aménagé un petit cabinet en coupant sur la chambre des parents.

À la campagne, l'hiver frappait toujours trop tôt. On devait allumer les ampoules électriques dès cinq heures. C'était le signal pour avertir les jeunes d'entrer. Les garçons n'avaient pas la permission de demeurer à l'extérieur, la noirceur venue. Et pour cause, Mathilde se trouvait un peu à l'étroit dans sa cuisine avec dix enfants qui la bousculaient. Elle décida donc de permettre aux enfants le libre accès au salon. Aussitôt, le piano se mit à jouer faux sous les petits doigts d'Odette et Virginie.

La famille vivait en paix. Laurent, éreinté du labeur de la ferme, opta pour un travail régulier à l'usine de papier de Sacré-Cœur-de-Jésus-de-Crabtree-Mills.

Les relations entre lui et Alice en étaient restées à l'état embryonnaire.

À douze ans, Célestine passait ses temps libres chez les Robichaud, imitant les gestes et les airs d'Alice qu'elle idolâtrait. Mathilde réprouvait les allées et venues de sa fille, mais elle dut choisir entre tolérer et l'attacher.

Maintenant plus mature, l'adolescente constatait qu'Alice s'intéressait de près à tout ce qui touchait

Laurent. L'envie de les rapprocher gagna Célestine. « Pourquoi pas Laurent et Alice ? » Et si elle donnait un petit coup de pouce à son imbécile de grand frère ?

* * *

Mathilde déposait dans les assiettes, des morceaux de poule qu'elle recouvrait d'une sauce onctueuse rehaussée de petits oignons. Célestine profita du moment d'accalmie pour annoncer tout haut :

— Alice reçoit un ami au salon ce soir. J'ai bien hâte de le connaître.

— Tu ne vas pas aller écornifler chez les voisins maintenant ? intervint Mathilde.

— Pourquoi pas ?

— Que je te voie ! Tu passerais pour une belle effrontée.

— Laissez-la faire maman, intervint Marc. Ils vont la foutre à la porte avant longtemps et ce sera tant pis pour elle. Si j'étais eux, ce serait fait depuis belle lurette.

— Tais-toi ! lui ordonna Émery.

Marc, qui vivait difficilement son adolescence, déversait sa révolte sur ses sœurs. Il s'immisçait sournoisement dans les choses qui ne le regardaient pas. Ses menaces n'atteignaient guère Célestine. Elle souriait et surveillait Laurent d'un œil, attendant une réaction.

D'un calme déconcertant, Laurent ne bronchait pas. Il leva les yeux, comme si la nouvelle était banale, puis baissa le nez dans son assiette.

C'est Mathilde qui eut l'air la plus intéressée par cette fausse rumeur. Elle ajouta :

– Le garçon qui l'aura fera un bien beau choix.

Après le souper, Célestine, assise au bout de la table, recommençait un jeu de patience. Laurent approcha une chaise près de la sienne. De temps à autre, il plaçait une carte sur le jeu et, à brûle-pourpoint, il s'informa tout bas :

– Qui c'est qui va voir Alice Robichaud ?

– Je ne sais pas son nom, mais je peux m'informer si tu veux.

– Non, non ! Je demandais ça juste de même et, pas un mot à Alice là-dessus, tu m'entends ?

* * *

Laurent avait enregistré les paroles de sa mère. Ce n'était pas la première fois que celle-ci vantait l'apparence d'Alice. Depuis l'achat de la ferme, Laurent ne voyait que rarement la fille des Robichaud. Toutefois, ces derniers temps, il se surprenait à reculer de deux ans. Il revoyait Alice, assise sur le bidon à lait. Le souvenir de ses bottes trop grandes pour elle lui ramenait le sourire. Ce jour-là, la jeune fille avait remué quelque chose en lui et aujourd'hui, Laurent se demandait pourquoi tout en était resté là. Peut-être avait-il exagéré en s'imaginant qu'elle s'intéressait à lui. Et si Alice le repoussait ? Laurent n'était pas prêt à essuyer un refus. Par contre, s'il voulait une amie de cœur, Laurent devrait oser une approche, un jour où l'autre. Ce soir-là, un autre avait osé et la présence d'un rival le préoccupait invinciblement. L'idée lui vint de le devancer. Après tout, n'était-il pas le premier ?

Sept heures sonnaient. Le temps était noir. Laurent s'installa au salon, là où personne ne le remarquerait. La lumière éteinte, il glissa la tête sous le rideau de dentelle.

Une neige légère et quelques branches de sapin, près de la maison, voilaient la fenêtre des voisins. Déçu, le garçon monta à sa chambre. En passant près du chiffonnier, il s'empara d'une revue et s'étendit sur son lit. Mais Laurent, trop distrait, ne retenait rien. Ses pensées vagabondaient pour rebondir chaque fois chez les Robichaud. Il jeta négligemment son *Sélection* sur une petite chaise droite et descendit. Le garçon chaussa ses bottes, revêtit sa canadienne et flanqua une tuque dans sa poche. L'horloge marquait sept heures trente. Laurent et s'engagea sur le chemin neigeux, bien décidé à supplanter un rival. La neige craquait sous ses pas. En approchant, il voyait nettement dans la cuisine des voisins. Il ralentit le pas afin de mieux surveiller Alice qui se déplaçait. Elle devait attendre son type. Encore plus près, il vit madame Robichaud qui cousait à la main. Son mari devait s'attarder aux bâtiments. Toutes les petites fenêtres de l'étable étaient éclairées. Alice semblait plus grande. «Impossible. À son âge, on ne grandit plus.» L'avait-il déjà bien regardée? Alice s'assit et appuya ses coudes sur la table. Laurent constatait un manque de vie dans cette maison.

Arrivé près de la galerie, Laurent hésitait. À peine trois pas et il pourrait frapper, mais comment réagirait Alice qui en attendait un autre? Laurent était trop près du but pour renoncer. Il escalada le petit escalier pentu qui donnait sur la cuisine et frappa.

Le rideau se souleva. Madame Robichaud colla le nez à la vitre. Toujours heureuse de revoir Laurent, la femme ouvrit la porte toute grande et désigna une chaise au garçon. Alice, intriguée de cette visite impromptue, en cherchait la raison. Son sourire radieux la rendait encore plus belle. Laurent s'excusa de déranger. Il accepta de s'asseoir un moment et, sans plus attendre, demanda s'il n'avait pas oublié une paire de bottes de grange, du temps où il travaillait chez eux.

– Alice, va demander à ton père à l'étable. Peut-être qu'il sait, lui.

– Non, non, Alice! reprit Laurent. Ça ne presse pas tant que ça, je repasserai!

Alice était troublée. Pour la première fois, Laurent pronnonçait son nom. Quelque chose chez lui avait changé. Alice ne pouvait discerner si c'était le timbre de sa voix ou peut-être bien une certaine maturité.

– Autant agir avant d'oublier, répliqua la femme. De toute façon, Victor devrait rentrer d'une minute à l'autre.

Le cœur d'Alice battait plus vite, comme par les années passées. La jeune fille tenta de retenir Laurent en lui offrant une liqueur douce. Il accepta. La conversation s'anima, puis tourna aux travaux de la ferme.

Chose étrange, Laurent, habituellement fermé, bavardait avec aisance.

Il se tourna vers Alice.

– Tu te souviens de m'avoir parlé de mes sœurs?

Elle se souvenait de tout, mais n'osa l'interrompre.

– Si ça te tente, je t'amène faire un tour à la maison ce soir, si tu n'as rien de prévu, naturellement.

Alice questionna sa mère d'un regard insistant. Une petite inclinaison de la tête lui accorda la permission.

Alice monta à sa chambre changer de vêtements. Se pouvait-il que Laurent Gauthier lève enfin les yeux sur elle ? Pourquoi avoir attendu tout ce temps ?

Elle poussait les cintres de sa garde-robe de gauche à droite, puis de droite à gauche, indécise dans son choix. Enfin, elle descendit dans une robe de lainage de teinte olive qui s'alliait agréablement au roux de sa chevelure.

Laurent s'en voulait d'avoir été aveugle si longtemps, mais il ne laissa rien transparaître de son admiration. Madame Robichaud recommanda à Alice de ne pas rentrer trop tard.

Au départ, Laurent et Alice croisèrent monsieur Robichaud entre deux portes. Le père fit un sourire complice à sa fille. Victor Robichaud avait pressenti cet aboutissement depuis l'arrivée de Laurent dans sa maison. Pour la première fois, l'homme en souffla un mot à sa femme :

— Tu as remarqué comme Alice a changé depuis le jour où le jeune Gauthier a mis les pieds dans notre maison. Le garçon lui a plu immédiatement, je le jurerais !

— Voyons donc ! Qu'est-ce que tu vas chercher là ? Depuis quand t'occupes-tu des sentiments de ta fille ? En tout cas, moi, je n'ai rien vu de ça.

— Même pas pendant les absences de Laurent, quand elle mangeait les rideaux à surveiller ses retours ?

— Voyons donc, Victor Robichaud ! Toi qui ne remarques jamais rien, tu vas essayer de me faire avaler à moi, ta femme, que tu pressentais des choses semblables ?

– Je te surprends, hein! Il y a des choses, qu'on ne peut pas cacher à un père. Tu sauras me le dire un jour. Ce n'est pas parce que je parle peu que je ne vois rien.

– Toi, parler peu? Une vraie machine à paroles!

Victor Robichaud souriait.

Sa femme s'en voulait maintenant de n'avoir rien vu de ce qui se passait dans sa propre maison. Elle soupira:

– Si c'est comme ça, c'est bien triste, parce que si le jeune Gauthier ne lui donne pas d'espoir, notre Alice souffrira inutilement.

– Et ce soir, ce n'est pas elle qui est allée le chercher.

– Vois-tu comme tu te méprends? Laurent est venu récupérer des bottes oubliées.

Victor Robichaud éclata de rire:

– Il vient chercher une paire de bottes et il repart avec ma fille!

Le rire de Victor emplissait maintenant la grande maison.

–Ah! Ah! Il t'a bien eue, hein!

* * *

Chez les Gauthier, les enfants, installés autour de la table, s'appliquaient à leurs travaux scolaires. En voyant arriver Alice et Laurent, Mathilde fit table rase et essuya d'un coup de torchon humide, le prélart bleu qui la recouvrait.

Les jeunes se rassemblèrent au salon. Alice ne reconnaissait plus Laurent. Elle qui avait cru ce garçon tranquille, tendre et rêveur. Assis au piano, encouragé par les voix de ses frères et sœurs, il plaquait sur le clavier des accords entraînants.

Alice ignorait que Laurent jouait du piano. Elle se demandait qui était ce garçon si surprenant. Après trois années à le côtoyer, Alice n'avait pas encore pu découvrir ce qui se cachait derrière ces yeux couleur lavande.

Alice ne voyait pas filer le temps. Quand finalement Laurent la ramena chez ses parents, il fut surpris de l'entendre lui avouer :

« C'est une famille comme ça que j'aurais voulue. »

— Si tu veux revenir samedi, proposa Laurent, l'ami de Julie sera à la maison. Nous pourrions veiller au salon tous les quatre.

— Si plutôt vous veniez tous chez moi ?

— Je ne pense pas que maman permette à Julie de sortir, mais si tu es d'accord, je me rendrai chez vous samedi pour en discuter.

Laurent se demanda s'il avait eu Alice de justesse. Elle avait si peu l'air d'une fille qui attendait quelqu'un. Il mit en doute la parole de Célestine.

Madame Robichaud, vêtue d'un long peignoir rose, dormait dans la berceuse en attendant sa fille.

Le bruit de la porte la fit sursauter. La femme croisa son déshabillé sur sa poitrine. Laurent parti, Alice colla une chaise contre celle de sa mère et, les coudes sur les bras de la berçante, lui raconta sa sortie en détail, insistant sur la chance de Laurent, d'avoir tant de frères et sœurs.

* * *

Le samedi suivant, Julie surveillait impatiemment la fenêtre. Dès que Louis s'attardait de quelques minutes, Julie se voyait morte. Inquiète, elle montait et descendait de sa chambre à la cuisine et vice versa. Mathilde la voyait se ronger les sangs :

— Julie, de grâce, assieds-toi. Tu vas user une paire de chaussures en une soirée.

Gênée que sa mère devine ses états d'âme, Julie se rendit au salon et s'agenouilla près du guéridon où traînait un casse-tête à demi terminé. «Cette fois, se dit-elle, fâchée d'être laissée pour contre, Louis aura avantage à s'inventer une bonne excuse.» Distraitement, Julie ajoutait quelques morceaux à une forteresse.

Louis entra avec une heure de retard.

— Je croyais que tu ne viendrais plus, fit Julie arrogante.

Il s'excusa :

— Redonne-moi mon paletot, s'il te plaît.

Elle lui tendit à bout de bras.

Il tâta la poche intérieure et en retira un petit écrin qu'il dissimula dans sa main. Ils passèrent au salon.

— C'est que, j'ai magasiné un petit cadeau et ce fut plus long que prévu. Tiens, regarde !

Il l'ouvrit en surveillant sa réaction. Il arborait un large sourire.

— Donne ton doigt !

Julie n'avait aucune réaction.

Elle prit le tout petit diamant serti sur une monture en or, l'examina et la remit sur son coussin.

— C'est tout ce que ça te fait ? questionna Louis. Tu en fais une tête ! Tu sais que c'est une bague de fiançailles ?

Julie fit oui de la tête !

– Alors, elle ne te plaît pas ?

Julie, qui avait refoulé sa crainte de ne plus revoir son amoureux, éclata en pleurs.

– Tu ne me dis presque jamais que tu m'aimes !

Après un silence, Louis essuya ses yeux et lui murmura :

– Tu le sais bien ! Si je ne t'aimais pas, je ne serais pas ici.

Elle baissa la tête et n'en parla plus. Son bonheur était quand même plus important que deux petits mots, mais elle aurait aimé les entendre quand même.

* * *

Chaque automne ramenait la retraite paroissiale. Tous les fidèles se faisaient un devoir d'y assister. Le prédicateur, un père jésuite, avait gagné la faveur des paroissiens par son sermon du dimanche. Il savait faire rire, ce qui surprenait les gens dans un lieu sacré. Tous les soirs, l'église était bondée de monde. La dernière prédication était réservée aux gens mariés.

– Viens-tu à la retraite, Laurent ? s'informa Guillaume.

– Ce soir, c'est réservé aux gens mariés.

– Justement, je veux savoir ce qui va se dire là. Je vais y aller quand même.

Laurent sourit. Il ne se mêlait jamais du comportement de ses cadets, mais Julie ne l'entendait pas de la même oreille :

– Tu n'as pas affaire là, Guillaume Gauthier. Si c'est réservé aux parents, c'est qu'il y a des choses que les enfants n'ont pas à entendre.

Et tu penses que papa va t'emmener là ?

– Lui, jamais !

– Et comment penses-tu t'y rendre ?

– En bicyclette.

– Je ne te crois pas, mais au cas où tu parviendrais à tes fins, tu auras affaire aux parents et je ne réponds pas d'eux.

– Je te raconterai tout ce qui s'est dit à mon retour.

– Si tu y vas pour moi, laisse faire ! Je ne veux rien savoir.

Julie trouvait Guillaume drôle. La tête haute, les mains au fond des poches, le garnement sifflait.

* * *

Ce soir-là, quand Laurent entra à la maison, les jeunes étaient couchés. Il ne restait que Julie qui s'attardait dans la cuisine. Laurent sortit un gros gâteau aux amandes de l'armoire et l'entama.

Les parents entrèrent à leur tour.

– La retraite a fini bien tard, souligna Laurent.

Mathilde, furieuse, ravalait :

– Ce n'est pas la retraite, c'est le beau Guillaume qui nous a retardés. Il nous a fait honte devant toute la paroisse, celui-là !

La voix de Mathilde tremblait. Julie et Laurent se regardaient, muets. Comme Guillaume passait près de Mathilde, celle-ci empoigna le gamin par le col de son manteau. Il cherchait à se libérer sans brusquer sa mère.

– Fâchez-vous pas, maman ! Fâchez-vous pas, hein !

– Monte te coucher, toi ! On s'en reparlera.

Guillaume monta lentement en souriant. Mathilde déversait sa rage sur qui voulait l'entendre :

— Avez-vous déjà vu un enfant pareil ? Avant l'office, il s'est caché dans le confessionnal. Quand le père jésuite a ouvert la porte pour les confessions, qui était là, bien assis à sa place ? Mon beau fin finaud de Guillaume ! Quelle honte, devant tous les paroissiens ! C'est bien simple, si je ne me retenais pas, je l'étriperais.

Les joues de Mathilde s'empourpraient. Julie ne pouvait s'empêcher de penser : « Sacré Guillaume, si espiègle, mais tellement attachant ! » Laurent pinçait les narines. Seule sa mère lui en tenait rigueur.

— Calmez-vous maman, fit Julie. Vous ne trouvez pas que vous y allez un peu fort ? Après tout, ce n'est pas la fin du monde.

Mathilde répéta :

— La fin du monde ! Tu penses comme ça, toi ? Et notre réputation ? Il va nous en faire une belle !

— Qu'est ce que le père jésuite a dit ?

— J'aime mieux ne pas en parler, vous avez tous l'air de l'approuver.

— Voyons donc, maman !

Mathilde baissa les yeux et le ton.

— Comme nous allions revenir, ton père a aperçu sa bicyclette au restaurant, en face de l'église. Émery est entré le chercher et nous avons suivi la bicyclette, jusqu'ici. C'est ce qui nous a retardés.

— Et papa ? Il a pris ça comment ?

— Rien ! Lui, ça ne l'occupe pas beaucoup, la conduite de ses enfants.

Mathilde baissa les yeux et serra les lèvres.

– Dites pas ça, maman. Si c'était plus grave, papa y verrait.

– Si ce n'est pas assez grave pour lui, ça l'est pour moi !

En haut, accroupies sur le grillage, Hélène et Célestine écoutaient, attentives, jusqu'à ce que Guillaume monte. Hélène l'aborda :

– Maman n'est pas de bonne humeur ? Je ne l'ai jamais vue aussi déchaînée. Qu'est-ce qui t'est arrivé quand tu t'es fait prendre ? Raconte-nous.

Subtil, Guillaume s'en amusait. Le gamin accompagnait ses explications de gestes.

– Pour ne pas être vu, je suis entré le premier dans l'église. Je me suis installé à la place du confesseur parce qu'à côté, j'aurais dû rester agenouillé tout le temps du sermon. Si j'ai choisi le confessionnal de la nef, c'était pour mieux entendre le prédicateur. Je ne pouvais pas deviner qu'il y aurait des confessions. Juste avant la prédication, la porte s'est ouverte d'un coup, toute grande devant moi. J'ai sursauté. En me voyant, le père jésuite avait l'air aussi surpris que moi, puis il s'est ressaisi et m'a demandé en riant : « Est-ce que tu pratiques ton futur métier ? » Je n'ai pas répondu. Demandez-moi pas si j'ai filé. De chaque côté du confessionnal, les gens qui faisaient la file pouffaient de rire. Les parents étaient de ceux-là. Papa riait lui aussi, je voyais ses épaules sauter. Mais si maman avait eu des carabines à la place des yeux, je serais déjà mort. Pauvre maman, elle a dû souffrir son « Qu'est-ce que le monde va penser ? » pendant les deux bonnes heures qu'a duré l'office. Après, je me suis rendu au petit restaurant devant l'église. Quand j'ai raconté ça aux gars du village, ils se tordaient. C'est tout. Les parents ont reconnu ma bicyclette et sont venus me chercher. Voilà !

Dans la chambre du bas, Émery enlevait son dernier bas :

— Ce Guillaume-là, c'est tout un numéro, tu ne trouves pas ?

— Tu ne vas pas le trouver drôle, toi aussi ? fit Mathilde. Cette fois, il exagère.

— Je ne peux pas m'en empêcher !

— C'est ça, encourage-le !

XX

Le mois de juillet était trop sec. La terre craquelait, les plants fanaient, les feuilles de maïs s'enroulaient sur elles comme des coquilles. La pluie se laissait désirer. C'est à grands coups de prières que les gens la convoquèrent. Ceux du rang des Continuations entreprirent une neuvaine à la croix du chemin.

Pour les jeunes, c'était la fête. Le soir à sept heures, tous se rendaient chez les Durocher. Après le chapelet et les invocations, les parents restaient à jaser pendant que les enfants s'amusaient. Ce rituel durait neuf soirs consécutifs. Si la neuvaine se brisait à cause de la pluie, il faudrait alors recommencer à zéro.

Les premiers jours, les jeunes jouaient à cache-cache dans les bâtiments des Durocher. Célestine, bien installée derrière deux barils vides, était certaine de ne pas être trouvée. Gilbert Quentin enfreignit les règles du jeu. Pendant que Lionel Thériault comptait jusqu'à cent, le petit futé fila Célestine. À son tour, il se glissa entre les barils, prit sa tête entre ses mains et posa doucement ses lèvres sur celles de l'adolescente. Célestine, palpitante, eut l'impression d'être soulevée. Elle ferma les yeux au doux contact du visage sur le sien. «Quelle étrange sensation!» Elle avança sa main tremblante et effleura la joue imberbe de Gilbert, ses yeux, son front. Il glissa son bras autour de son cou et l'étreignit. Soudain, au-dessus de l'épaule de Gilbert, Célestine vit les grands yeux de Virginie qui la fixaient. De son pied droit, Célestine repoussa brutalement le garçon qui faillit tomber à la renverse. Son intention était de rattraper sa sœur en vitesse, mais trop tard, la petite n'était déjà plus là. Elle avait couru tout raconter à sa mère, et ce, devant les voisins.

Mathilde rassembla ses enfants et s'en retourna à la maison pendant qu'Émery demeurait sur place à écouter les problèmes de sécheresse de tout un chacun. Elle fit une indigestion de honte dont elle se guérit par un long sermon sur la chasteté, accusant Célestine d'être en état de péché mortel. Elle termina par un avertissement déplaisant pour ses jeunes :

— À l'avenir, chaque soir, nous reviendrons immédiatement après les prières. Tenez-vous-le pour dit.

Célestine essaya en vain de se défendre.

— Je vous jure, maman, que je n'ai rien fait de mal.

— Ne jure pas, en plus. Tu n'as plus l'âge de jouer à la cachette avec les garçons.

Célestine, emportée par la révolte, répliquait :

— J'ai passé l'âge de jouer aux poupées, à la cachette. Je n'ai pas l'âge de sortir avec les garçons. J'ai l'âge de faire quoi, moi ?

— De travailler ! répliqua sa mère.

— Je ne fais que ça, travailler. Vous m'accusez toujours de péchés que je n'ai pas commis.

— Veux-tu bien cesser de braver ?

– Non ! Et tout bas, Célestine bougonna : J'aurais peut-être dû l'embrasser pour de vrai, je me ferais chicaner pour quelque chose.

Scandalisée, sa mère la poussa vers l'escalier :

– Monte réfléchir dans ta chambre et médite sur la chasteté et le respect dû aux parents. Tu iras à confesse pour ça !

– Oui, je monte !

Célestine martelait chaque marche en marmottant entre ses dents :

– On sait bien, avec vous, je suis toujours en état de péché mortel.

Les jeunes se regardaient. Mathilde venait de leur enlever à tous l'attrait de la neuvaine.

Au coucher, Célestine ne pouvait s'empêcher de penser au beau Gilbert Quentin, à son charme envoûtant. Ses imperceptibles émotions furent si éphémères que Célestine craignait qu'elles ne s'effacent promptement de sa mémoire. Elle sentait pour la centième fois sa tête prisonnière des mains si douces de Gilbert et elle se plaisait à étudier à fixer dans sa chair et son âme, ce moment sublime.

Quelque chose d'attrayant, d'inexplicable l'avait chavirée, et ce quelque chose était divin. Si c'était ça que sa mère nommait un péché ! Célestine ne ressentait ni remords ni repentir et elle recommencerait tout de suite. Plus Célestine réfléchissait, plus elle se trouvait mêlée. Pourquoi sa mère était-elle tellement en colère ? Est-ce que toute action très agréable condamnait au feu de l'enfer ?

Comme la gourmandise, la paresse, l'impureté ? Impossible ! Où était le mal de se sentir aimée, désirée ? Maintenant, Célestine avait hâte que les classes reprennent dans l'unique intention de revoir Gilbert Quentin. Après l'avoir embrassée comment se comporterait Gilbert à son endroit devant Angèle, Denise, et toutes les filles qui se pâmaient d'amour pour lui ?

Célestine se demandait si en ce moment, là-bas, au bout du rang, le garçon pouvait ressentir les mêmes émotions, la même passion. L'adolescente luttait difficilement contre le sommeil qui grugeait sa douce rêverie. Finalement, elle dut se laisser aller.

XXI

L'école du rang disposait de deux locaux spacieux. Celui du côté nord regroupait les cinquième, sixième et septième années et celui du sud, les petites classes.

Le midi, les deux enseignantes montaient dîner dans une petite cuisine aménagée dans les combles.

En bas, les élèves mangeaient sur les pupitres. Les filles d'un côté de la classe, les garçons de l'autre. Les jours de gros froids, c'était la ruée sur le poêle à bois. Les petits sacs à sandwichs en papier d'emballage laissaient entendre un froufroutement confus. Les filles de septième, alors en pleine puberté, s'intéressaient aux modifications physiologiques et psychologiques qui se produisent à cette période. Elles en parlaient tout bas et en paraboles afin d'épargner les chastes oreilles des impubères.

– Sais-tu de quoi on parle, Célestine ? s'informait Corine Bilodeau.

Son frère Jacques, un grand lâche, aimait attirer l'attention par ses paroles et ses gestes osés. Il s'avança lentement.

– Les filles, avez-vous besoin d'explications ?

Jacques saisit le poignet de Célestine et l'attira brusquement à lui.

– Veux-tu bien me lâcher ! ordonna Célestine en affectant un mouvement d'agacement.

Comme Jacques persistait, Hélène, furieuse, vint à la rescousse de sa sœur :

— Laisse-la ou j'appelle la maîtresse.

Jacques Bilodeau ne tirait plus, mais sa main retenait fermement sa proie.

— Lâche mon bras, ordonna Célestine, sans élever la voix.

Elle le fixait droit dans les yeux, attendant sans bouger qu'il se décide à renoncer. Les garçons approchaient à leur tour, formant un cercle autour de Jacques et Célestine. Gilbert Quentin parla le premier.

— Lâche-la, le grand, ou c'est nous autres qui t'arrangeons le portrait.

Pendant un moment, le regard de Célestine croisa celui de Gilbert. Sous la menace, Jacques Bilodeau desserra aussitôt le bras de Célestine en l'injuriant, l'œil maussade :

— Je t'aurai bien, pimbêche !

Célestine frictionnait son poignet.

— Tu serais mieux de travailler que de niaiser, lança-t-elle.

Furieuse, les yeux à terre, elle mordit dans sa tartine.

Les garçons poussaient sur Jacques pour l'éloigner, mais lui étirait le cou au-dessus des têtes et criait :

— Je te ferai bien changer d'idée, un jour. Crois-moi !

Ses allusions déplaisaient à Célestine. Insultée, la pauvre termina son repas en silence.

La vive sympathie qui existait entre Célestine et Gilbert se limita à un échange de regards complices et de sourires jusqu'à l'hiver.

* * *

Par gros froids, à tour de rôle, les fermiers attelaient le cheval à la charrette et voyageaient les enfants à l'école du rang. Seul Émery refusait de participer à cette entente. Pour lui, c'était une perte de temps que d'atteler le cheval puisque ses enfants demeuraient les plus près de l'école. Toutefois, les Gauthier devaient contourner les limites de la terre pour s'y rendre, ce qui les obligeait à marcher presque un mile. Les charretiers acceptaient quand même de laisser monter les Gauthier à bord de leur voiture.

On était en janvier. Il faisait un vent à écorner les bœufs. Octave Quentin, qui demeurait sur l'avant-dernière ferme au bout du rang, guida son cheval avec précaution, de façon à coller un patin de son traîneau au perron de la petite école. Avant de commander sa bête, l'homme se retourna pour s'assurer que les jeunes étaient tous montés dans le *bobsleigh*. Puis il dévisagea Célestine.

– Les Gauthier, débarquez! Votre père ne voyage pas, marchez!

L'homme riait, ironique. Tous les garçons riaient aussi.

Les trois filles Gauthier sautèrent aussitôt sur la neige durcie. Célestine jeta un coup d'œil rapide du côté de Gilbert Quentin. Lui aussi souriait. Célestine, piquée au vif, mit son sac en bandoulière et, incapable de contenir sa colère, cria vulgairement:

– Mange des carottes sans a, Quentin!

Hélène la rappela à l'ordre.

– Tais-toi! Si maman entendait ta bêtise!

– Qu'il en mange quand même. Le bonhomme Quentin a profité d'un froid sous zéro pour nous écœurer.

– C'est normal, Célestine. Comme papa ne fait pas sa part, monsieur Quentin ne nous doit rien.

Célestine mortifiée, continuait à bougonner tout bas tout ce que sa haine lui dictait, en dépit d'Hélène.

– Gilbert Quentin peut bien faire une croix sur moi. Même si toutes les filles se pâment pour lui, qu'il aille au diable. Il est pareil à son père.

– Qu'est-ce que Gilbert vient faire dans ça ? s'informa Hélène, intriguée.

– Il a ri ! Il va payer pour !

– Comme ça, le beau Gilbert Quentin et toi…

Célestine était révoltée. Elle en avait trop dit. Elle fixait le chemin, remontant sans cesse sur son nez, son foulard, givré par son haleine.

Voyant qu'elle boudait, Hélène ajouta :

– On s'en reparlera.

Les filles pressaient le pas. Le vent, comme des aiguilles, leur piquait la figure. L'hiver, le chemin était toujours plus long. Célestine remonta la bretelle de son sac d'école qui s'amusait à glisser de son épaule et replongea aussitôt les mains dans ses poches. Les trois filles Gauthier marchaient, tantôt face au vent, tantôt à reculons. Célestine était déçue que ses sœurs semblent si peu partager sa révolte. Elle leur en voulait. Du revers de sa mitaine, elle essuya une larme provoquée par la morsure du froid.

Au loin, la cheminée fumante crachait son trop-plein. Sur le bout du poêle, la soupe devait mijoter. Sitôt arrivée, Célestine s'en servirait une bolée qui lui procurerait une chaleur apaisante. Les filles entrèrent à la maison, transies, en claquant des dents. Elles enlevèrent aussitôt leurs bottes doublées de feutres et allongèrent les jambes sur la porte chromée du four. Avec la chaleur, des picotements désagréables les incitèrent à se frotter vigoureusement. Sous la friction, la chair tiédissait, s'amollissait et, lentement, la sensibilité redevint normale des genoux aux orteils. Célestine raconta à sa mère l'humiliation dont elle venait d'être victime. Mathilde lui expliqua :

— Octave Quentin nous en veut un peu pour une vieille histoire qui lui est restée sur le cœur au temps où votre père était sacristain à Sacré-Cœur.

À chaque contrainte, Célestine s'ennuyait un peu plus du Portage, cette ville enchantée qui, à ses yeux, ne présentait que des avantages.

XXII

Avant le train, Émery déposait sur le coin de la table une orange que Célestine grignotait en boudant. Comme toujours, la pauvre fille travaillait pendant que ses frères dormaient.

Dès qu'elle entrait dans l'étable, Célestine prenait place sur le petit banc de bois qu'elle poussait le plus loin possible de la vache à traire. Les bêtes la flagellaient de coups de queues au cou et aux yeux. Révoltée, Célestine se levait et reculait de quelques pas en bougonnant. Son père lui répétait :

– Rentre en dessous de ta vache et colle ta tête dans ses flancs. C'est comme ça seulement que tu pourras l'immobiliser.

– Ce n'est pas « ma » vache ! Et puis, il y a assez de mes mains qui puent, pas ma tête en plus.

La traite terminée, Célestine distribuait du foin aux bêtes à cornes. Et pour finir, elle écrémait.

Pendant que l'adolescente se préparait pour l'école en vitesse, son père achevait le travail seul.

Devant l'évier, Célestine savonnait ses mains sans relâche.

– Arrête ça, disait Hélène, tu vas les user.

Dix fois, Célestine répétait la même question :

– Est-ce que je pue la vache ?

– Non !

– Je suis sûre que oui, moi !

– Alors savonne ! répliquait Hélène.

Et Célestine savonnait. À l'école, elle ne voulait pas être repoussante. Elle ne le faisait certainement pas pour les garçons, il n'y en avait aucun à son goût. Il y avait bien eu Gilbert Quentin, mais depuis que son père l'avait ridiculisée et que Gilbert avait ri, Célestine lui en voulait à mort. Jacques Bilodeau, son voisin de classe, la convoitait toujours, mais Célestine ne pouvait le supporter. Assis devant elle, Jacques gardait continuellement le bras étendu sur le pupitre de Célestine et la dévisageait. La maîtresse le rappelait sans cesse à l'ordre. À cœur de jour, il récidivait et la tête du grand bêta se vissait et se dévissait comme un bouchon sur une bouteille.

* * *

Le travail reprenait de plus belle, autant à l'extérieur qu'à la maison. Émery aspergeait d'eau les serres à tabac. Les serres étaient des carrés de fumier et de terre noire recouverts de châssis de couche qui servaient aux semis. Les plants montaient, gras et forts. Émery les regardait pousser avec fierté.

Pendant ce temps, Mathilde déménageait la vaisselle dans la cuisine d'été quand un appel téléphonique lui apprit la mort de son père.

Charles Lamarche fut exposé dans le salon de sa propre maison du ruisseau Vacher. Pendant trois jours consécutifs, Mathilde et Émery durent se rendre veiller le corps. À l'occasion, ils revenaient à la maison prendre un peu de sommeil.

Doris avait la responsabilité de la maisonnée.

Hélène et Célestine, âgées alors de quatorze et quinze ans, voulaient respirer l'air du large. Avec Guillaume, Marc et quelques jeunes du rang, elles avaient décidé de se rendre dans le bas du village rencontrer des jeunes à qui Guillaume et Marc avaient donné rendez-vous. Hélène avisa Doris qu'elle et Célestine n'iraient pas loin, se gardant bien de parler de leur machination. Peu méfiante, Doris ne soupçonna rien.

Les filles se rendirent à pied chez les Melançon. Dans la cour de l'étable, Célestine et Hélène grimpèrent sur les guidons des bicyclettes des cousins Durocher.

Quinze vélos formaient un joyeux ruban qui traversait le rang. En montant la côte du couvent, Gilbert Quentin, qui faisait partie du groupe, revenait régulièrement se placer près de Marc et demandait :

– Passe-moi Célestine. Comme ça, tu pourras te reposer un peu.

Sans se retourner, Célestine chuchotait « non » à Marc qui, à son tour, criait :

– Je ne suis pas fatigué.

Pourtant, Célestine sentait le souffle oppressé de Marc, lui réchauffer le cou. Les vélos traversèrent ensuite, le village sur toute sa longueur. Les jeunes jacassaient innocemment de tout et de rien. À la croix du chemin, un groupe de jeunes les attendait. Dans la rue, vingt-trois vélos formaient un bel éventail multicolore.

Les jeunes essayaient de se mettre d'accord pour trouver un passe-temps intéressant. Hélène faisait des ravages. Tous les garçons n'avaient d'yeux que pour elle. Pendant que Marc flirtait avec une certaine Desjardins. Guillaume racontait des histoires drôles et Célestine, plus gênée, regardait, silencieuse, tous ces visages nouveaux. Gilbert Quentin vint se placer contre elle.

Vers dix heures, les jeunes décidèrent de retourner chacun chez eux.

Entre-temps, Mathilde et Émery étaient revenus à la maison. La cuisine était silencieuse. Dans la berçante, Doris lisait.

Sa mère s'informa :

— Les enfants sont tous couchés ?

— Non, ils ne sont pas encore rentrés !

— Les garçons ?

— Ni les garçons ni les filles !

Mathilde fronça les sourcils.

— Où est-ce qu'elles sont allées ?

— Je ne sais pas ! Mais sûrement pas loin. Elles sont parties à pied.

Mathilde passa son mécontentement sur Doris :

— Tu sais que les filles ne doivent pas sortir de la cour. Quand je te demande de garder, tu n'as qu'à te faire obéir.

Mathilde imaginait le pire, ce qui signifiait perdre leur âme et leur réputation. Triste, vêtue de noir de la tête aux pieds, Émery la regardait avec pitié. Elle qui venait de perdre son père en avait pourtant assez.

— Doris, va te coucher. Toi aussi, Mathilde. Je vais m'occuper des jeunes.

Doris monta, déçue des reproches qu'elle venait d'essuyer et, en même temps, soulagée que sa responsabilité en finisse là.

* * *

Célestine entra la première. Sans bruit, elle ouvrit la porte à moustiquaire et dans la pénombre, proposa à Hélène qui la talonnait :

— N'allume pas et enlève tes souliers. Si les parents sont arrivés, ils croiront que c'est Guillaume et Marc.

À l'instant même, une voix près d'elles les fit sursauter :

— En voilà une heure pour arriver !

Les filles restèrent bouche bée. Leur père, assis en pleine noirceur, les attendait près de la porte. Il enchaîna en ménageant ses mots :

— Comme punition, vous n'irez pas à la kermesse.

Ce fut tout. Il se retira dans sa chambre.

Célestine n'en revenait pas. Elle se tuait à l'ouvrage pour aider son père sans jamais une récompense et, il la punissait. Dans sa chambre, elle enleva ses vêtements en complotant avec sa sœur.

— Tu as toujours eu le tour avec maman, insiste donc pour qu'elle plaide en notre faveur.

— Et toi ? Tu fais ce que tu veux de papa, essaie aussi de ton côté. À deux, on réussira peut-être à effacer notre pénitence.

– Je n'ai pas trop confiance, maman est plus sévère en reproches que papa, mais lui cogne pas mal plus dur.

Doris vint les retrouver. Ses mains jointes entouraient la boule de métal dorée du pied de lit. Pour contrer la punition, Hélène et Célestine décidèrent d'un commun accord de bouder leur travail. Doris tenta d'apaiser ses sœurs en leur expliquant que si elles n'aidaient pas pendant les deux semaines, ce serait elle qui serait surchargée de travail.

– Acceptez les conséquences de vos actes. Après tout, vous avez couru après. Vous pouvez vous compter chanceuses de vous en être tirées à si bon compte. Ça n'aurait pas passé aussi facilement pour moi.

Célestine ne l'entendait pas ainsi.

– Ce n'est pas juste, Marc et Guillaume sont rentrés plus tard que nous et ils n'ont essuyé aucun reproche eux, même que papa s'est couché sans les attendre.

– Ce sont des garçons. Ce n'est pas pareil.

– Tu raisonnes comme les parents, toi?

– Les garçons sont quand même un peu plus âgés que vous deux.

– Si peu!

– Où étiez-vous?

– Dans le bas du village, à la croix du chemin. Je te jure qu'on n'a rien fait de mal, mais essaie de rentrer ça dans la tête des parents. Si papa rapporte à maman qu'on était juchées sur les bicyclettes des garçons, nous allons payer pour. Maman nous accusera en plus d'être en état de péché mortel.

– Voyons, Célestine! Modère-toi et sois plus respectueuse envers les parents.

Doucement, la physionomie de Célestine se trans-
forma, sa figure s'illumina. Elle s'élança sur le lit, les quatre
fers en l'air.

— Moi, s'exclama-t-elle, sortir me donne un petit goût
de liberté que je ne connaissais pas avant. Je sens que je
vais y prendre goût.

— Tu fais mieux de prendre patience, argumenta
Hélène, parce qu'à l'avenir nous serons surveillées de près.

— Toi, Hélène, tu as un don spécial pour m'éteindre.
Dommage quand même, hein ! Si les parents étaient arrivés dix minutes plus tard, nous aurions pu sortir demain.

Doris les avisa sérieusement :

— Vous deux, ne recommencez pas vos trottes quand
c'est moi qui garde.

* * *

Mathilde était soulagée d'un fardeau. Enfin, Émery
l'appuyait au temps où les filles commençaient à tirer sur
la corde.

Les parents ne cédèrent pas aux intimidations des
adolescentes et personne n'y gagna au change. Le temps
que dura la kermesse fut quinze jours de guerre froide.
Chaque matin se ressemblait pour Célestine. Son père
la réveillait. Elle passait à côté de l'orange qu'il déposait
à son intention sur le coin de la table. Sans y toucher,
elle se rendait à l'étable, s'appuyait à la stalle de l'écurie
et croisait les bras.

Son père avait bien essayé de la raisonner, mais rien n'y
fit. Ensuite, il leva le ton. Puis, il la menaça :

— Si tu ne marches pas par la douceur, tu marcheras par la force.

Muette, Célestine ne bougeait toujours pas, attendant la force. Rien ne se produisit.

Émery se reconnaissait bien en elle. Il savait qu'elle ne plierait pas. Finalement, sa femme n'avait pas complètement tort de dire qu'il n'y avait rien de pire que d'en avoir deux qui se montent la tête ensemble. Toutefois, Émery était contrarié quand Mathilde lui avouait que Célestine n'était qu'une entêtée. «Tu devrais l'entendre, disait-elle. Quand je la reprends, une vraie machine à paroles, juste pour couvrir ma voix et m'empêcher de parler. Si je monte le ton, elle le monte aussi. Si j'insiste un peu, elle change de pièce. Quand je la suis, elle me promène. Je connais son petit jeu, tu sais. Avec tout ça, elle n'en fait qu'à sa tête de mule.»

Autant sa femme prenait la défense d'Hélène, autant Émery prenait la part de Célestine. Cette rivalité s'entretenait depuis l'enfance des deux filles.

* * *

Après les quinze jours de vengeance, d'un commun accord, Hélène et Célestine reprirent toutes deux leur travail, mais là, ne s'arrêtaient pas leurs machinations. Elles optèrent pour un soir où les parents devaient aller veiller chez l'oncle Viateur. Les deux adolescentes, de connivence avec Guillaume et Marc, organisèrent une veillée en cachette des parents.

Hélène leur suggéra d'inviter quelques garçons du rang avec leur musique. Hélène était douée pour organiser. Tout le monde lui obéissait.

– Guillaume, tu joueras du piano, et toi, Marc, du violon.

– Whooo! grogna Marc. Je ne joue presque plus, j'ai désappris.

– Ce n'est pas un concert qu'on te demande, mais juste des petits rigodons, qu'on puisse danser. Tu joueras de ton mieux, ça te fera pratiquer. Et puis, je ne veux pas que tu te fasses prier devant le monde. Ça fait bébé.

Guillaume était d'accord, donc Marc, qui abondait toujours dans le même sens, lui emboîta le pas.

De son côté, Doris, qui pressentait une autre aventure, prévint sa mère en douceur.

– J'aimerais mieux ne pas garder. Je ne fais plus confiance aux filles depuis leur escapade de l'autre soir.

Mathilde comprit que sa place était à la maison avec ses jeunes qui grandissaient trop vite. Il lui faudra désormais, faire une croix sur ses rares sorties pour mieux contrôler la conduite de ses adolescents.

Les premiers arrivés furent les Melançon avec violon et guitare, Marc Durocher avec un harmonica. Enfin, Leblanc traînait un accordéon un peu encombrant sur sa bicyclette.

Ce fut assez pour confirmer les craintes de Doris. Mathilde balaya la cuisine minutieusement et, d'un linge humide, essuya le plancher près de la porte d'entrée. Elle vit ensuite à ce que rien ne traîne.

Dehors, cinq filles s'ajoutèrent. Parmi elles, Laura et Angèle Melançon. Mathilde se réjouissait que les Melançon côtoient ses enfants. Une famille de religieux, ça ne pouvait être qu'une bonne influence pour les siens. Sur le chemin, tout près de la maison, Gilbert Quentin essayait de s'infiltrer parmi les invités. Son accordéon sous le bras, il tournait en rond sur son vélo, attendant une invitation qui ne venait pas. Ni lui, ni sa sœur Béatrice n'étaient les bienvenus chez les Gauthier.

Angèle Melançon s'approcha de Célestine :

– Le beau Gilbert n'est pas invité ?

Célestine savait qu'à l'école, toutes les filles se pâmaient pour lui et Angèle faisait partie de celles-là. Célestine répondit d'une voix assez forte pour que Gilbert Quentin entende :

– Qu'y aille se faire voir !

– Il a apporté sa musique, il compte sûrement se mêler au groupe.

– Qu'y aille au diable !

Angèle tentait d'amadouer son amie et ainsi la faire changer d'avis.

– Tu sais qu'il te tourne autour !

– À force de tourner, il s'étourdira.

– Ne fais pas l'innocente. Tout le monde sait qu'il t'a déjà embrassée. Je te trouve cruelle. Je connais des filles qui ne lèveraient pas le nez sur lui.

– Des filles comme toi ?

– Oui, moi et bien d'autres.

– Va le consoler. Je ne te retiens pas.

Hélène, qui faisait entrer les jeunes dans la maison, entendait le ton monter entre Célestine et Angèle.

– Cessez vos disputes vous deux et arrivez. Nous sommes tous ici pour nous amuser. Surtout toi, Célestine, pour une fois qu'on réussit à inviter des amis, tâche d'en profiter.

Célestine ne s'expliquait pas que Gilbert Quentin s'acharne tant. Plus elle le repoussait, plus il se faisait insistant. Elle tourna la tête vers lui et, à son insu, lui tira la langue. Ensuite, malicieuse, elle regarda Angèle et lui fit un beau sourire.

Hélène saupoudra un peu d'acide borique pour rendre le prélart glissant. L'accordéon prit de grandes respirations pendant que le violon, lui, gémissait.

Les garçons et les filles attendaient debout, main dans la main, formant un cercle au centre de la pièce. Enfin, les musiques s'ajustèrent et *Le Reel du quêteux* fit virevolter les jupes.

Célestine essayait de paraître indifférente aux garçons pour ne pas que sa mère mette un frein à ses élans, mais la musique et les garçons lui tournaient la tête.

Au coucher, étendue sur sa catalogne, les bras sous la tête, elle affichait tout haut ses états d'âme :

– Je suis sûre d'être née juste pour m'amuser et danser.

Célestine ferma les yeux.

– Éteins la lumière, reprit sévèrement Hélène qui, plus réaliste que sa sœur, n'affichait jamais ses sentiments. Demain, tu iras traire les vaches, ça te ramènera les idées sur terre.

Célestine se fichait des répliques sévères de sa sœur. Elle ouvrit les yeux et étira ses membres comme une chatte :

— Tu veux savoir ce que je pense ? Tu es trop sérieuse pour moi. Toi, tu es comme Laurent qui se prive de rire et de rêver. Tu sauras, ma petite fille que dans la vie, il existe autre chose que le travail. En tout cas, moi, je ne suis pas résignée à passer à côté du plaisir.

Pour Célestine, la musique représentait le rêve, et le rêve, l'amour et l'amour sa vie.

* * *

Célestine, fine mouche, avait bien joué son petit rôle d'entremetteuse. Laurent fréquentait assidûment Alice Robichaud. Jamais il ne lui avait parlé d'avenir, son travail ne lui permettait pas, pourtant, Alice n'attendait que ça, elle qui avait eu le coup de foudre, dès l'arrivée du garçon sur la ferme. Sa tête bouillonnait de projets impossibles qu'elle garderait secrets jusqu'à ce que Laurent se décide. Un jour, cependant, avait-elle rêvé ou l'avait-elle entendu lui murmurer qu'il l'aimait ? Il parlait si bas qu'elle n'en était pas certaine et elle n'avait pas osé lui faire répéter. Elle pouvait ainsi se complaire à en rêver, au risque de se tromper et d'avoir mal ensuite. Alice aimait se rappeler la fois où Laurent caressait sa longue jambe qu'elle tenait croisée vers lui. Sa mère était intervenue froidement et avait rompu le charme :

— Alice, avait-elle dit, tâche de te tenir comme il faut, vous n'êtes pas mariés que je sache !

Alice avait rougi et Laurent, mal à l'aise, avait invité la jeune fille à finir la soirée chez lui. En route, enjoué, il l'avait projetée sur un banc de neige élevé, presque de la hauteur d'un mur. Là, hors de vue des deux familles, Laurent s'était précipité sur elle pour l'embrasser, mais Alice l'avait repoussé aussitôt et lui avait recommandé d'être sage.

Ces familiarités, ça ressemblait si peu à Laurent. Le garçon secoua la neige qui collait au manteau d'Alice. Il recula ensuite d'un pas pour scruter le fin fond de sa pensée et s'excusa sans aucun regret.

— Tu sais, quand tu n'es pas là, le temps n'en finit plus. Et puis, quand nous sommes ensemble, il file à une vitesse folle. C'est pareil pour toi?

Pour toute réponse, Alice s'avança, lui offrit ses lèvres, puis subitement, recula. Alice freinait ses élans. Elle s'était fait la promesse de ne jamais embrasser un garçon avant qu'il lui déclare son amour.

— Qu'est-ce qui se passe? fit Laurent, dépité.

— Rien! Je regrette, c'est tout. Oublie ça.

« Ce n'est pas mon soir », pensa Laurent. Le reste du chemin fut silencieux.

* * *

Ce jour-là, Laurent devait se rendre au village chercher Julien au terminus d'autobus. Il fit un crochet chez les Robichaud dans le but d'inviter Alice à l'accompagner. Debout dans la voiture à deux sièges, Laurent incitait Fanchette à trotter en lui administrant de légers coups de fouet.

Mathilde reconnut l'attelage qui passait au grand trot. À travers le nuage de poussière qui montait derrière la voiture, elle put distinguer deux têtes. «Tiens, tiens, se dit-elle, Laurent vient de m'en passer une pour s'exempter un chaperon.»

Passé la courbe, les bancs de neige gardaient les amoureux hors de vue. Laurent tira les guides et ramena la jument au pas. Il entoura de son bras, les épaules d'Alice et la fixa droit dans les yeux. Alice soutenait ce regard bleu, couleur de rêve, quand le plus simplement du monde, Laurent lui demanda de l'épouser :

– Si tu veux, nous allons passer au presbytère, aujourd'hui même pour faire publier les bans ?

Alice ne répondit pas tout de suite. L'émotion l'étouffait. Ses yeux humides s'agrandirent et un petit diamant roula sur sa joue rose. Depuis longtemps, Alice espérait cet instant divin et pourtant, elle respirait avec difficulté, le souffle coupé par l'émotion. Toutes ces années et ces nuits passées à se languir d'amour pour Laurent lui avaient semblé une éternité. Et voilà qu'aujourd'hui tous les projets étaient permis. Bientôt, Laurent dormirait près d'elle. Il ne la quitterait plus. «Jamais plus !» se dit-elle. Il avait du temps à rattraper.

Alice se ressaisit et lui demanda :

– Tu n'es pas sérieux Laurent ? Passer au presbytère aujourd'hui ?

– Oui !

– Et les parents ?

– Ils attendront ! Après tout, nous n'avons pas à leur demander de permission pour les débarrasser.

Laurent resserra son bras autour de la taille fine. Il profita de ce que personne ne puisse les voir pour embrasser Alice passionnément. L'heure étant aux émotions, les deux amoureux échappaient à la réalité.

Alice avoua à Laurent les sentiments qu'elle refoulait depuis le tout début.

– Je t'ai aimé tout de suite, même si j'essayais de m'en défendre.

– J'avais deviné sans en avoir la certitude, mais tu sais, pour moi, c'est arrivé bien plus tard. Au début, tu me dérangeais. Je te trouvais plutôt snob.

– Moi, snob ?

Alice le martelait joyeusement de ses poings.

Débordante de bonheur, elle ne pouvait s'empêcher de rire.

Laurent emprisonna ses mains et les porta à ses lèvres :

– Peu à peu, à mon contact, tu t'améliorais.

– Oh ! Je te déteste, Laurent Gauthier. À l'église, je dirai non.

Elle essayait inutilement de retirer ses mains pour recommencer à le frapper et impuissante, elle s'abandonna. Laurent écrasa ses lèvres sur les siennes. Alice se sentait transportée par sa passion.

Un attelage qui les dépassait lentement dérangea le couple. Laurent, surpris, tourna un peu la tête et reconnut la voiture. Monsieur Melançon affichait un sourire pincé. À ses côtés, sa femme roulait de gros yeux au jeune couple.

Sans que les amoureux s'en rendent compte, Fanchette s'était immobilisée au beau milieu du chemin. Ça tenait du miracle que la carriole des Melançon ait pu les dépasser sans renverser dans le fossé.

Laurent commanda sa bête.

Alice, au comble de la gêne, retenait malgré tout une envie de rire. Depuis combien de temps se donnaient-ils en spectacle ?

— Tu as vu les yeux exorbités de madame Robichaud ? Qu'est-ce qu'elle va penser de mon comportement ? À l'avenir, je serai toujours mal à l'aise de la rencontrer.

Laurent souriait. Alice regarda sa montre.

— Ton frère va trouver le temps long à nous attendre, dit-elle.

— Ne t'inquiète pas, je suis parti deux heures en avance pour passer au presbytère. As-tu déjà oublié qu'on doit faire un crochet par là ?

Alice fit la moue :

— Dommage qu'on doive ramener ton frère, sans lui, nous aurions pu parler plus à l'aise de nos projets. Tout est si nouveau !

— Rien ne nous empêche de nous revoir tous les soirs !

Alice serra la main de Laurent qu'elle tenait sur ses genoux. Et il lui sembla que, désormais, cette main lui appartenait au même titre que les siennes. Laurent lui proposa :

— Si tu es d'accord, au retour, nous arrêterons à la maison annoncer notre mariage aux parents.

— Notre mariage ! Dis-moi que je ne rêve pas !

XXIII

Mathilde ressentit un petit pincement. Encore un couvert en moins sur la table. Les départs se succédaient au même rythme que, vingt ans plus tôt, s'emplissaient les berceaux. Combien de temps encore cela vaudra-t-il la peine de préparer d'appétissants fricots ? Encore quelques années et Mathilde ne serait bonne qu'à mettre au rancart. Julie avait marié Louis. Ses beaux-parents avaient cédé le roulement du commerce à leur fils. Ils s'étaient retirés dans un logis du centre de la petite ville.

Le jeune couple filait le parfait bonheur dans le logement attenant à l'épicerie. Julie lui avait raconté qu'un soir Louis s'était allongé sur le lit, harassé par une lourde journée de travail. Julie était venue s'installer contre lui et avait appuyé sa tête sur l'épaule de son mari. Elle lui avait confié qu'il serait père dans sept mois. Louis s'était assis promptement dans le lit. Sa fatigue avait semblé disparaître d'un coup.

Le même automne, Laurent avait marié Alice. Le jeune ménage demeurait chez les Robichaud qui leur cédaient deux pièces en attendant la construction d'une future maison. La mère d'Alice avait insisté :

– Ton père prétend que c'est du gaspillage que de dépenser pour un logement quand la maison est trop grande pour nous deux ?

– Laurent veut se rapprocher de son travail.

Son père essayait lui aussi de la retenir en lui disant que sa mère allait trouver la maison bien grande après son départ. Il ajouta :

– Pourvu que ça ne la fasse pas mourir.

Les parents se relançaient la balle, ce qui avait pour effet de culpabiliser leur fille. Alice leur cachait qu'elle et Laurent manquaient d'intimité.

Laurent possédait un lopin de terre aux Ravelines. On appelait les Ravelines un coin enchanteur et discret. Le chemin serpentait dans de longues côtes tortueuses, dominant des ravins peuplés de conifères. Les Ravelines faisaient partie de la paroisse Sacré-Cœur-de-Jésus où, autrefois, le père de Laurent avait été sacristain. De chez lui, Laurent pourrait se rendre à l'usine à pied.

Depuis son mariage, chaque fin de semaine, Laurent bûchait avec son beau-père le bois qui servirait à ériger la charpente de sa maison.

Pendant ce temps, le ventre d'Alice s'arrondissait.

* * *

L'hiver s'éternisait pour les futures mamans. Alice, que les nausées incommodaient, sortait peu. Elle passa la saison froide à s'ennuyer de Laurent, esclave de l'usine, de la forêt, quand ce n'était pas de la construction de sa maison. Le dimanche, elle aurait pu profiter pleinement de son mari, mais il y avait la messe, le train et une visite chez les parents de Laurent. Elle aimait bien rencontrer Julie et échanger au sujet de leur grossesse. De toute façon, tout rentrerait dans l'ordre bientôt, les bébés étaient presque à terme.

* * *

À sa sortie de l'hôpital, en juillet 1953, Julie arrêta chez ses parents. Ses sœurs se ruaient vers l'auto pour l'alléger de son précieux fardeau. Devant les bousculades, la jeune mère refusait de céder sa petite Louise.

– Venez en dedans, vous la verrez mieux et moi, j'en profiterai pour m'asseoir.

Julie retira la suce et Célestine reconnut les lèvres charnues de Julie. Célestine se retira dans la berceuse, où elle enviait le bonheur de Julie d'être mère. Elle rêvassait : «Un jour, je tiendrai le mien dans mes bras, un bébé à moi toute seule.»

Doris avait soulevé délicatement l'enfant. Elle la bécotait sans cesse, mais Mathilde mit fin à ses démonstrations en prévenant :

– Attention aux microbes. Embrassez seulement son front.

Doris enviait sa jumelle. Julie, la chanceuse, l'avait devancée. Puis, tristement, elle se demanda si son tour viendrait un jour. Sa mère la poussait toujours vers le noviciat. Année après année, la communauté refusait la candidate à cause de sa santé précaire, mais Mathilde ne démordait pas d'en faire une religieuse.

Julie sollicita l'aide de sa jumelle pour quelques jours. Mathilde dut s'incliner. Julie ne pouvait se passer Doris. Les jumelles se retrouvèrent pour une courte semaine après laquelle Julie et Louis ramenaient une Doris joyeuse et resplendissante.

Mathilde semonça Julie :

– Je me prive du support de Doris pour que tu relèves bien, et voilà que tu sors trop tôt.

– Mais maman, nous sommes en été et la petite a dix jours.

– Ne cherche pas d'excuse, on ne prend jamais trop de précautions. Dans notre temps, on gardait le lit dix jours complets.

Julie risqua quand même, hésitante :

– Justement, je pensais que vous me laisseriez Doris pour une autre semaine.

Doris espérait tant de la réponse de sa mère. Celle-ci accepta.

– Doris y retournera, mais seulement si tu me promets de ménager tes forces. Et Dieu sait que tu en auras besoin pour élever ta famille !

Mathilde, qui préparait deux filles pour le couvent, avait du travail par-dessus la tête.

Pour Célestine, c'était adieu la ferme. Elle ne s'en plaindrait pas. Tout l'été, elle avait enfilé dans ses bras de longs bas usés que sa mère avait coupés pour protéger sa peau du soleil.

Elle choisissait toujours le plus beau des cinq grands chapeaux de paille, s'en coiffait, puis montait aux champs. Célestine piochait sans jamais négliger un brin d'herbe sur le rang de tabac.

Elle surveillait de près son père sur le rang voisin. La sueur lui coulait sur le front. Elle tentait de le prendre en défaut, comme lui, à l'étable, mais son travail était bien fait.

Adieu aussi le travail à l'étable avec son père qu'elle aimait, boudait et manipulait. Fini pour dix mois, après, elle verrait bien. Elle détestait tant ce travail.

Quand elle présentait une chaudière de petit lait aux veaux, elle grimpait sur la deuxième perche de la clôture et passait une jambe qu'elle ramenait en crochet sur elle pour se tenir bien solidement. Elle passait alors son seau par-dessus la clôture, se penchait en avant et le retenait fortement de la main. Quand le veau avait fini de boire, il donnait un bon coup de tête et la chaudière s'envolait. Célestine, insultée, sautait dans l'enclos où la bête poussait de sa tête le récipient tout cabossé le plus loin possible. Les quatre veaux répétaient le même rituel, soir et matin. Célestine s'exaspérait et trouvait tous les animaux bêtes.

Elle se plaignait à sa mère :

– Il y a les veaux qui me font courir, les vaches qui me donnent des coups de pied dans les jambes, les chevaux qui prennent l'épouvante, les oies qui mordent, et puis ils puent tous. Le Bon Dieu les a sûrement créés pour qu'on les tue.

Mathilde fut scandalisée des propos de sa fille.

Enfin, Doris revint de chez Julie. Sa mère l'attendait pour achever d'assembler les robes de costume noires à petits plis pressés qui demandaient tellement d'attention. Il restait aussi à coudre les boutons des robes de nuit. Mathilde avait projeté de s'en débarrasser au plus tôt.

Mathilde, les jambes lourdes, traînait sa fatigue de jour en jour. Les repas du dimanche avaient ses répercussions le soir, mais elle était si heureuse d'avoir ses enfants près d'elle qu'elle en oubliait son malaise.

À l'heure du coucher, les parents quittaient toujours la cuisine les derniers. Ce soir-là, Émery avait devancé sa femme de quelques minutes. Il ronflait déjà, la veilleuse allumée sur la commode. Mathilde éteignit la lumière fluorescente, près de la porte de devant. Elle souleva le rideau et jeta un œil dehors, comme elle le faisait chaque soir. Chez les Robichaud, l'auto était en marche devant la maison. L'échappement des gaz était visible. Mathilde s'attardait sous le voilage. Elle vit sortir Laurent. Il conduisait Alice d'une main et portait une valise de l'autre. Dès qu'il l'eut bien installée sur le siège avant, Laurent contourna l'auto et s'installa au volant. La voiture passa près de la maison et disparut.

Mathilde laissa retomber le rideau. Laurent ne l'avait pas prévenue. La pauvre mère, qui se croyait indispensable, était déçue. «Les enfants ne sont que des ingrats! Dès qu'ils volent de leurs propres ailes, les parents n'existent plus pour eux.» L'inquiétude la rongeait. Ces derniers temps, les jambes d'Alice enflaient démesurément et Mathilde redoutait des complications.

Chez les voisins, la lumière de la cuisine était restée allumée. Madame Robichaud ne dormirait pas de sitôt. Il prit à Mathilde l'idée de lui téléphoner. Elle posa la main sur l'appareil, puis changea d'idée. À chaque appel, la sonnerie se faisait entendre dans onze maisons. À pareille heure, Mathilde risquait de réveiller tout le rang. Et comme c'était souvent le cas, les gens écornifleraient sur la ligne.

Mathilde s'assit sur le côté du lit et égrena son chapelet afin que tout se passe bien, mais sa pensée vagabondait. Elle repassa un à un ses accouchements. Enroulée dans sa robe de chambre fleurie, elle se rendit à la berceuse. Elle laissait la lumière allumée dans le but d'inviter Laurent à arrêter lui donner des nouvelles au retour. Puis elle s'endormit sur sa chaise.

Le lendemain, Mathilde, inquiète, se rendit chez les Robichaud. Elle monta visiter la chambre du bébé. Elle admirait le petit berceau doublé de satin blanc quand, en bas, une voix appelait.

— Il y a quelqu'un ?

— Oui, oui ! J'arrive, répondit madame Robichaud.

Laurent, au comble du bonheur, se tenait debout devant la porte et frottait ses mains grandes ouvertes l'une contre l'autre.

— J'ai un garçon ! Il pèse neuf livres… Et c'est ce que je voulais, un petit gars.

— Ouf ! Neuf livres, fit sa belle-mère. Et Alice ? Elle doit avoir souffert le martyre ?

— Au début, non, mais vers quatre heures trente, quand les douleurs devenaient plus fortes et rapprochées, j'ai sonné la garde. Elle a consulté le médecin et il lui a fait administrer un médicament pour faire avancer le travail. Alice est passée à la salle d'accouchement quelques minutes plus tard. Le petit Albert est venu au monde à six heures ce matin.

Madame Robichaud agrandit les yeux, mais n'ajouta pas un mot. Elle semblait en vouloir à Laurent d'avoir tant attendu pour donner des nouvelles.

Mathilde, sans se gêner, parlait pour deux.

– Quoi ? fit-elle. Ça fait huit heures qu'Alice a accouché et tu te décides seulement à donner des nouvelles ? Sa mère et moi avons passé une nuit blanche et presque toute la journée à nous inquiéter. Nous étions là, à nous faire du mauvais sang, quand tout était bel et bien fini. T'es bien comme ton père, toi. C'est si forçant que ça, parler ?

– Je n'ai pas pensé que vous pouviez être inquiètes.

Mathilde se ressaisit. Elle n'allait pas lui gâcher sa joie.

– Je suis contente ! Je suis bien contente.

Mathilde était-elle sincère ? Laurent crut qu'elle cachait dans son humeur un reste de déception.

Les remontrances n'enlevaient rien à son bonheur. Il savait trop bien qu'il n'avait pas perdu son temps. Après l'accouchement, il s'était assis sur le petit banc à côté du lit d'Alice et tout bas, la bouche collée à son oreille, il lui avait murmuré mille mots gentils et Alice s'était laissée bercer de tant de tendresse.

– À présent, le pressa Mathilde, prends le téléphone et annonce toi-même la nouvelle aux jeunes à la maison.

* * *

Le temps était bas. Le tonnerre grondait de près, mais il ne pleuvait pas. Mathilde, qui craignait les orages et le vent, courut fermer toutes les fenêtres de la maison. Elle aspergea le perron d'eau bénite et s'empressa d'allumer un cierge pour attirer la protection d'en haut sur sa maison.

Hélène appelait Célestine qui monta la rejoindre à l'étage, un petit bocal à la main.

Hélène lui chuchota :

— Viens voir ce que j'ai trouvé sous la pile de sous-vêtements de Doris… Une lettre ! Qui peut bien lui écrire ? Écoute-moi bien, pendant que je la lis, je veux que tu surveilles sur le grillage et si t'entends quelqu'un monter, tousse un peu pour me prévenir.

— J'aime mieux m'asseoir en haut de l'escalier, c'est plus confortable. Tu tiens tellement à la lire ?

Célestine hésitait. Elle se souvenait des lettres de Constance et ce mauvais souvenir réveillait en elle un relent de méchanceté. Célestine était certaine qu'avec Hélène, elle n'aurait pas le dernier mot. Elle lui proposa :

— Si on regardait seulement la signature ?

— Non, je la lis au complet. Toi, ça ne t'intéresse pas ? Bon sang, tâche de vieillir un peu.

— Je le savais que tu dirais ça !

Hélène déplia trois petites feuilles écrites sur les deux côtés. Elle lisait et Célestine écoutait, appuyée sur la rampe de l'escalier, les belles phrases tendres.

Le petit pot que tenait Célestine était plein de cerises qu'elle avait préalablement salées. Elle les mangeait doucement et, à mesure, crachait les noyaux dans sa main gauche.

Sa sœur avait de la difficulté à lire. L'écriture était très mauvaise. Les yeux fureteurs butaient sur les mots et Hélène lut jusqu'à la toute fin où c'était signé Réjean.

— Il y a du mystère dans l'air, dit Hélène, songeuse. Qui peut bien être ce Réjean ? Je le saurai avant longtemps, crois-moi.

L'orage était à son plus fort. Un vent violent pliait les arbres. La pluie battait les vitres. Le tonnerre claquait en même temps que l'éclair zigzaguait. Célestine, craintive, descendit retrouver les parents.

La table était dressée, mais Mathilde attendait la fin de l'orage pour servir les enfants. Les garçons crevaient de faim.

– Quand est-ce qu'on mange ? demanda Guillaume.

Leur mère égrenait tout bas son chapelet. Elle cessa ses prières le temps de répondre :

– Quand l'orage se calmera. Vous feriez mieux de prier pour apaiser la colère du ciel.

– Et si l'orage dure toute la nuit, on ne soupera pas ? Je mangerais un cheval tout attelé, moi.

Personne ne faisait de cas de Guillaume. Mathilde reprit son chapelet.

Enfin, le temps s'éclaircit au loin, comme un rideau qui se lève sur un matin lumineux. Face à ce décor, un arc-en-ciel fardait de ses couleurs tendres le fond de firmament gris acier.

Guillaume sortit sur le perron, mais sa mère le rappela aussitôt :

– Reste en dedans toi, il y a encore du danger à sortir trop tôt. Venez tous manger. Hourra vous deux, mes grands estomacs creux, c'est vous, qui vous lamentiez tantôt ?

Immédiatement après le bénédicité, Hélène s'informa :

– Qui ici, connaît un nommé Réjean ?

Hélène fixait Doris. Doris rougit jusqu'à la naissance des cheveux et s'emporta :

– Tu as fouillé dans mes papiers, toi !

– Pas dans tes papiers, dans tes lettres d'amour. Je le sais, j'ai tout lu.

Et elle redemanda calmement :

– C'est Réjean qui ?

Guillaume riait :

– Ma sœur Doris, un amoureux, ha, ha ! Un frère des écoles chrétiennes ?

– Taisez-vous ! fit le père d'une voix autoritaire.

Doris, piquée au vif, se sentait trahie. Irritée, elle se leva en trombe, mais sa mère la rappela sèchement et pointa sa chaise de l'index :

– Viens t'asseoir et bouge pas de là, toi !

Les larmes aux yeux, Doris fixait son assiette. Mathilde s'informa à Hélène :

– Qu'est-ce que sous-entendent toutes ces allusions ?

– Il n'y a aucune allusion ! C'est la pure vérité. Je le jure !

– Je ne veux pas t'entendre jurer. Va me chercher cette lettre immédiatement.

Hélène fixait la coupable, droit dans les yeux. Prise en défaut, la pauvre Doris inclina la tête. Hélène revint et balança la lettre devant le nez de l'accusée.

Doris riposta, les yeux pleins d'eau :

– Ce n'est pas un éventail !

Doris se leva et tendit le bras pour attraper son bien. « Si seulement, je peux mettre la main dessus, se dit-elle, je la jette au feu avant qu'elle ne soit lue devant tout le monde. » Mais sa mère intervint aussitôt :

– Toi, tu t'assis là, comme je te l'ai dit.

Tous les enfants étaient intéressés par ce qui suivrait. Émery, silencieux, les regardait.

Comme Hélène allait remettre la lettre à sa mère, Doris se pencha vers sa droite et l'attrapa au vol. Le père tendit une main et lui ordonna d'un ton ferme :

– Donne !

Elle lui rendit. Émery la déposa sous la nappe, sans plus.

Doris pensait mettre fin à toute cette agitation en avouant :

– C'est de Réjean Gélinas.

Mathilde devint verte. Elle répétait :

– Réjean Gélinas ! C'est ça, je t'envoie chez ta sœur pour l'aider. Je me prive de ton aide et toutes deux, vous manigancez dans mon dos. C'était pour ça, la semaine de surplus ? Je me suis bien fait avoir, hein !

– Non, maman, ce n'est pas ce que vous pensez.

– Toi, tais-toi ! Une future religieuse ! Un vrai scandale.

Le reste du souper fut silencieux. La jumelle grignota. Après le repas, Émery, restait seul, assis au bout de la table. Il sirotait une tasse d'eau bouillante du bout des lèvres.

Doris, le cœur sous la nappe, commençait lentement à desservir.

Hélène était heureuse d'avoir découvert le mystérieux Réjean. Satisfaite de son talent à tout démasquer, elle se fichait éperdument de ce qu'en pensait sa sœur.

Sitôt la nappe enlevée, Émery glissa la lettre dans la poche du tablier de Doris. Celle-ci lui fit un sourire forcé, mais reconnaissant. Elle jeta la lettre au feu.

Doris parla à son père de son départ en communauté qui serait voué à un échec par un retour certain, et de la lettre de Réjean. Émery se contentait d'écouter.

– Il t'a bien enguirlandée, coupa Mathilde d'une voix sèche, se redressant bien droite pour sembler au-dessus de toute réplique. L'affaire est classée. Je ne veux plus un mot là-dessus !

Doris baissa les yeux. Ça servait à quoi d'essayer d'expliquer à sa mère que c'était tout décidé avant qu'elle ne connaisse Réjean. Elle ne la croirait pas.

Mathilde avait une défaite à digérer. Elle ne parla plus jamais à Doris d'entrer en religion et lentement, le linge de la grosse valise bleue reprit sa place dans les tiroirs.

Doris avait une corde de plus à son arc, Réjean était notaire, donc il serait bien vu de sa mère, mais elle ne lui apprendrait que plus tard, quand les esprits seraient calmés.

Depuis les derniers événements, Mathilde remarqua que Doris avait l'air abattu. L'inquiétude de la voir retomber dans le même état de stagnation qu'à quatorze ans, alors que Doris se desséchait, changea du tout au tout les agissements de la mère. Croyant sa fille malheureuse, Mathilde l'encouragea à préparer un trousseau. Doris y mettrait son goût comme l'avait fait Julie.

L'atmosphère revint au beau fixe.

XXIV

Après une année de pensionnat, à s'ennuyer à mourir, Célestine revint chez elle. Elle rapportait un énorme bagage qu'elle monta à sa chambre.

Le temps pressait, les travaux de la ferme n'attendaient que des bras.

Le premier soir, Émery avisa Célestine.

— Tu te lèveras demain matin. J'ai besoin de ton aide.

Célestine lui lança un air méprisant.

— Je ne pourrai même pas rester couchée le matin pendant les vacances ?

— Tu n'auras qu'à te coucher plus tôt.

— Rrrrrrr ! fit la petite couventine enragée.

Depuis dix mois, Célestine soignait ses mains. Elle avait enfin réussi à régénérer ses ongles et elle allait les briser sitôt revenue.

Célestine ravala sa déception et s'inclina contre son gré devant l'autorité. Heureusement pour elle, ça ne dura guère. Il y avait sa sœur qui filait mal. Enceinte d'un deuxième enfant, Julie faisait de l'anémie. Sa mère cherchait un moyen de l'aider. Elle avait bien pensé l'amener à la campagne, mais sa place était aux côtés de son mari. La meilleure solution était de lui fournir une aide, chez elle.

Depuis le début de ses fréquentations avec Réjean, Mathilde s'était jurée de ne pas laisser aller Doris chez sa jumelle, de peur d'un manque de surveillance. Elle promit donc d'envoyer Hélène, mais quand elle lui en fit part, Hélène refusa :

— Que Célestine aille, je ferai son travail ici.

Célestine se retenait pour ne pas sauter au cou de sa sœur. Elle ne pouvait imaginer qu'Hélène désire faire son travail. Quelque chose ou quelqu'un devait la retenir aux Continuations, peut-être était-ce Normand ? Et puis, tant mieux. Célestine ne pensait plus qu'à sa chance de retourner au Portage, son paradis.

Elle courut faire sa valise et y entassa des effets pour deux semaines. Après ce temps, l'état de santé de sa sœur déciderait de son sort.

Chez Julie, Célestine s'amusait autant que dans les maisons que plus jeune, elle se fabriquait un peu partout. Elle adorait cuisiner, épousseter et lessiver. C'était le bonheur. Julie la laissait tout faire seule, l'œil aux aguets, prête à intervenir au besoin.

Chaque soir, Louis et Julie en profitaient pour faire une petite balade pendant que Célestine gardait le bébé qu'elle berçait à satiété.

Au coucher, quand Julie et Louis montaient dans la chambre du haut, Célestine les suivait et entrait dans la chambre voisine. La fenêtre de sa chambrette donnait sur la cour arrière où les maisons dos à dos se boudaient.

Célestine enfila sa chemise de nuit blanche, garnie de fronces au cou et aux poignets. Une image de la sainte face l'effrayait. Quand Célestine se déplaçait, la figure du Christ bougeait. Elle la tourna face au mur et l'oublia.

La chambre, toute petite, ressemblait à la cellule du couvent où Célestine s'était tant ennuyée. Seuls un lit, une commode et une chaise basse en composaient l'ameublement. Au plafond, une lumière sans abat-jour répandait une clarté trop éblouissante. Contrairement aux autres pièces de la maison, l'étroite chambre blême n'était pas belle, mais si Célestine la comparait au pensionnat, elle y trouvait deux avantages, celui d'y coucher seule et de ne pas s'y ennuyer à mourir.

Après avoir éteint la lumière, Célestine avançait à tâtons dans l'obscurité, une main tendue en avant pour se protéger. À peine se laissait-elle couler dans les draps qu'elle entendit un son de guitare.

L'adolescente tendit l'oreille, croyant que c'était la radio que Julie branchait quelquefois au coucher. Ce soir-là, ce n'était pas le cas. La musique venait de l'extérieur. Célestine mit la lampe en veilleuse et sur la pointe des pieds, s'approcha de la lucarne. Une large tablette donnait appui sur la fenêtre. Délicatement, elle tourna la crémone et tira le vitrage avec mille précautions pour ne pas se faire entendre de Julie. Le son de la musique s'accentua. En étirant le cou, elle distingua une silhouette dans la cour voisine, un jeune garçon assis sur un banc chantait en grattant sa guitare. Célestine distinguait mal son visage. Elle approcha la chaise tout près de la lucarne et éteignit la veilleuse pour mieux voir. Toutes vitres ouvertes, elle s'assit sur le bas de la fenêtre, les talons aux fesses, les genoux au menton.

La lumière blafarde de la cour éclairait un peu l'adolescent. Il semblait de la taille de Marc. Une dame se promenait lentement sur le trottoir et écoutait discrètement. À travers les notes, Célestine entendait le claquement de ses talons hauts qui martelaient le ciment. La femme allait et venait d'un pas régulier, puis tournait juste avant le coin de la maison pour ne pas être aperçue du jeune homme. Après quelques allers et retours, elle disparut pour de bon. Les chansons se succédèrent pendant une bonne heure après quoi Célestine retourna à son lit.

Le lendemain, sa curiosité la ramenait dans la cour arrière. Célestine suspendait le linge sur l'étendoir. Chaque fois qu'elle tirait sur la corde, la poulie grinçait. Peut-être le crissement attirerait-il le beau voisin ? Par-dessus la longue corde, elle épiait avec angoisse et espoir les bruits venant du fond de la cour des voisins. Célestine lambinait. Elle prenait bien soin de placer ses morceaux, comme sa mère lui avait enseigné, les draps au début, les plus petits morceaux en dernier. Des enfants s'amusaient, mais toujours pas de jouvenceau.

Le vent gonflait les vêtements. Célestine ramassa son panier vide, ses épingles restantes et se glissa à l'intérieur. Elle fila à l'épicerie et s'informa à Louis :

— Qui sont les voisins qui font dos à la cour arrière ?

— Tu veux parler des Fortin ?

— Ah bon, c'est possible. Je ne les connais pas, mais les garçons devaient aller à l'école avec Guillaume et Marc quand nous demeurions dans le coin. Je crois les avoir déjà vus.

— Oui, Jean-Marc est à peu près de leur âge.

Célestine ajouta :

— Julie voudrait une livre de jambon cuit. As-tu le temps de me trancher ça tout de suite ou si je reviens tantôt?

— Pas besoin d'attendre, je passerai à la cuisine.

«Jean-Marc, Jean-Marc Fortin», se répétait la jeune fille.

Les soirs suivants, les concerts reprenaient et Célestine, suspendue aux belles complaintes de son Roméo, abrégeait ses nuits d'une heure ou deux.

De temps à autre, le jeune Fortin levait un œil discret vers la fenêtre de Célestine. La voyait-il? Pour s'en assurer, elle quitta la fenêtre. Le garçon cessa alors de chanter et entra chez lui. Les soirs suivants, tant que Célestine restait juchée à sa fenêtre, le beau séducteur persistait à gratter sa guitare.

Puis, de soir en soir, les chansons devinrent plus romantiques, plus langoureuses. Il semblait alors à Célestine que le garçon ne chantait que pour elle. Malgré la pénombre, elle aurait juré par l'angle de son visage qu'il gardait les yeux rivés sur elle du début à la fin de ses sérénades.

Après avoir refermé la fenêtre en douceur, Célestine baissa le store et sur la pointe des pieds, retourna à son lit. Pourquoi se laissait-elle ensorceler par les chansons d'amour d'un garçon dont elle ne connaissait que le nom? Dire qu'elle repoussait ceux qui lui contaient fleurette aux Continuations. Célestine ne se reconnaissait plus. Son cœur battait la chamade, mais la nuit aidant, ses paupières eurent tôt fait de gagner la partie

* * *

Les bonnes choses ayant une fin, Célestine dut retourner aux Continuations à contre cœur. Elle espérait que sa mère étire de quelques semaines l'aide à Julie.

Célestine repensait à tous ces soirs qu'elle laissait en arrière, tel un conte de fées passionnant qui se brise trop tôt. Assise sur la banquette arrière de l'auto, absorbée dans ses pensées, la petite rêveuse demeurait silencieuse. Les yeux fermés, la tête appuyée sur sa valise, elle tressaillit aux paroles de Louis :

— Célestine, tu suis toujours ?

Célestine ouvrit les yeux. Dans le rétroviseur, son beau-frère retenait un sourire. Devinait-il ? Comme elle ne voulait rien laisser transparaître de son vague à l'âme, elle engagea une conversation soutenue sur le travail de la ferme qui l'attendait.

Arrivée chez elle, Célestine traînait sa valise et le sac à couches du bébé. Elle n'avait pas sitôt mis un pied sur le perron qu'Hélène vint aux nouvelles.

Célestine lui raconta sa courte visite à Montréal :

— Julie voulait montrer son bébé à Rosemarie. Avant le départ, elle m'avait permis de prendre son vernis à ongles, son rouge à lèvres et de l'eau de toilette. Je sortais toute pimpante. J'étais tellement contente de revoir Rosemarie. Comme de raison, du même coup, je ne pouvais pas éviter tante Sarah. J'ai donc eu droit aux embrassades des sœurs. Quand tante Sarah a vu mon rouge à lèvres, elle a mis son gros doigt sur ma bouche, et en pesant fort, elle l'étendait en disant : « Vanité de vanité, tout n'est que vanité. » Je rageais par en dedans. Je regrette encore de ne pas l'avoir mordue.

Hélène pouffa de rire, Célestine enchaîna.

— En me rendant à la toilette avec le contour des lèvres tout barbouillé, j'ai rencontré deux sœurs. J'avançais, la main sur la bouche pour cacher les dégâts. Tu connais l'obsession de tante Sarah de vouloir faire de nous des sœurs ? Elle radote la même chose à chaque visite. Et bien, quand elle m'a demandé : « Célestine, qu'est-ce que tu feras plus tard ? » J'écrivais au tableau et je n'ai pas tourné la tête d'un poil. Tante Sarah a répété sa question deux fois. Alors j'ai écrit en grosses lettres : « Plus tard, je vais marier un voyou. » Elle s'est tue net. Rosemarie était scandalisée. Tante Sarah apprendra qu'on n'attire pas les mouches avec du vinaigre. Célestine s'informa à son tour de ce qui se passait à la maison.

— Toi, Hélène, as-tu aidé papa durant tout le temps que j'ai passé au Portage ?

— Oui !

— Et ça te va de travailler à l'étable et aux champs ?

— Pas trop.

— Et puis, tu continueras ?

— Je verrai. Tu sais que, pendant ton absence, la grange des Melançon s'est écroulée ?

— Non ! Fallait bien que je parte pour qu'il se passe quelque chose de spécial dans le coin.

— Ça devait arriver, elle était si délabrée. Moi, j'aurais jamais osé mettre un pied dedans. Mais papa dit qu'à côtoyer le danger à cœur de jour, on ne le voit plus.

— C'est arrivé quand ?

— L'après-midi. Monsieur Melançon se trouvait à l'intérieur.

Célestine frissonnait d'horreur.

— Il est mort ?

— Non ! En s'écrasant, la pression d'air a ouvert la porte et l'a projeté au-dehors. C'est ce qui l'a sauvé. Les vaches étaient en pacage. Tous les gens du rang se sont rendus sur les lieux et chacun a promis de donner un coup de main. Papa a offert de garder les bêtes à cornes pendant la reconstruction de la nouvelle grange.

— Garder leurs vaches ? Où ça ?

— Ici même !

— Voyons ! Ça ne se peut pas, il n'y a pas assez de place dans l'étable.

— Tu n'as qu'à aller voir. Toutes les vaches des Melançon sont dans la grange. Les hommes ont installé des entre-deux temporaires et un licou pour chacune. Au début, les Melançon avaient parlé de les attacher dehors pour les traire, mais les jours de pluie causaient des problèmes. C'est pour ça que papa leur a offert de les loger ici.

— Il y en a combien ?

— Douze.

— Wow ! Il doit y avoir beaucoup de travail ?

— Pas plus qu'avant, les Melançon viennent faire leur train matin et soir et, la traite finie, Normand vient m'aider à descendre le foin de la tasserie. Ensuite, il m'aide à écrémer.

Célestine la fixait, la bouche moqueuse.

— Ah ! Le bonheur total, hein Hélène ? Maman te laisse travailler avec le beau Normand sans craindre pour ta pudeur ? C'est vrai que les Melançon ont sa bénédiction depuis belle lurette.

Célestine étirait ses mots.

– Une famille de religieux! Des gens d'Église!

Hélène l'écoutait. Ses narines pincées retenaient un sourire.

Célestine, tout en parlant, remarquait les mains abîmées de sa sœur. Elle les comparait aux siennes. C'était maintenant Hélène qui payait la note. Célestine savait que Normand s'intéressait à sa sœur, mais jamais Hélène ne laissait transparaître un intérêt quelconque pour le garçon.

– Normand Melançon, c'est un parti intéressant, dit Célestine. Il a une belle terre et fait partie d'une bonne famille. Quant à moi, tu peux continuer à traire les vaches avec lui. Je te cède ma place pour de bon, mais maman fait mieux de pas te laisser trop de corde parce que l'occasion fait le larron.

– Ah! Ah! fit Hélène, insultée.

Mathilde appelait:

– Que quelqu'un aille à la boîte aux lettres, j'attends des nouvelles de Rosemarie.

Célestine réagit et courut à son sac à main chercher la lettre que Rosemarie lui avait confiée pour son père.

– Tenez maman, Rosemarie doit avoir pensé que ça irait plus vite en me la remettant, ou peut-être pour ménager un timbre. J'ai bien failli oublier.

Célestine n'avait pas pris garde à l'en-tête. Elle ignorait totalement à qui des deux, les missives étaient habituellement adressées.

Mathilde la réserva pour quand elle serait seule. Elle savait bien que la lettre n'était pas passée par les mains de la mère supérieure, et Mathilde n'approuvait pas cette infraction à la règle. En la glissant dans le tiroir du haut de sa commode, elle lut sur l'enveloppe : « À Émery Gauthier. » Et, en bas, à droite, bien souligné : « Personnel ».

Ce qui intrigua encore plus Mathilde qui pensait : « Julie vient de la voir et tout semblait bien aller. » Elle tournait et retournait la lettre dans ses mains, hésitant à l'ouvrir. Elle leva l'enveloppe blanche vis-à-vis de la fenêtre et essaya de lire à travers le papier. « Impossible », pensa-t-elle. Mathilde rappela Célestine.

– Tu as vu Rosemarie ?

– Oui !

– Comment l'as-tu trouvée ?

– Qu'est-ce que vous voulez dire ?

– Elle n'avait pas l'air malade, ni fatiguée ou inquiète ?

– Je pense que non.

– Est-ce que tante Sarah est restée avec vous, du début à la fin ?

– Non, mais presque.

– Ça veut insinuer quoi, presque ?

– Est-ce que je sais, moi ? répliqua Célestine d'un ton dédaigneux.

– Sois polie avec ta mère. As-tu tout entendu de leur conversation ?

– Qu'est-ce que vous cherchez à savoir ? Rosemarie vous a écrit, vous n'avez qu'à lire sa lettre.

Mathilde hésitait à décacheter l'enveloppe. La lettre devait contenir des cachotteries pour être si mystérieuse et Mathilde avait sa petite idée là-dessus. Rosemarie n'avait jamais su cacher son jeu. Mathilde se retira dans sa chambre et prit soin de bien fermer la porte. Elle lut et relut la lettre de Rosemarie. Une phrase marquait sa décision bien arrêtée de sortir de communauté : « Rien ne pourra me faire changer d'avis, ni la prière ni le fouet. » Mathilde replia la feuille lentement, hésita un moment, puis ouvrit le rond du poêle et la fit disparaître à la flamme d'une allumette. Elle la regardait se consumer se jurant qu'Émery ne saurait jamais. Mathilde ne se sentirait pas plus coupable que lui avec ses manigances.

Le soir, la femme égrena son chapelet distraitement. Elle se promettait de mettre un frein à la complicité entre Émery et ses enfants.

* * *

Pour Célestine, la vie s'arrêtait là. Son corps revenu à la ferme, son cœur était resté au Portage. Toute la sale flopée d'angoisse, d'amertume, d'injustice refaisait surface. Célestine ne savait plus à quoi s'en tenir. Elle se gardait bien de demander l'avis de son père, la réponse risquait de lui déplaire. Hélène ne s'était pas prononcée quand elle lui avait suggéré de continuer le travail à l'étable. C'était peut-être bon signe.

Le lendemain, Hélène se rendit à l'étable pendant que Célestine, aux aguets, faisait semblant de dormir. Satisfaite de céder sa place à sa sœur, Célestine caressa son oreiller et se prélassa un peu comme elle n'avait jamais pu le faire. Célestine entendit un bruit de casseroles. Sa mère, déjà debout, s'affairait dans la cuisine. Célestine sauta du lit et s'attaqua fiévreusement à la besogne. Elle borda les lits, sauf ceux d'Odette et de Virginie qui dormaient encore, et descendit.

En bas, sa mère faisait une tête d'enterrement.

– Vous n'avez pas l'air dans votre assiette, maman !

L'air inaccessible de Mathilde décourageait toute conversation. Célestine insista :

– Vous avez lu la lettre de Rosemarie ?

– Pas un mot là-dessus, toi ! Tu m'entends ?

– O.K, O.K.! Vous pouvez vous recoucher. Je m'occupe du déjeuner.

– Tu ne pourras pas t'en sortir seule.

– Personne ne mourra de faim ici. Fiez-vous sur moi. Je me débrouillais bien chez Julie.

– Surveille Virginie, sinon, elle sautera son repas.

Célestine tenait à se surpasser pour s'exempter le travail à l'étable. En passant devant la fenêtre, elle jeta un œil du côté de l'étable. Les frères Melançon sortaient de la grange et retournaient chez eux à bicyclette. Suivaient Émery et Hélène. Au même moment, Odette et Virginie descendaient déjeuner. Célestine se pressa de mettre les tranches de pain à rôtir.

Tout en savonnant ses mains, Émery s'informa :

– Où est passée ta mère ?

– Couchée ! Elle avait l'air crevée.

– Bon, elle ne va pas être malade maintenant ?

– Craignez rien ! Tout le monde va manger comme si maman était là.

Émery ignora tout de la lettre que Rosemarie lui avait envoyée. Toutefois, il sentait que Mathilde le boudait et quand sa femme prenait son attitude maussade, les questions d'Émery restaient sans réponses. Il fit donc comme si de rien n'était, quitte à passer pour un imbécile.

XXV

Doris ressemblait à Julie, c'était à s'y méprendre. Même lèvre retroussée, même teint clair et peau de pêche. Sauf que Doris, plus fantaisiste, agissait à sa guise, au mépris des convenances. Habituellement, la jumelle affichait un laisser-aller que sa mère considérait comme répréhensible.

Ce jour-là, pour la première fois, Réjean invitait Doris chez ses parents. Mathilde l'habilla de neuf de la tête aux pieds. Doris était radieuse dans un ravissant deux-pièces abricot.

Célestine se pâmait d'admiration devant sa sœur:

– Quand tu y mets du tien, tu es charmante ! Tu feras sensation aux yeux des Gélinas, Doris. Tu veux que j'épile tes sourcils ?

– Non ! Je me sens assez empesée comme c'est là !

– Je t'en enlève juste un petit peu. Ça va adoucir tes traits.

Doris se plaignait et donnait un coup de tête de travers à chaque poil arraché.

Célestine lui chuchota :

– Maman veut que je t'accompagne chez les Gélinas avec Julie et Louis, mais penses-tu que j'ai le goût d'être la cinquième roue du carrosse ?

– Maman ne fait plus confiance à Julie depuis l'histoire de ses relevailles. Viens donc ! Sinon, maman ne voudra jamais que j'y aille.

– Quand même ! À ton âge !

– Nous reviendrons tôt. Dis oui !

– Ça me gêne d'aller chez les Gélinas, fit Célestine. Tu nous vois toutes les filles Gauthier à tes trousses. Des fois, maman a de ces idées ! Julie te surveillera.

– Je n'ai pas besoin d'être surveillée !

Le cœur gros, Doris regardait sa toilette neuve comme si elle était devenue inutile. Célestine en eut pitié.

– O.K. ! Tu as gagné, mais tu me dois un gros merci parce que je te le répète, ça me déplaît. Compte-toi chanceuse d'avoir une sœur qui a l'esprit de sacrifice.

Doris lui en sut gré. Son entrain lui revint aussitôt.

– Je te revaudrai ça. Je te le jure !

* * *

Madame Gélinas était une extravagante. Elle étreignit les filles sur sa poitrine, tandis que monsieur se contenta de serrer les mains. La petite Louise dans ses bras, l'homme souriait affablement. Cette bienveillance s'expliquait, pensait Doris, par son statut social. Le grand-père était reconnu comme très tolérant devant les caprices de Louise qu'il adorait. La maison jouissait de l'aide de deux domestiques réglées comme des horloges. L'une d'elles cuisinait, l'autre servait et desservait. Le repas fut des plus animés. Entre chien et loup, Julie et sa petite famille allaient se retirer quand Réjean invita Doris à visiter son étude. Célestine se désista :

– Allez-y seuls. Je vais aider Julie à donner le bain au bébé.

Julie, plus vigilante, craignit que sa sœur compromette sa réputation. Tout le châtiment retomberait alors sur ses épaules.

– Tu sais ce que maman en penserait, Doris ?

Doris ne se laissa pas déconcerter aussi facilement. Pourquoi s'embarrasser de scrupules ? Elle s'arrangerait bien avec sa conscience. Après tout, Julie ne savait pas où en était sa vie sentimentale.

Doris lança un « À tantôt ! » qui ne reçut aucun écho. Elle se tourna vers Réjean.

Le garçon l'attendait contre la porte, les mains dans les poches. En ce moment, rien ni personne, à part lui, n'était important pour Doris. Elle se retrouvait enfin libre d'agir en toute liberté. Adieu les préoccupations obsédantes et les préjugés encombrants de sa mère.

Sitôt à l'extérieur, Réjean tira sa main et se mit à courir. Doris s'amusait de son audace. Un enthousiasme tout nouveau les menait.

Dans la longue allée bordée de fleurs, reliant la maison à la rue, le couple s'arrêta. Réjean brisa une pivoine rose et la glissa au chemisier de Doris. Ils reprirent leur course effrénée. Les lampadaires de la rue reflétaient une clarté artificielle sur les façades des maisons devant lesquelles, deux silhouettes animaient un jeu d'ombres et lumières.

Ils s'immobilisèrent brusquement au boulevard de l'Ange-Gardien où un trafic intense les intercepta. Doris, essoufflée, respirait par à-coups. Mal à l'aise dans ses souliers fins, elle se déchaussa. À la première éclaircie, les amoureux traversèrent la rue en courant. Doris, aussi légère qu'un ballon gonflé à l'hélium, se sentait emportée comme dans un tourbillon. Deux rues plus loin, Réjean s'arrêta net.

– Regarde, c'est là!

Sous le porche, Doris, hors d'haleine, présenta un pied nu et un soulier à Réjean. Celui-ci se contenta de caresser la cheville.

– Qu'est-ce qui presse tant? Je te chausserai tantôt.

Il poussa Doris jusqu'au portique et verrouilla de l'intérieur. Exténués, les jouvenceaux se laissèrent choir lourdement dans un fauteuil et éclatèrent de rire comme deux enfants.

Réjean laissa Doris seule et, sans raison apparente, traversa un moment dans la pièce d'à côté.

Doris était fébrile. Depuis un an que Réjean la fréquentait et pas une fois elle ne s'était retrouvée seule avec lui. Une crainte subite, une peur irraisonnée la tiraillait. Elle se mit à claquer des dents. L'envie de se sauver lui vint, mais son intention était de parler sérieusement à Réjean. Se dégonfler signifiait pour elle se déclarer vaincue. L'occasion ne se représenterait plus. Après tout, Doris était là de son plein gré et elle aimait Réjean éperdument.

La jeune fille regardait les meubles disposés avec goût. Une table basse, recouverte d'une épaisse vitre, un cendrier en fer forgé et deux fauteuils verts à dossier haut meublaient agréablement les lieux. Des stores vénitiens ornaient trois étroites fenêtres aux encadrements de chêne.

Après quelques éloges sur le mobilier, Doris traversa à la pièce voisine où des casiers tapissaient un mur complet. Ils contenaient des centaines d'actes notariés : testaments, procès-verbaux, mainlevées, billets à ordre, certificats, tous répertoriés par ordre alphabétique. Une table et trois fauteuils de cuir tan, y étaient centrés. Doris, impressionnée, s'arrêtait à chaque détail, examinait, interrogeait. Réjean, évasif, ne répondait qu'à une question sur deux. Il lui caressa la nuque. Doris sentit ses jambes mollir d'émotion. Réjean la regardait avec convoitise. De sa belle main de maître, il tourna le menton rond vers lui et l'embrassa sur la bouche. Doris dut faire un effort surhumain pour le repousser avec un tendre sourire.

Doris était une originale et, pour elle, être une originale voulait dire être soi. Doris ne faisait rien comme les autres. Elle demanda Réjean en mariage et il accepta d'emblée. Il la serra passionnément contre lui et, Doris, inconsciente de ce qui pouvait s'ensuivre, s'abandonna, langoureuse.

Après une longue étreinte, Réjean couvrit de baisers son cou, ses bras, chaque coin de peau à découvert. Ce jour-là, l'occasion de se retrouver seuls était trop belle pour ne pas en profiter. Depuis le temps que Réjean désirait Doris, cette obsession lui ôtait jusqu'au sommeil. Les amoureux ne se rassasiaient pas. Leur passion atteignit un rare degré de frénésie.

Le temps filait. Doris dut se dégager de son étreinte. Réjean la souleva de terre, l'assit sur son pupitre et prit place à ses côtés. Leurs jambes pendaient dans le vide. Doris appuya sa tête sur l'épaule de son amoureux.

— Maintenant, Réjean, tous nos rêves sont possibles. Pourtant, j'ai peur de me réveiller brutalement.

Comme Réjean recommençait à l'embrasser, Doris sauta sur ses pieds.

— Dix heures ! dit-elle. Julie va se poser des questions. Partons !

— Avant, dit-il, nous allons jouer à « tu gèles, tu brûles ».

Réjean avait caché ses souliers. Une course effrénée commença. Ils s'échappaient, se rattrapaient, s'embrassaient se distançaient. Recrue, Doris capitula.

Au retour, Doris raconta à Réjean l'histoire de sa première lettre, découverte par Hélène. Réjean la regardait si amoureusement que Doris se demandait s'il l'écoutait.

XXVI

Julien avait le goût de rester couché, de sécher le prochain cours, mais ce mercredi, les étudiants de la faculté de médecine devaient tous assister à l'autopsie d'un cadavre. Les questions d'examens porteraient sur cette matière.

Sept heures! Julien s'étirait en bâillant. L'œil méchant, à tous les instants, il toisait le réveil. Après maintes hésitations, Julien, indolent, se leva, mit l'eau à bouillir pour le café et deux tranches de pain à griller. La radio annonçait de la pluie pour toute la journée. L'étudiant regarda sa paillasse si invitante. «Merde! Une vraie journée pour dormir. Si je demandais les notes d'un confrère, je pourrais me recoucher. Et puis non!» La crainte de couler son examen l'en empêcha. Julien remonta le store. Dehors, les gouttières vomissaient leur trop-plein d'eau, qui ruisselait sur les trottoirs.

Debout, devant la glace, le garçon se questionnait sur son charme. Il trouvait ses sourcils trop arqués, son teint mat et ses lèvres exagérément épaisses. Enfin, pourquoi s'en faire? Il lui fallait passer le reste de sa vie avec ces anomalies et, ce matin, le cadavre se fichera bien de sa tête.

Tout s'animait autour. Des bruits de talons martelaient les escaliers. Sur le trottoir, les pas se faisaient plus pressés. Dans la rue, des autos klaxonnaient.

Julien, frais rasé, enfila son imperméable, rassembla des feuilles blanches, qu'il déposa dans son porte-document et sortit en emportant le tout.

Dans le couloir, de jeunes enfants s'amusaient, comme tous les jours de pluie. De leur appartement, les mères les gardaient à l'œil par les portes restées ouvertes. Julien les contourna. Le portique était rempli de gens qui laissaient passer, le plus fort de l'ondée. Julien fendit le groupe, remonta son imper sur sa tête et courut pour attraper le tramway. À la première occasion, il achèterait un parapluie. À l'université, une cinquantaine d'étudiants assistaient à la dissection. Parmi eux, une étudiante dévisageait Julien. Elle était grande et jolie avec son petit nez retroussé et ses boucles blondes. Son maintien dégagé dénotait une certaine assurance. Malgré la défense de se déplacer pendant les cours, la fille se faufila furtivement sur la pointe des pieds jusqu'à ce qu'elle se retrouve près de Julien. À la sortie de la salle, elle lui demanda d'une voix assurée :

– Nous dînons ensemble ?

Julien, un peu étonné qu'une fille lui fasse des avances, accepta l'invitation. Après tout, ça ne l'engageait à rien. Ils filèrent à la cafétéria. Toutes les tables étaient occupées.

Julien chargea une assiette de deux saucisses, d'une patate, et piqua un cornichon pour ajouter un peu de saveur. Il s'engagea dans le corridor et s'assit dans l'escalier, les pieds sur le nez de la plus basse marche. Il réussit tant bien que mal à stabiliser son assiette sur ses genoux. Marie-Paule l'imita. Des étudiants pressés descendaient en trombe. Chaque fois, Julien et Marie-Paule devaient rentrer les coudes.

– Ça me fait penser à quand nous étions petits, dit Julien. Quand maman recevait de la visite, elle nous forçait à manger dans les marches. C'était à qui s'en sauverait.

– Chez nous aussi ça se passait de même avec les cousins, mais il y avait moins de trafic qu'ici.

L'heure du dîner passa rapidement. La fille insista pour revoir Julien. Marie-Paule venait de Joliette. Ils convinrent de prendre le même autobus les fins de semaine.

Au retour, Julien se pressait sous la pluie. Il avait l'impression que quelqu'un le talonnait. Dans la mêlée, il n'y prêta aucune attention. Arrivée à sa hauteur, une jeune fille, qui prenait régulièrement le tramway, le couvrit de la moitié de son parapluie. Julien lui sourit et posa sa main sur la sienne pour soulever le petit abri de toile à sa hauteur. Dans le tram, ils s'assirent sur la même banquette et causèrent de banalités.

En rentrant chez lui, Julien sifflait en pensant: « Deux, le même jour. Ce que je peux plaire ! » Puis il compta ses maigres économies.

Julien ne disposait pas d'un sou pour amener une fille dans un café où au théâtre. Il pensa à un travail de soir. Peut-être, pourrait-il remplacer quelques étudiants qui conduisaient des taxis, où encore quêter de l'argent à ses parents comme il le faisait au besoin ?

Julien revit régulièrement la fille du tram. Les conversations s'étiraient. Louisette venait de L'Isle-aux-Coudres et travaillait dans une maison de haute couture. Le soir, elle suivait des cours de violon. Elle aussi s'ennuyait. Julien lui expliqua sa situation précaire.

– Ça achève ! dit-il. L'an prochain, en tant qu'interne, j'aurai droit à un salaire. Ce ne sera pas un luxe. Par contre, je serai souvent de garde la nuit.

Louisette l'invita gentiment à prendre le café chez elle et Julien accepta à la condition que ce soit, chacun son tour.

* * *

Le temps des vacances approchait, Julien ramassait son butin et l'entassait derrière la porte de l'entrée quand un coup de sonnette retentit. Il courut ouvrir.

– Louisette ? Quelle belle surprise ! Viens t'asseoir !

Louisette restait debout, le regard horriblement triste, figé sur l'amoncellement de sacs. Julien s'en allait. Elle qui pensait être capable de le retenir. D'un coup, elle sentit son amour diminué au rang d'une simple amitié. Julien ne l'aimait pas, c'était clair. La déception lui nouait la gorge. Louisette écourta sa visite. Pourquoi Julien ne la retenait-il pas ?

Julien, qui ne voyait en Louisette qu'une bonne amie, devint songeur. N'y avait-il pas un peu plus que de l'amitié dans ce sourire charmeur autant que dans cette mélancolie du départ ? Soit que Louisette l'aimait soit qu'elle redoutait très fort la solitude. Julien avait toujours profité de son amitié sans se poser de questions sur ses sentiments. À bien y penser, il n'éprouvait qu'une solide amitié pour cette fille.

Avant son départ, il promit de lui rendre visite pendant les vacances d'été.

Louisette s'était habituée aux allers et retours de Julien. Maintenant, elle en serait privée. Julien s'était rendu chez elle presque chaque soir. Ensemble, ils avaient fait de longues promenades à pied. Elle avait presque toujours un bon dessert pour lui et personne n'avait tenu parole sur le «chacun son tour». Louisette devait maintenant réapprendre à vivre seule, comme une veuve.

Julien était épuisé. Sa dernière année d'étude lui avait demandé d'énormes efforts. Il regrettait de laisser Louisette derrière lui, mais il avait grand besoin de l'air de la campagne pour refaire le plein. Il était devenu presque un étranger pour ses frères et sœurs. Il y avait aussi les dîners du dimanche qui lui manquaient terriblement, avec le bon ragoût de pattes, les immenses plats de veau relevés d'une petite sauce délicate et le sucre à la crème de sa mère que jamais personne ne pourrait égaler. Il sentait ses forces revenir rien que d'y penser.

La sonnette vibrait à nouveau. Julien était certain que Louisette revenait le cœur plein de remords de son départ précipité.

Il s'empressa d'ouvrir:

– Marie-Paule?

– En personne!

Comme Louisette, Marie-Paule regardait, déçue, les sacs et les valises entassés contre la porte.

– Tu pars?

– Oui! Comme à chaque fin d'année. Ça te surprend?

Pourquoi cette fille venait-elle le relancer chez lui, dans une telle élégance? Cette robe écossaise, à col de fine dentelle, n'était, à ses yeux, qu'un étalage de son aisance.

Marie-Paule était grande, elle le dépassait presque d'une tête, très jolie certes, mais trop sûre d'elle.

— Tu ne m'offres pas de m'asseoir ? dit-elle.

Julien libéra une chaise.

— Tiens ! Assieds-toi là. Que me vaut l'honneur de ta visite ?

Tout en parlant, elle donnait de petits coups de tête qui faisaient valser ses bouclettes.

— Oh ! Les grands mots, Julien. Je te croyais plus simple. Je viens seulement faire une petite saucette d'amitié, juste comme ça, en passant.

— Je n'ai pas grand-chose à t'offrir, mais si tu veux un café ?

La visiteuse approcha sa chaise de la table et y appuya les coudes.

— Est-ce que tu travailleras cet été ?

— J'aiderai mes parents à la ferme.

— Je pensais toujours que nous nous reverrions. Tu te souviens, nous avions parlé de voyager ensemble ?

— Eh oui ! Mais je ne suis pas retourné chez mes parents depuis. J'étudiais.

— Tu devais bien avoir des distractions. J'espérais toujours te voir au café. C'est bien important de te détendre, Julien, si tu ne veux pas devenir fou.

— Et toi, tu fais quoi, à part étudier ?

— Moi, je ne me casse pas la tête. Pour être franche, je fréquente l'université parce que c'est le meilleur endroit pour rencontrer des professionnels, alors les études !

Le visage de Julien s'allongea. «Quelle drôle de fille! S'acheter un mari!» Marie-Paule baissait dans son estime. Il marmonna, non convaincu:

— C'est une idée comme une autre.

— Tu sais que c'est le moyen le plus efficace? Et je ne suis pas la seule à y avoir pensé.

C'était assez direct. Julien débarrassa la table des tasses vides. Il n'espérait qu'une chose, que Marie-Paule s'en aille au plus tôt. Son petit manège ne marcherait pas avec lui.

— Tu as une amie de cœur?

— Non!

Elle lui sourit faussement.

— Menteur! Je t'ai vu la semaine dernière au magasin Dupuis Frères avec une fille. Une drôle de fille.

— Pourquoi drôle?

— Je disais ça juste de même, mais il me semble que tu mérites mieux, Julien.

La fille se leva et colla son corps contre celui de Julien. Ses frisettes blondes caressaient la joue du jeune homme. L'odeur de son parfum enivrait Julien. Marie-Paule faisait tout en son pouvoir pour le charmer. Julien se ressaisit et recula d'un pas. Cette fille avait tout pour elle, sauf l'intelligence.

Julien insista sur sa dernière remarque:

— Il te semble que je mérite mieux que…

— Oublie ça! Je veux dire que je la trouve… disons, simplette, ou plutôt, juste ordinaire.

— J'ai toujours eu une petite préférence pour les filles ordinaires. Les matières plastiques me laissent plutôt froid. Excuse-moi, comme tu entrais, j'allais faire un appel dans une cabine téléphonique.

Julien tenait la poignée de porte en attendant que Marie-Paule sorte.

Elle se leva.

– Est-ce qu'on se reverra aux vacances? dit-elle. Comme nous demeurons dans le même coin, ce serait agréable.

– Laisse-moi ton numéro de téléphone, je te ferai signe.

Il lui tendit un bout de papier. Marie-Paule, incrédule, regarda Julien. Le garçon ne semblait pas s'intéresser à elle, mais elle ne se comptait pas pour battue. Elle griffonna rapidement un numéro et se retira.

Julien jeta la petite feuille à la poubelle. « Être si belle et si sotte. Dommage », pensa-t-il.

XXVII

Rosemarie frappa délicatement deux petits coups à la porte du bureau. Son directeur de conscience la pria d'entrer et l'invita à s'asseoir. Une longue et forte barbe cachait le bas sa figure. Deux yeux perçants regardaient la jeune religieuse et lui causaient une certaine gêne. L'homme dut s'en apercevoir. Il détourna la vue vers le coupe-papier qu'il tenait en main.

Rosemarie s'était bien promis de lui parler à cœur ouvert de son départ forcé de la maison et de sa vie en communauté qu'elle ne pouvait plus supporter. Intimidée par cet homme qui ressemblait à un patriarche biblique, la petite nonne coupa au plus pressé, balayant du coup toutes les phrases cérémonieuses longuement préparées.

– Je ne suis pas certaine d'être à ma place ici, osa-t-elle, craintive.

Le père lui répondit, implacable :

– Vous n'êtes pas certaine ? Alors, restez-y mon enfant !

C'était mal parti. La petite sœur sursauta aux paroles qui s'échappaient du centre de la barbe grise.

Rosemarie serrait les appuie-bras du fauteuil au point de les faire craquer. Non, il ne la maîtriserait pas. La provocation du jésuite l'incita à résister. La douce

Rosemarie se transformait, s'envenimait face à ce personnage arrogant et, dans une attitude mi-attaque, mi-défense, elle leva le ton, scandant bien chaque syllabe.

– Je vais partir d'ici, dit-elle, et le plus vite possible. Je comptais sur votre appui, mais je me suis trompée.

Elle se leva.

Le jésuite se fit plus conciliant:

– Asseyez-vous, dit-il. Si vous savez ce que vous voulez, c'est autre chose. Alors, où se situe le problème?

Rosemarie, qui s'était toujours inclinée devant l'autorité, gardait maintenant la tête haute et la voix ferme.

– J'ai écrit à mon père à ce sujet et il ne m'a pas répondu. Ça ne lui ressemble pas. Je n'ai jamais su si la lettre s'est rendue ou si ma mère l'a interceptée. Maman m'a forcée à entrer en religion. Maintenant, ce sont les religieuses qui me retiennent, en particulier mes deux tantes.

Le père jésuite s'informa:

– Avez-vous prononcé des vœux?

– Des vœux temporaires, oui! Mais j'ai toujours retardé mes vœux perpétuels. Chaque année, je décevais mes tantes et j'en avais pour un mois à supporter leurs remontrances.

Le prêtre l'écoutait avec attention.

– Vous allez écrire de nouveau à votre père, fit-il. Cette fois, vous adresserez la lettre au curé de votre paroisse. Installez-vous ici. Je prends sur moi d'y ajouter un mot et de la faire suivre. Au cas où les mêmes événements se reproduiraient, faites-moi-le savoir. Entre-temps, vous pouvez m'écrire, si vous le désirez, pour me tenir au courant du suivi.

– C'est inutile, mon père, toutes les lettres sont lues par la mère supérieure.

– Bon, bon! Dans un mois, je passerai voir si vous êtes encore ici. Nous verrons alors où en sont les choses. Allez!

Rosemarie se hâta d'écrire une courte lettre qu'elle lui remit. Son cœur battait la délivrance prochaine. Après un court merci, elle ajouta:

– Je ne pourrai pas attendre un mois, je me sauverai avant.

Le père lui conseilla de ne rien précipiter et de suivre les étapes qui la mèneraient dignement à son but.

* * *

Dans sa chambrette, toutes lumières éteintes, Rosemarie n'arrivait pas à fermer l'œil. Elle ressassait toutes les hypothèses possibles. Quelle réaction aurait sa mère? Lui pardonnerait-elle de contrer sa volonté ou lui en tiendrait-elle rigueur pour le restant de ses jours?

Après huit longues années séparée des siens, la religieuse avait-elle encore des droits? Elle se considérait comme une étrangère qui mendiait un toit à ses parents. Rosemarie s'attrista, se sentant si peu de chose. Toutefois, elle comptait sur le soutien de son père, presque certaine qu'il lui ouvrirait sa maison. Un peu de courage lui revint et son instinct lui disait qu'elle passerait à travers cette transition difficile. Peut-être encore une semaine ou deux et elle serait à la maison. La petite cellule murée de rideaux blancs lui paraissait déjà désuète. L'obsession du retour ne la lâcha plus. Vivre avec les siens, aider à la maison, peut-être se marier et fonder une famille. Gênée de penser ainsi, Rosemarie ferma les yeux.

* * *

Tout s'acharnait à contrecarrer les plans de Mathilde.

Célestine commençait une nouvelle année dans un pensionnat de Montréal. Contrairement à l'année précédente, tout allait de travers. Célestine avait passé outre sa dixième année, compte tenu des bonnes notes de sa neuvième. En septembre, les élèves révisaient l'année précédente pour se rafraîchir la mémoire, à raison d'une vingtaine de pages par soir, et ce, dans presque toutes les matières. Les symboles chimiques filaient dans une course effrénée. Célestine voulait tout apprendre par cœur, chose impossible, n'ayant rien vu de tout ça auparavant. Comme elle n'y arrivait pas, la jeune fille se révoltait. Elle avisa sa titulaire et ajouta :

– Je veux m'en retourner chez moi.

La sœur se contentait de sourire. Il lui fallait se taire pour ne pas ébruiter qu'une élève avait sauté une classe. La situation aurait pu prendre des proportions et devenir une épidémie.

Célestine, habituée d'être au premier rang, se sentait anéantie. Elle croyait que toute son année serait chargée comme le premier mois et elle n'était pas disposée à traîner la queue de sa classe. Dégoûtée, elle téléphona à sa mère.

– Je ne suis pas capable de suivre les autres. Ça va trop vite pour moi. Tant qu'à perdre mon temps à niaiser, je veux retourner à la maison. Venez me chercher !

– Mais non, l'encourageait sa mère, ça va se tasser. Mets-y le temps.

Le temps, de toute façon, Célestine le perdait et la vie de couventine lui déplaisait.

Elle retourna à sa classe et, butée dans son intention de partir, Célestine coucha sa tête sur son pupitre. Une boule se formait dans sa gorge et bouder l'empêchait de pleurer. Elle ne sortit ni livre ni cahier et ne revêtit pas son couvre-tout, règlement obligatoire.

Sœur Rose-de-Lima la rappela à l'ordre et Célestine fit la sourde oreille. La titulaire l'expédia donc à la supérieure.

Lentement, Célestine se leva, sans se presser, quitta la classe en douceur et se dirigea vers les toilettes. Devant le miroir, elle se donna un coup de peigne. Comme les élèves ne devaient pas traîner seules dans le couvent, elle continua chez la directrice en longeant le grand corridor. À la dernière porte, elle frappa doucement.

– Entrez !

Célestine, bravade avança et s'exclama :

– Sœur Rose-de-Lima m'envoie ici.

– Et pour quelle raison ?

– Parce que je ne veux rien faire.

– Ici, nous ne gardons que les élèves qui veulent travailler, mademoiselle Gauthier.

– C'est ça aussi ! Je veux m'en aller.

Sœur supérieure lui parla de l'importance de l'étude et de l'obéissance à la règle.

– Plus tard, si des garçons instruits se présentent, vous regretterez de ne pas être à la hauteur.

Nonchalante, écœurée, l'élève se tenait debout sur une jambe, les bras croisés.

La supérieure prit un ton glacial :

– Ici, mademoiselle Gauthier, nous apprenons aux jeunes filles à bien se tenir.

Célestine fit la sourde. Pour elle, démontrer une certaine souplesse signifiait flancher.

La sœur insista, l'air offensé :

– Mademoiselle Gauthier, tenez-vous sur vos deux jambes.

La sœur supérieure regardait l'élève droit dans les yeux et Célestine soutenait son regard.

– Baissez vos yeux.

Célestine les baissa.

– Asseyez-vous maintenant.

Célestine s'assit croisant inconsciemment les jambes et les bras.

– Quel laisse-aller ! Décroisez vos jambes et vos bras.

Célestine obéit lentement, feignant l'indifférence. Assise, la tête haute, les genoux collés l'un contre l'autre, elle fixait des yeux, les mains fripées de la supérieure.

Pour elle, les religieuses n'avaient aucune sensibilité, sauf Rosemarie, qui était humaine. Partie dans ses pensées, Célestine fit une évaluation des qualités et défauts de chaque religieuse qu'elle côtoyait à cœur de jour.

– Mademoiselle Gauthier... ma-de-moi-sel-le Gau-thier ?

Célestine sursauta, leva les yeux sur la supérieure et les rabaissa aussitôt. Ses pensées vagabondes l'avaient soustraite au deuxième épisode du jugement, que Célestine supposait superflu.

La supérieure s'aperçut que l'adolescente n'avait pas écouté un mot de ses remontrances. Debout droite et raide, elle lui ordonna en ouvrant la porte :

– Allez prier à la chapelle et demandez au Bon Dieu de vous mettre du plomb là-dedans.

La sœur frappait de l'index la tête de Célestine. Comme son éducation l'obligeait, la jeune fille remercia la supérieure, même si elle trouvait ce merci obligé tout simplement ridicule.

Célestine traînait les pieds sur le plancher de bois doré. Elle lambinait en longeant le bel escalier. Les marches, usées par les ans, se creusaient au centre, là, où les élèves posaient le pied. Les escaliers fascinaient Célestine. Pour elle, c'étaient des reliques, témoins de mille faits. Chaque maison en possédait une différente et chacune avait son charme particulier. Sa main s'amusait à caresser le bois adouci par le temps. Célestine se promettait d'en avoir une, bien en évidence, dans sa propre maison.

Arrivée à la chapelle, elle referma la porte en douceur, sur ses talons. À l'intérieur, tout était sombre et reposant. Les cierges allumés dégageaient une bonne odeur de cire. Célestine s'assit dans le dernier banc sans faire de bruit pour passer inaperçue.

Une religieuse était agenouillée dans le premier banc. Une autre entrait. Célestine entendait des grains de chapelet qui émettaient un petit bruit sec en se touchant jusqu'à ce que la sœur s'arrête dans un banc. De dos, elles se ressemblaient toutes. Impossible de les reconnaître ou de leur donner d'âge. Pendant que les sœurs priaient, Célestine rêvait.

Oui, elle aurait un bel escalier dans sa maison, ainsi que de belles portes à carreaux vitrés entre le salon et la cuisine, comme dans le temps, à Sacré-Cœur. Elle aurait aussi un berceau, un berceau blanc. Qu'il lui était doux de rêver ainsi.

Quand l'ennui la prenait, Célestine s'évadait de sa condition par le rêve et l'imagination. Elle se forgeait des chimères qui satisfaisaient ses aspirations.

Deux heures plus tard, au réfectoire, la place de Célestine était vacante. La responsable la fit rechercher par quelques élèves. Elle demeura introuvable jusqu'à ce que la rumeur parvienne aux oreilles de la supérieure.

— Je tiens à ce qu'on m'avise dès que vous la retrouverez, ordonna la supérieure.

À la chapelle, Célestine sursauta à une brusque poussée d'Éliane Delorme. Ses beaux rêves à peine commencés se changeaient en une pénible réalité.

— Qu'est-ce que tu fais ici ? Tout le monde t'attend au réfectoire.

— Je prie.

— Arrive, suis-moi ! Tu n'as pas faim ?

Célestine suivit Éliane et lui raconta tout.

* * *

Devant l'entêtement de Célestine, la mère supérieure téléphona chez les Gauthier.

Émery répondit. Il écoutait sans aucune expression, sans un mot. Mathilde se demandait s'il tenait quelqu'un au bout de la ligne. Finalement, après un temps indéfinissable, Émery émergea de son silence :

— Nous tâcherons d'y aller, dit-il d'une voix égale.

La mère supérieure n'estimait pas sa réponse évasive.

— Et quand tâcherez-vous de venir ?

— Bientôt, oui, bientôt !

Quelle sorte de père pouvait avoir cette élève indisciplinée ? En tout cas, pas mieux que sa fille. La religieuse en attendait davantage des parents. Elle demanda donc à parler à madame Gauthier.

Mathilde, mécontente de la conduite de sa fille craignait en plus que des écornifleux écoutent leur conversation. Ils étaient onze familles à se partager la même ligne téléphonique et souvent pendant les appels, on entendait des écouteurs se décrocher. L'orgueil de Mathilde en prenait un coup.

Elle promit à la religieuse de se rendre au couvent le jour même, ce qui coupa court à l'appel, à son grand soulagement.

* * *

Demandée au parloir, Célestine se hâtait, toute joyeuse qu'on vienne enfin la chercher pour la ramener à la maison.

En arrivant devant la porte, elle stoppa brusquement. Julien causait avec sa mère et la supérieure. « Pas lui ! » Elle comprit qu'elle ne s'en sortirait pas aussi facilement. La supérieure avertit Madame Gauthier que sa fille avait un sérieux problème de comportement.

Mathilde, le visage fermé, ne parlait pas, mais son silence faisait plus mal à Célestine, qu'un flot de reproches. Julien parlait pour deux. Il étala ses dons de prédicateur devant la supérieure pendant un temps indéterminé.

Finalement, Mathilde implora la religieuse, en appuyant sur les hautes notes de Célestine, l'année précédente. Finalement, la mère reconnut qu'elle avait eu tort de faire sauter une classe à sa fille. Il fut donc convenu que Célestine retournerait en dixième avec ses anciennes compagnes.

Célestine s'excusa de son insolence. Sa mère, soulagée, la ramena à la maison pour la fin de semaine.

* * *

Émery profita de la visite de Célestine pour blanchir l'étable.

Le facteur passait. Célestine accourut, ouvrit la boîte aux lettres et trouva deux enveloppes.

– La beige est à maman. Ça ressemble au chèque d'allocation, et l'autre pour… moi ?

Faute de temps, Célestine déboutonna son chemisier, y glissa la lettre et reboutonna aussitôt. Dans la cuisine, elle tendit l'enveloppe beige à sa mère et garda le silence sur l'autre.

Le déjeuner était animé. Seule Célestine ne portait aucun intérêt à la conversation. L'écriture était bien celle d'un garçon. Le chanteur du Portage avait-il pu lui écrire ? Qui sait ! Il aurait peut-être demandé l'adresse à Louis. Était-elle en train de se monter un bateau ? La lettre était sans doute oblitérée, mais Célestine n'avait pas pris le temps de regarder de quel endroit et elle le regrettait. Quelqu'un lui avait bien écrit, pourtant.

– Tu ne manges pas ? lui dit sa mère.

Célestine sursauta et rapprocha son assiette.

– Oui !

Elle essaya d'oublier un moment. Il lui fallait prendre un bon déjeuner avant d'entreprendre son travail. Elle tartina ses rôties de marmelade et lança une invitation :

– Si tout le monde donnait un coup de main, dans une heure, tout serait fini. Aux bâtiments, tout est prêt : la chaux, les pinceaux et un grand balai pour enlever les fils d'araignées.

Personne ne répondit.

– Moi j'irai, dit Hélène, mais seulement si tu me montres la lettre que tu caches sous ta blouse.

– Quelle lettre ?

– N'essaie pas de nier, je la vois à travers le tissu.

Elle la toucha de la main.

Célestine se redressa et répondit en souriant :

– Cette lettre m'est adressée et je plains qui voudra me l'enlever. Faudra me marcher sur le corps.

Célestine était prête à tout pour protéger son bien. Personne n'insista. Mathilde affrontait de moins en moins cette tête de mule.

Célestine suivit son père à l'étable. Heureusement, peinturer l'amusait. Vers le milieu de l'avant-midi, Émery se rendit à la maison chercher deux pommes et, comme il avait l'habitude de s'y asseoir un peu, le temps de boire un grand verre d'eau, Célestine l'attendit, assise sur un petit banc à vache. Les portes de l'étable étaient toutes grandes ouvertes. De là, elle pouvait voir son père sortir de la maison. Elle prit la lettre dans ses mains blanches de chaux, l'ouvrit et commença à lire par la toute fin. C'était signé : « Paul Quentin. »

— Yark !

Célestine souriait. En même temps, elle était déçue.

Elle la lut tout de même au complet. Derrière elle, Hélène, légère comme une mouche, était entrée par la porte de la soue et lisait par-dessus son épaule. Célestine, qui se croyait seule, sursauta quand sa sœur toussota pour s'annoncer.

— Ouf ! Tu m'as fait peur. Tu es là depuis longtemps ?

— Non ! Ta lettre, c'est de Paul Quentin ? Tu les prends vieux !

— Tu parles ! Il a presque deux fois mon âge. Je ne sais pas ce qu'ils ont tous ces Quentin à me coller après. On dirait que c'est contagieux. Tiens ! Lis ça !

— Tu vas lui répondre ? Une si belle lettre d'amour exige une réponse.

— Certain que je vais lui répondre. De mon côté, le cœur me débat comme une patate dans l'eau bouillante.

Les filles éclatèrent de rire. Célestine se leva et déchira la lettre qu'elle lançait en petits morceaux sur le tas de fumier.

— Paul Quentin aura au moins réussi à nous faire rire.

Célestine redevint sérieuse.

— J'aurais aimé qu'elle vienne de quelqu'un d'autre.

— Qui d'autre ?

— Je ne sais pas, de quelqu'un qui me plairait.

— Comme qui ? Parle !

– Maintenant que tu as lu ma lettre, tu m'aides à chauler l'étable ? Tu l'avais promis.

– Comme tu achèves, ça ne vaut pas la peine de me salir, mais je vais rester à jaser avec toi.

– Et si moi, je te salissais ?

Célestine, le pinceau à la main courut derrière Hélène, jusqu'à la maison où toutes deux entrèrent essoufflées.

– Reposez-vous donc, dit Émery. Vous serez capable de travailler quand ce sera le temps.

Célestine regarda Julien, Guillaume et Marc, assis à ne rien faire. Entre deux souffles rapides, elle donna la réplique à son père :

– Il y en a qui se reposent ici, ils pourront prendre la relève.

Julien détourna la conversation. Il demanda la voiture à son père.

– Faudrait que quelqu'un vienne me conduire à l'autobus pour une heure et revienne me reprendre à sept heures.

C'était le moment de vérité. Personne ne savait que Julien avait une copine. Il l'amenait à la campagne pour la fin de semaine.

Mathilde décida que Célestine servirait de chaperon pendant le voyage, mais celle-ci refusa net :

– Non, ça ne me tente pas.

– Tu peux rendre service à ton frère ?

– Je peux, mais je ne veux pas.

Elle brava sa mère, faisant la morale à son tour.

– Je trouve qu'il y a assez de travail à faire ici sans que les garçons nous ramènent de la visite en plus. Ils feraient mieux d'aider à blanchir l'étable.

Ça ne réussit pas. Tout le monde, sauf Julien, souriait. Mathilde ajouta :

— Odette ira.

Julien retenait un sourire :

— Ce n'est pas nécessaire maman, j'irai seul.

— Ce ne serait pas convenable, vous n'êtes pas mariés.

— Inquiétez-vous pas, maman. Louisette n'est qu'une copine.

— Elle a l'air de quoi, ta copine ? s'enquit Célestine.

— Tu verras ! dit Julien en souriant.

— Je veux y aller, moi, suppliait Odette.

C'était un voyage tentant pour la fillette qui ne connaissait pas la ville. En plus, quel plaisir ce serait pour elle de manger au restaurant. Elle insista tant et si bien que Julien accepta.

Célestine cherchait à prendre sa revanche. Elle regardait Julien, droit dans les yeux et en même temps demandait à sa mère :

— Maman, vous acceptez que Louisette couche ici ?

Les rôles étaient inversés. C'était maintenant Célestine qui faisait la morale.

Mathilde n'en fit aucun cas. Elle avertit Hélène :

— Tu changeras le grand lit de votre chambre, les draps et les taies d'oreillers brodées sont dans le dernier tiroir de la grosse commode rose.

— Et moi, je coucherai à l'étable, je suppose ? s'enquit Célestine.

— Toi, tu coucheras avec Odette.

— Ouais ! Deux dans un lit simple ! Que Louisette couche sur le banc de quêteux, même que je vous ai toujours entendu dire que pour les filles, ce n'était ni permis, ni convenable de coucher sous le même toit que leur ami de garçon. La morale est plus élastique quand il s'agit des garçons, hein ?

Mathilde faisait la sourde oreille, mais Célestine n'était pas dupe. Chez elle, il y avait deux morales, une pour les filles et une pour les garçons.

– Les garçons ont le droit eux ?

Pas de réponse. Célestine ajouta :

– Deux poids, deux mesures !

XXVIII

Les saisons se chevauchaient. L'hiver fut long et ennuyeux pour Célestine. Heureusement, le printemps ramena les hirondelles et l'odeur enivrante des vacances.

Vint enfin la dernière journée de pensionnat. Les élèves ne tenaient plus en place. Les externes ayant quitté l'institution la veille, il ne restait plus qu'une centaine d'internes qui attendaient impatiemment l'arrivée de leurs parents.

Sœur Béatrice conduisait le peloton dans un corridor qui menait à un petit escalier secret et, de là, sous les combles. Le grenier de bois était immense à tel point qu'il donnait l'impression que le plafond allait se coucher sur le plancher. Deux rangées de lucarnes ouvertes sur le ciel empêchaient les pensionnaires de suffoquer de chaleur.

Sitôt arrivées à l'étage mansardé, les rangs se brisèrent et les élèves s'éparpillèrent comme des brebis dans une bergerie.

Célestine Gauthier se contentait de les regarder distraitement, hantée par la vie de chien qui l'attendait à la maison. Son regard lointain et ses lèvres renflées lui donnaient un petit air capricieux. Sœur Béatrice remarqua son humeur morose. C'était dans les habitudes de Célestine de se retirer, seule dans son coin, repliée dans de sombres pensées.

Toute l'année, cette étudiante de seize ans n'avait été qu'un embarras pour la communauté. Bien sûr, ses notes étaient élevées, mais ses entêtements prolongés ne tenaient compte de personne. Seule sœur Clara, sa titulaire, avait remarqué qu'ils correspondaient chaque fois à ses pires moments d'ennui. Elle seule savait l'écouter et l'encourager.

Tout bougeait autour de Célestine. Ses compagnes se mettaient à deux pour glisser les valises à l'entrée du grenier. Lucie Monette, une élève de rhétorique, lançait ses volumes dans les airs. Laurie Taylor chantait tout bas en dessinant des petits pas de danse sur le sol. Sœur Béatrice, que la classe de rhéto appelait sœur Béa, avait beau demander le silence, c'était bien pour rien. Les pensionnaires surexcitées enterraient sa voix et le petit claquoir de bois avait beau s'user les mâchoires à craqueter du bec, il n'arrivait plus à maîtriser la débandade folle de voix et de rires. Pour la première fois, la maîtresse de cour se vit obligée de relâcher la discipline.

Célestine s'approcha de la fenêtre.

Vu d'en haut, le jardin de la communauté étalait ses premières fleurs. Le soleil frappait sur les peupliers qui dessinaient des taches d'ombre étirées sur le gazon. Sur la rue de côté, des autos ralentissaient pour stationner, pare-chocs à pare-chocs.

La pensée de Célestine s'attardait sur le travail dégoûtant qui l'attendait à la ferme et, elle avait beau se casser la tête, elle ne trouvait aucune solution convenable pour s'en tirer. L'approche de sœur Béatrice la fit sursauter. La jeune fille supposa que la religieuse avait dû oublier un reproche et qu'elle se pressait d'y remédier. Jamais elle n'aurait pu imaginer une approche amicale. Ça ne ressemblait pas à sœur Béa qui donnait toujours l'impression d'en avoir plein le dos des élèves. Pourtant cette fois, elle se trompait.

– Mademoiselle Gauthier, est-ce que tout est prêt pour votre départ ?

Célestine se leva promptement comme on lui avait enseigné.

– Oui, ma sœur !

– L'année a été quelque peu difficile pour vous. J'espère que vous garderez quand même un bon souvenir de nous.

Célestine se vit obligée d'acquiescer et serra les lèvres.

– Oui, ma sœur !

Sœur Béatrice posa une main sur son bras et Célestine eut un brusque mouvement de recul, comme si le geste la brûlait.

– Est-ce qu'on vous reverra l'an prochain ?

– Non, ma sœur !

Sa dernière réponse fit l'effet d'un coup de cravache sur sœur Béatrice. Offensée, la religieuse s'éloigna à grands pas et rejoignit le groupe le plus turbulent. Célestine se rasssit aussitôt et profita de l'éloignement de la maîtresse de cour pour se laisser aller à croiser les jambes. Elle ruminait les dernières paroles de sœur Béa: «L'année a été quelque peu difficile pour vous !» Si on n'avait que ça à lui rappeler ! À la toute dernière minute, alors qu'elle avait presque un pied chez elle, la maîtresse de cour lui reprochait encore son comportement. De ses notes élevées, on ne lui parlait pas. Tant qu'elle n'atteignait pas le plafond, on lui répétait: «C'est bien, mademoiselle

Gauthier, mais vous pouvez faire mieux!» Ce n'était jamais bien, tout court. En plus, toute l'année, on lui avait reproché d'entretenir des liens d'amitié avec Laurie Taylor qui, aux dires des religieuses, n'était pas une fille assez bien pour elle.

Laurie, une beauté blonde comme les blés, semblait effaroucher les religieuses qui la considéraient comme une fille ayant le diable au corps. Laurie aimait les garçons et elle ne s'en cachait pas. Devant les religieuses, ça ne se faisait pas. Et, dès qu'une sœur voyait Laurie et Célestine ensemble, elle les séparait à cause des amitiés particulières. Chaque fois, Célestine rageait. Elle ne comprenait pas le sens de ces deux mots. N'était-ce pas son droit de choisir à qui elle parlait? Laurie restait sa meilleure amie. Par contre, il y avait Lucille Lépine qui, elle, était dans leurs bonnes grâces. Au début, à chaque récréation, cette fille au sourire triste lui collait aux talons. Célestine avait essayé de s'en défaire puis, comme la pauvre était renfermée et non dérangeante, lentement, elle s'en était accommodée. Ainsi, au fil des jours, des liens d'habitude se s'étaient tissés et, à l'occasion, Célestine avait obtenu la permission d'accompagner Lucille dans sa famille.

À voix basse, Célestine demanda l'heure à sœur Béatrice. La religieuse irritée lui répondit sèchement. De tout le couvent, sœur Béa était la religieuse qui tenait le plus mauvais rôle. Contrôler une centaine de filles entre les heures de classe n'était pas de tout repos et aurait joué sur les nerfs des responsables les plus solides. Les récréations, le coucher, le silence, le langage, la tenue, la propreté, tout lui incombait et sœur Béa reprenait, punissait et enlevait des notes de mauvaise conduite.

Dans quelques minutes, l'année scolaire ne serait plus qu'un souvenir et Célestine n'hésiterait pas à tourner la page. En attendant, elle tuait le temps à imaginer ce que seraient les vacances de ses compagnes, presque toutes des filles uniques issues de familles appartenant à la grande bourgeoisie. Le père de Françoise Martel était notaire, celui d'Alice Bélanger, médecin, celui de Clémence Roy, avocat. Ces derniers jours, quelques-unes avaient même parlé de voyager.

La joie illuminait le visage d'Alice Bélanger qui agitait son bulletin vert dans les airs pour attirer l'attention. Alice s'orientait en droit et les religieuses tentaient de l'en dissuader en lui expliquant que c'était une profession réservée exclusivement aux hommes. Célestine, elle, savait qu'Alice ne serait jamais avocate, qu'elle avait choisi cette faculté uniquement en vue de se décrocher un bon parti, un bel avocat. Elle s'en vantait et Célestine ne la trouvait pas si bête. N'était-ce pas une manière comme une autre de se préparer un avenir douillet?

Célestine Gauthier était la seule élève qui venait de la campagne. Devant ses compagnes, elle se disait fille de sacristain, ce qui n'était pas complètement faux, son père avait exercé cette fonction pendant des années et dans son âme, Célestine l'était restée. Fort heureusement, au pensionnat, le costume lui permettait de se mesurer à ses consœurs. Ce dernier jour, en laissant tomber le costume, leurs chemins se séparaient et un fossé se creusait à nouveau entre les classes sociales.

Célestine regardait partir ses camarades avec qui elle avait étudié, partagé le réfectoire, le dortoir, les récréations. Avec elles, jamais elle ne se laissait aller aux confidences. Ses compagnes n'auraient pas su mesurer l'écart entre les familles de ville et celles de la campagne. Toutefois, quand elle leur avait dit avoir dix frères et sœurs, toutes les filles s'étaient exclamées : « Chanceuse ! » Elle, chanceuse ? À coucher quatre par chambre, à partager l'affection de ses parents en dix ?

Célestine ne les comprenait pas. Les veinardes, telles des princesses, allaient paresser et s'amuser tout l'été, à la ville, pendant qu'elle, Célestine Gauthier, la vachère allait se tuer à l'ouvrage au fin fond des campagnes. Pendant un moment, un grain de jalousie germa dans son esprit. Célestine se demandait si elle était née dans un milieu qui lui convenait. Non pas qu'elle était snob, mais la ville lui souriait davantage que la vie rurale.

Des automobiles de grandes marques, dont certaines décapotables, occupaient maintenant les deux côtés de la rue. Des parents, encore jeunes, descendaient et venaient quérir les valises. Célestine ne put s'empêcher de faire la dure comparaison. Son père à elle avait bien un bon vingt ans de plus que celui de ses compagnes. Elle regardait les papas gâteux ouvrir la portière et céder le volant à leur fille. « Quelle vie de pacha ! »

Peu à peu, les valises disparurent du grenier jusqu'à ce qu'il ne reste que celle de Célestine. Elle la poussa près de la porte. On avait défendu aux élèves de descendre les malles avant l'arrivée des parents. Les siens tardaient. L'avaient-ils oubliée ? Ils avaient tant d'enfants qu'une absence pouvait facilement passer inaperçue. Célestine allait-elle rester là encore longtemps, seule avec sœur Béa?

La religieuse arpentait le grenier à grands pas. De temps à autre, elle s'arrêtait, sortait des plis de sa lourde jupe une montre de poche et fixait la trotteuse qui s'étourdissait à force de chevaucher les minutes et les heures, remettait le bijou dans ses jupons et aussitôt, le grand chapelet noir accroché à sa taille se remettait à vibrer gaiement. Poussée à bout, sœur Béa allait-elle démissionner et abandonner Célestine à son sort? Elle devait être sur le point de sortir de ses gonds, de l'accuser de lui faire perdre son temps. Célestine s'en faisait et ne tenait plus en place. Par un heureux hasard, la porte s'ouvrit sur sœur Lucie et les deux femmes en noir se mirent à causer tout bas entre elles.

Célestine craignait d'être obligée de passer une nuit de plus au pensionnat. Juste à penser de coucher toute seule dans le vaste dortoir, ses tripes se tordaient de peur! Elle qui détestait tant se tenir en groupe, suivre le peloton d'élèves qui dégageait une odeur de transpiration, toujours entendre les mêmes pas traînants. Ce soir, elle aurait voulu toutes les filles là pour ne pas être seule. Plus l'heure avançait, plus la réalité se faisait évidente. Ses parents l'avaient oubliée. Ces choses-là n'arrivaient qu'à elle. Elle pensa à sa robe de nuit, quelque part au fond de sa grosse valise. C'était décourageant de penser qu'après une fouille interminable, il lui faudrait tout remettre en ordre.

Finalement, elle entendit un ronronnement familier et reconnut le vieux camion vert.

Il y avait deux longs mois que Célestine n'avait pas vu son père. Quand il mit le pied à terre, elle remarqua sa casquette défraîchie et une poudre blanche sur son pantalon. Il ne s'était pas endimanché pour venir la chercher alors que tous les autres pères portaient cravates et souliers cirés. Son cœur se serra de pitié. Elle aimait son père et jamais, pour tout l'or au monde, elle n'aurait voulu l'exposer aux comparaisons des religieuses où, assurément, il aurait été le perdant. Heureusement, tout se passa vite. L'homme de maintenance chargea la valise bleue sur un chariot qu'il dirigea vers l'ascenseur à bagages. Célestine et sœur Béa s'engagèrent dans les escaliers jusqu'au sous-sol. En bas, l'homme les avait devancées et poussait le charroi. La sœur et l'élève le suivirent dans un corridor sombre jusque sous une poterne à voussure de pierre qui donnait sur l'extérieur à l'endroit exact où le camion était stationné. Célestine marchait vite, elle n'aimait pas cet endroit bas et ténébreux. Elle craignait que le poids des quatre étages de pierres s'affaisse sur ses épaules. Celui qu'on surnommait « l'homme des sœurs » ouvrit la porte sur la clarté du jour et Célestine respira enfin librement.

Montée à bord de la vieille ferraille, elle dut s'y reprendre par deux fois pour refermer la portière rebelle. La religieuse attendait un dernier bonjour, mais Célestine ne se retourna pas. Le moteur, qui n'avait pas eu le temps de refroidir, se remit en mouvement et la jeune fille retrouva aussitôt sa bonne humeur.

— Maman n'est pas venue avec vous ?

— Non ! Quand je suis parti, sa machine à coudre était ouverte et toute sa couture était étalée sur la table !

– Qu'est-ce qu'elle confectionnait ?

– Je ne sais pas trop ! Je pense qu'elle taillait des torchons dans des vieilles serviettes effilochées.

Célestine profiterait d'être seule avec son père pour lui dire de ne pas compter sur son aide. Cependant, chaque fois qu'elle allait parler, quelque chose la bloquait. Elle ne voulait pas le choquer. Elle venait tout juste de le revoir et elle en avait tant à raconter.

– Ça fait un bon moment que je vous attends. Vous êtes arrivé le dernier. Je me demandais si vous ne m'aviez pas oubliée.

– J'ai dû passer à la meunerie acheter du poison pour les plants de tomates.

– C'est ça qui sent fort de même dans le camion ?

– Baisse un peu ta vitre.

– Vous en avez jusque sur votre pantalon.

Émery ne dit rien. Son pantalon était le moindre de ses soucis. Célestine aurait bien aimé que son père démontre une certaine fierté. Les pères de Françoise et d'Alice, eux, portaient le collet monté et parlaient de testaments, de clinique, de clients. Le sien aurait mieux fait de rester sacristain. Célestine tourna les yeux sur lui. Il gardait une main sur le volant et l'autre sur le bras de vitesse. Silencieux, occupé à conduire le camion qui filait entre les rails des trains électriques, il était attentionné aux noms des rues. Il surveillait les taxis qui serpentaient dangereusement entre les autos et les autobus de la Provincial Transport.

Célestine se régalait de l'odeur des gaz d'échappement qui, pour elle, sentaient bon la ville. Les bruits des tramways, des sirènes, des ambulances qui incommodaient tout le monde la grisaient. Célestine était née pour l'agitation. Elle se voyait entraînée dans un tourbillon de plaisirs, parce que, pour Célestine, tout ce qui n'était pas ferme et pensionnat, ne pouvait porter un autre nom que bonheur. La jeune fille regardait avec regret filer derrière elle les grands magasins, les usines et les ateliers. Elle aurait voulu sa demeure plantée là, au beau milieu de ces édifices, sur les rues les plus achalandées, prête à échanger les grands espaces de la ferme contre un simple balcon. Et si elle en parlait avec son père ! Non, ce serait pour rien. Il n'allait certes pas s'arrêter aux caprices de ses onze enfants. Célestine se mit à penser au bel argent dépensé à nourrir les bêtes, à engraisser la terre et à empoisonner les plants. À la ville, l'argent aurait pu servir à acheter de beaux vêtements. Puis, vinrent le fleuve, les grands espaces et les petites paroisses qui se distanciaient le long de la route. Les campagnes laides et leurs vaches insignifiantes aux yeux chiasseux.

Envoûtée par la ville, Célestine osa poliment :

– Papa ! Vous devriez vendre la ferme !

Émery ne dit rien, mais son visage se durcit.

Célestine regretta son audace et changea aussitôt de sujet.

– Qu'est-ce qui se passe à la maison ?

– Rien de spécial !

Deux mois et il ne se passait rien de spécial ! Son père n'était pas bavard. Finalement, Célestine reconnut les maisons du rang. Mis à part les champs qui avaient reverdi, rien n'avait changé depuis les vacances de Pâques. Célestine ajouta pour meubler le silence :

– Mes notes sont bonnes. Je dépasse quatre-vingt-dix pour cent dans toutes les matières !

Est-ce qu'il était content ? Rien sur la figure de son père ne le laissait paraître. Il doit penser : « Des notes élevées pour traire les vaches ! » supposa Célestine.

Sitôt à la maison, les filles s'élancèrent au cou de Célestine. Son cœur bondit dans sa poitrine. Ça lui plaisait cette arrivée joyeuse. Quel bonheur de revenir parmi les siens ! Toute l'année, elle s'était ennuyée de sa famille. Virginie tirait maintenant sur elle pour l'amener au hangar où venait de naître une portée de chiots, mais Célestine résistait, un peu préoccupée par un garçon du rang qui passait lentement à bicyclette. Elle n'aimait pas que Gilbert Quentin la voie dans sa robe de couventine. Elle se dirigea vers la maison sans se retourner.

Sa mère l'attendait, plantée dans la porte à moustiquaire. Elle aurait aimé que tout le monde voie sa fille dans sa robe de costume. Il y eut bien sûr un accueil chaleureux avec un gros bol de fraises et de crème riche. Puis, la vie reprit sa routine habituelle.

Le soir, toute la famille se retrouvait autour du piano les bras des uns sur les épaules des autres, à se bercer de chansons, tantôt langoureuses, tantôt entraînantes. C'était le bonheur. Célestine en oublia un moment la ville. Et le soir, elle se vautra sur son plumard en pensant que le lendemain matin elle se laisserait aller à paresser dans ses draps, à rêvasser aux garçons. Elle ne se souvenait plus la dernière fois qu'elle avait fait la grasse matinée. Hélène, qui partageait le même lit, n'en finissait plus de se coucher. Elle essayait trois robes de nuit que Julie, sa sœur mariée, avait mises de côté; une, à cause de la décousure sous une manche et les autres, décolorées par les lavages répétés. Hélène en fit choisir une à Célestine qui opta pour celle en coton fripé, à minuscules boutons d'or.

– Dis donc, Hélène! Qui aide papa aux champs et à l'étable quand je ne suis pas là?

– Quelquefois, je l'aidais, mais le plus souvent, il se débrouillait seul. Il a parlé à maman de te faire abandonner les études pour l'aider.

– Ah oui? Il a dit ça?

– Ça te plairait?

– Non! Je déteste et le pensionnat, et la ferme. Deux prisons! Écoute, je ne veux plus travailler. J'en ai ras le bol de la terre du pensionnat et de tout le tralala! Je ne sais plus comment m'en sortir.

– Je ne sais pas quoi te dire, mais je te souhaite bonne chance parce que, comme je connais papa, tu n'es pas sortie du bois, ma vieille!

– Mon idée est faite et je n'en démordrai pas. Je vais me marier le plus vite possible pour m'éclipser de la maison.

– T'es folle ou quoi? T'as seize ans! Et avec qui?

– Bientôt dix-sept! Ce n'est que l'histoire de quelques jours. Et puis, de toute façon, il n'existe pas un gars sur cette planète qui peut exiger de moi autant que papa.

Hélène emprunta l'air dur de sa mère pour lui faire ses remontrances.

– Voyons, Célestine! Pense un peu! Tu ne t'entends pas parler? Sois raisonnable.

Célestine se tut et ravala de travers. Ce n'était pas tant l'humeur de sa sœur qui la tracassait, mais plutôt l'impasse

dans lequel elle s'engouffrait. Elle ajouta sèchement :
– Ce qui est dit reste dit !

* * *

Le lendemain matin, Émery sortit tôt, en prenant soin de ne pas claquer la porte. Il monta chercher les bêtes à cornes au bout de la terre. Dehors, le ciel était bleu, le matin frais et Célestine revenue, la tâche d'Émery s'allégerait. Il se sentait le roi sur son domaine rural. Sur la route des vaches, il se remémorait les années où, lorsque sacristain, il s'occupait de l'entretien de l'église. Comment avait-il pu de travailler sept jours par semaine, toujours à la merci des prêtres et des paroissiens, à un salaire ridicule ? Maintenant, il possédait sa propre terre, la plus fertile de la paroisse, un sol où tout poussait juste à le regarder. Ce qu'il pouvait l'aimer ! Il se laissa aller à étendre les bras, comme s'ils étaient assez longs pour étreindre ses cent arpents au complet. Aux alentours, personne ne pouvait le voir pour le traiter d'idiot. N'était-ce pas la vraie liberté ? Arrivé à l'étable, il laissa les bêtes, les pis dégoulinants de lait, s'encorner près du silo et se rendit à la maison.

Tout était mort dans la cuisine. Du bas de l'escalier, il appela sans élever la voix :
– Célestine, arrive ! C'est l'heure du train.

La bouche encore figée par le sommeil, Célestine ne répondit pas. Ces derniers temps, elle se sentait aussi paresseuse qu'une couleuvre. Ses membres pesaient une tonne. Dire qu'elle avait pensé faire la grasse matinée ! Si ce n'était de l'obéissance qu'on lui avait ancrée par son éducation, Célestine serait restée là, sans broncher, à faire semblant de dormir.

Comme les étés précédents, sans prendre le temps de s'étirer, Célestine sauta sur ses pieds et enfila une robe à fleurs bleues usée jusqu'à la corde. Elle ne put se retenir de bougonner :

– Les damnées vaches ! Après le pensionnat, la terre ! Vie de chien ! Et ça durera encore combien de temps ?

En passant devant la chambre des garçons, elle étira le cou dans la porte entrouverte où ses frères semblaient dormir profondément. Célestine en doutait. Comment pouvaient-ils ne pas entendre leur père appeler ? Elle leur en voulait. Que ses frères n'aident plus à la ferme attisait chez elle une jalousie bien légitime. Elle n'était arrivée que de la veille et déjà, elle s'attelait à la tâche. Les mâchoires serrées, elle laissa libre cours à sa rancœur :

– Gang de lâches ! Levez-vous !

C'était bien pour rien ; aucun d'eux ne bougeait ni ne répondait à l'injure.

Sans prendre le temps de se débarbouiller, Célestine suivit son père à l'étable.

Le train terminé, le déjeuner les attendait dans la cuisine d'été. Émery savonna ses mains et s'assit à sa place attitrée au bout de la table. Il récita le bénédicité pendant que sa femme se démenait à la chaleur du poêle de fonte. Puis, il attendit, silencieux, l'esprit absorbé à calculer le prix des gorets.

Mathilde avait appris de sa mère à servir les hommes en premier et elle en avait gardé l'habitude. Elle dorait des rôties directement sur le poêle à bois.

— Encore une, Émery?

Émery, emporté par ses ambitions, sursauta et acquiesça par un simple signe de tête.

— Et toi, Célestine?

— Non!

Sa mère la dévisagea un court instant.

— Un merci, ça demande trop d'efforts? Mange comme il faut si tu ne veux pas que la faim te tiraille sitôt rendue au bout du dix-arpents. Veux-tu un chocolat chaud?

— Non, merci! J'aime mieux du lait!

À peine la dernière bouchée avalée, Émery se leva de sa chaise et coupa net au repas que Célestine tentait d'étirer.

— Toi, arrive! Le travail aux champs n'attend pas.

— Je n'ai pas fini de manger!

Célestine s'attardait à un reste de lait au fond de son verre.

— Les garçons dorment encore! Ils n'aident jamais, eux?

Aucune réponse. Elle lit le mécontentement sur le visage fermé de son père. «Ses garçons, pas touche», se dit-elle. Et elle se mit à malmener sa chaise quand une idée lui effleura l'esprit. «Si je flânais pour étirer le temps, papa cesserait de compter sur mon aide.»

— Faut d'abord que je me lave!

— Tu te laveras plus tard. Viens! Ce n'est pas aux champs que tu vas faire ton avenir.

Il la laissait toute décontenancée. Elle prit quand même quelques minutes pour se laver et se peigner sans qu'il ajoute un mot.

Célestine noua à son cou un grand chapeau de paille qui, sur son dos, balançait légèrement à la cadence de ses pas.

– Il y a encore trop de rosée pour cueillir les fraises, trancha Émery, on va plutôt commencer la journée par le sarclage du tabac.

Célestine prit un air suppliant.

– Et si on prenait congé, aujourd'hui ? C'est mon premier jour de vacances. Si on se gâtait, pour une fois, une seule fois ? Au pensionnat, je devais me lever tous les matins pour la messe de six heures. C'était obligatoire ! Mais ici…

– Il y a les dimanches pour se reposer. Sur la ferme, l'ouvrage commande.

Célestine se retenait pour ne pas exploser.

– Les dimanches pour se reposer ! Et le train ? Si c'était ça se reposer ! Les filles de la ville vont en vacances à Plattsburgh, elles. Elles ne travaillent pas de l'été !

Ça ne servait à rien d'insister. La jeune fille fit une moue et suivit son père. L'homme entra au hangar et revint avec deux sarcloirs. Célestine lui trouvait l'air heureux. Comment arrivait-il à trouver de la joie à côtoyer des bêtes, à répéter les mêmes gestes ennuyants, chaque jour, chaque semaine, chaque mois, à longueur d'année ? Assise sur le nez de la plus basse marche, Célestine le regardait cracher sur le coupant de la pioche et l'affiler avec attention. Le cri de la lime lui donnait des frissons et elle se mit à frotter ses bras vigoureusement.

– Arrêtez ça ! Vous me donnez la chair de poule.

Émery n'entendait que ce qu'il voulait bien entendre. Il se rendit au bout de son aiguisage puis tendit la plus petite pioche à Célestine.

Comme celle-ci se levait, monsieur Laurin, juché sur une vieille bécane rouge, entrait dans la cour. Émery leva les yeux. Il savait bien ce que Laurin venait faire chez lui et il se dit qu'il ne se laisserait pas avoir. L'arrivant, le corps raide, avança lentement jusqu'à ce que la roue avant frôle la salopette d'Émery. Là, il mit le pied à terre et dévisagea Émery, l'air préoccupé.

– Si ton offre d'hier tient toujours pour mes petits cochons, je serais prêt à les laisser aller !

– Aujourd'hui, je te donne dix cents de moins par tête ! Le prix a encore baissé ! Je viens d'entendre ça à la radio, au *Réveil rural*.

Monsieur Laurin avait les yeux humides et la voix qui tremblait de dépit. Il s'en voulait de se débarrasser de ses cochonnets à si bas prix.

– Sacré nom d'un chien ! Aussi bien te les donner ! Je les nourris depuis plus de deux mois ; ça vaut quand même quelque chose. Comme c'est là, je ne fais pas une cenne avec !

– Pour moi aussi, le prix baisse et je t'offre cinq cents de plus que la valeur marchande. Si ça t'intéresse, tu n'as qu'à me les amener, je te paierai rubis sur l'ongle ! Si tu aimes mieux les garder ou les vendre ailleurs, pas plus mauvais amis !

Sur ce, le voisin mécontent cracha par terre et, sans un mot de plus, s'en retourna comme il était venu.

Célestine, témoin du marchandage, vit son père sourire, comme si l'affaire était dans sa poche. Elle frappa le sol de son pied.

– Comme c'est là, vous devez bien être rendu à trois cents têtes ! Vous ne trouvez pas que c'est assez de même ? On n'en finit plus de soigner les bêtes !

– Arrive !

Célestine jucha la pioche sur son épaule et, à bonne distance, suivit son père en traînant les pieds sur la petite route des vaches.

Le travail poussait dans le dos et la relève manquait. Ceux qui restaient devaient se tuer à l'ouvrage. En fait, ceux qui restaient, c'étaient elle et son père. Un père qui voyait toujours plus grand, un père mené par l'ambition. Les champs de tabac, de tomates, de blé d'Inde, de fraises, de fèves, de betteraves et de blé s'agrandissaient chaque année.

À cœur de jour, Célestine s'esquintait pour ne rentrer qu'après le train du soir, dégoutée, attendant qu'un événement vienne changer sa vie. Avec le temps vint le découragement.

Ce soir-là, au coucher, elle attendit que les lumières soient éteintes pour se laisser aller à rêver de changements. Ces derniers temps, elle préparait des plans. Elle songeait à partir, mais elle se demandait si c'était la chose à faire. On la chercherait pour la ramener durement à la maison. Il lui fallait trouver un moyen sûr. Comment gagner sa vie ? Après quelque temps d'un nouveau régime, trouverait-elle une satisfaction à vivre loin des siens, elle, si ennuyeuse ? Quelle décision difficile !

La fatigue prit le pas sur le raisonnement et toute sa rancœur accumulée passa par-dessus bord. La gorge serrée, Célestine releva la courtepointe sur sa tête. Ses sœurs n'avaient ni à la regarder ni à l'entendre penser. Que valait-elle pour ses parents ? Peut-être une bête de somme ? Elle se laissa aller à croire qu'ils ne l'aimaient pas. Ce qui expliquerait pourquoi elle servait de bouche-trou. Quand avaient-ils eu à son endroit une attention délicate, un compliment, une gâterie ? Sa mère ne s'était même pas dérangée pour venir la chercher à sa sortie du pensionnat. Non, elle n'était rien pour eux. Chaque fois qu'elle s'arrêtait à y penser, une angoisse serrait sa poitrine et gênait chacune de ses respirations. Le mieux était de chasser ses idées noires, de dormir et de ne plus penser, mais elle avait peine à retenir son ressentiment qui ne cherchait qu'à émerger en cette nuit humide. Depuis combien de temps durait cet esclavage ? Célestine compta. Ça faisait bien un bon sept ans.

Tout avait commencé en douceur, l'année du déménagement. Au début, son père lui faisait traire Babiche, la plus commode du troupeau. Elle se souvenait avoir pleuré en exécutant ce travail déplaisant. C'était bien pour rien, les larmes n'émouvaient pas son père. Ainsi, jour après jour, il l'obligeait à persévérer et, dès qu'elle eut pris un peu de vitesse, il rajouta Radine. On nommait la vache ainsi parce qu'elle donnait peu de lait. Suivirent Caboche et Nerveuse que la fillette craignait d'approcher. Son père avait peine à contrôler Nerveuse. Il devait lui attacher les pattes arrière, ce qui la tranquillisait un moment. En revanche, la bête se servait de sa queue pour fouetter généreusement qui la trayait. Émery la conservait parce qu'elle donnait une pleine chaudière de lait par traite. Célestine montrait tant de talent qu'avec le temps son père lui confia la traite de huit vaches. Le reste du jour, les autres tâches aussi se multipliaient. Du matin au soir, le travail aux champs bousculait et Émery commandait toujours un peu plus, faisant fi de tout caprice.

Depuis la ferme, plus de jeux, plus de temps libre, que du dépit! Si c'était ça, la vie d'adulte, quel intérêt lui restait-il? Travailler toute sa vie d'arrache-pied? Autant tourner le dos à la réalité.

Le soir, l'ennui de ses jeunes années reprenait Célestine. Son enfance heureuse rebondissait avec ses beaux souvenirs. Toute petite, elle montait sur les genoux de son père, la tête appuyée sur son cœur, à compter les battements. Et quand à Saint-Pierre-du-Portage Émery conduisait les collégiens au bois des écoliers, chaque fois, il passait la prendre à la maison et lui achetait une glace à l'érable, sa préférée. Il y avait aussi les soirs où sa mère chantait des balades pour l'endormir. Avec eux, rien de mauvais ne pouvait lui arriver. C'étaient ses plus belles années. Dans ce temps-là, ses parents prenaient le temps de s'en occuper. Pourquoi fallait-il qu'aujourd'hui le travail prenne le pas sur l'affection?

Ses parents avaient tellement changé. Leur cœur avait durci avec cette terre de misère. Et pourquoi son père acceptait-il l'oisiveté des garçons au détriment de Célestine? Il se donnait bonne conscience à mettre ses révoltes répétées sur le compte d'une adolescence difficile.

Célestine rentra sa couverture sous son menton. Près d'elle, ses sœurs dormaient à la douce lueur de la lune qui transperçait le voilage blanc. Dans le même lit, Hélène, d'un an son aînée, dormait couchée en chien de fusil. Sa respiration bruyante chatouillait les oreilles de Célestine. Hélène secondait sa mère à la cuisine. Pour elle, au moins, la vie était bonne. À gauche de la fenêtre, dans un lit simple, les bras au-dessus de la tête, Odette roupillait. Celle-là, Mathilde la jugeait encore trop fragile pour la vie des champs. À l'extrême droite, sur un court lit tassé contre le mur, Virginie, âgée de huit ans, à moitié nue sur ses couvertures, rêvait aux anges. Les yeux humides, Célestine regardait ses sœurs. Jamais la pauvre n'aurait imaginé la vie sans elles. Ses sœurs étaient tout son univers ? Pourtant son idée était toute faite. Seule la fuite arriverait à mettre fin à ses années d'esclavage sur cette ignoble ferme. Lui laissait-on un autre choix ?

Le lendemain, Célestine tenta une approche avec sa mère, mais celle-ci restait sur ses positions et, sans même lever les yeux sur sa fille, elle intervint en faveur de son mari.

— Tu vois bien que ton père a besoin de toi. Cesse de te rebiffer et n'oublie pas que tu lui dois respect et assistance. Moi, quand j'avais ton âge, j'aidais mes parents sans répliquer et sans les juger.

— Oui, mais moi, je ne suis pas vous ! Je veux changer de travail avec Hélène.

— Tu ne vas pas recommencer ça ! Tu n'es pas entraînée au travail de maison. Va ! Ton père t'attend.

— Pourquoi Odette n'aide jamais ?

— Celle-là, le soleil la force un peu trop !

Célestine, désœuvrée, s'en prit à Guillaume qui ne foutait jamais rien :

– Toi, Guillaume Gauthier, penses-tu que tu vas te trouver une femme assez niaise pour te faire vivre à ses crochets comme je le fais ? C'est moi qui gagne ton pain !

Guillaume ne répondit pas. Il gardait la tête haute comme si tout lui était égal.

– Tais-toi, reprit Mathilde, c'est assez de bougonner ! Va retrouver ton père !

– Lui, il ambitionne pas mal trop. Monsieur Laurin vient encore de lui livrer deux douzaines de petits cochons.

– Qu'est-ce que tu racontes là ?

– Vous n'avez qu'à regarder dans le clos ! Il y en a tant qu'on ne peut même plus les compter.

– Ton père profite des bas prix pour acheter. Aussitôt que les prix vont monter, il va les revendre. C'est comme ça qu'il arrive à faire vivre sa famille.

– Sa famille de grands fainéants ? C'est moi qui la fais vivre !

Mathilde avait hâte que sa fille sorte. Elle prit son air courroucé que Célestine ne pouvait supporter.

– Ça suffit !

Célestine courut à sa chambre pour se retrouver seule avec son mal à l'âme. Elle s'élança sur son lit toute habillée et se mit à fixer le plafond. Avec ses parents, aucune explication n'était possible. Et pour ne pas perdre la face, son père se retirait derrière des silences sans fin. Chaque fois, selon le besoin, il devenait sourd ou muet. Ainsi l'autorité l'emportait et la pauvre Célestine continuait de se tuer à la peine.

XXIX

Les jours traînaient, lourds et longs. Semailles, moissons, rendement et production prenaient tout l'intérêt et minaient les forces et le moral de Célestine. Son cœur et son corps, personne ne s'en souciait. On lui avait appris à les oublier aux dépens de son travail et, par le fait même, à négliger sa propre personne. Elle finissait d'user les guenilles restantes de ses sœurs et ainsi, conservait sa tenue débraillée. Elle ne pouvait leur en vouloir. Avait-elle besoin de vêtements propres pour les massacrer à tenir la pioche et les salir au contact des bêtes et de la terre ? Peut-être qu'un jour viendrait où elle profiterait d'un peu de répit et redeviendrait la petite fille d'autrefois, douce et rêveuse, qu'elle s'appliquerait à marcher avec grâce, à soigner des vêtements qu'elle choisirait à son goût, mais ce jour-là, ne serait-elle plus qu'une vieille ?

Dans la nuit chaude, elle repoussa une mèche de cheveux que l'humidité collait à sa joue, se tourna sur le côté, et supplia le Sacré-Cœur dans son large cadre doré. Lui l'entendrait peut-être.

– Mon Dieu, aidez-moi ! Je n'en peux plus de cette vie de misère. De grâce, faites que les choses changent.

Mais la foi de Célestine était boiteuse. Ses espoirs s'envolèrent aussitôt comme une fumée. Célestine s'accrochait à sa dernière décision de partir, mais pour aller où ? Quitter sa confortable paillasse et mourir de faim ? « Je crèverai, c'est tout, songea-t-elle. Rien ne peut être pire que cette vie de chien où seuls mes deux bras ont une valeur estimable. »

La chaleur était suffocante. La nuit ne suffisait pas à soulager la chambre de la fièvre de juillet. Célestine poussa les couvertures au pied du lit, puis, la fatigue aidant, elle vit tout en noir.

Elle marchait sur la route par une nuit sans lune. Elle avait la trouille et se sentait terriblement seule. Les siens se fichaient bien d'elle. Des chiens aboyaient, les cris se rapprochaient. Toute la famille la blâmait d'avoir délaissé son pauvre père avec une besogne pareille, elle, la dernière des sans-cœur. Elle ne voyait pas les chiens dans le noir. Des larmes brûlaient ses yeux. Puis ce fut le silence, un silence effrayant peuplé de pâles formes humaines qui approchaient. Célestine courait, mais demeurait toujours sur place. Les formes imprécises se déplaçaient en tous sens. Arrivées sur elle, Célestine, glacée de terreur, criait à fendre l'âme. Les ombres se séparaient et la traversaient. Elle se réveilla en sueur.

Au bas de l'escalier, sa mère demandait :

— Qu'est-ce qui se passe en haut ?

Elle avait dû crier pour vrai. Elle ferma les yeux de nouveau. Il lui fallait dormir. Ne restait qu'à savoir si le lendemain elle trouverait un lit. La peur, sa pire ennemie, revenait l'obséder, l'envahir, la glacer. Célestine mesura l'étendue de sa détresse avant de prendre l'ultime décision.

Finalement, sa rancœur l'emporta sur sa peur. Elle décida de partir, coûte que coûte. Elle marcherait où ses pas la mèneraient, n'importe où, pourvu que ce soit ailleurs. Deux coups sonnaient à l'horloge. Célestine, foudroyée par le sommeil, cessa enfin de s'agiter. En bas, dans la chambre des parents, Émery Gauthier ne dormait que d'un œil. Il épiait le moindre bruit. Ces derniers temps, les menaces de sa fille le préoccupaient. Au moindre commandement, la moutarde montait au nez de Célestine et chaque ordre devenait l'occasion d'une crise. En un mot, elle explosait. Dire qu'enfant elle était d'une souplesse et d'une docilité sans pareille. Ce n'était que depuis le début de l'été qu'elle s'entêtait et se rebellait. Émery cherchait ce qui pouvait avoir transformé sa fille à ce point et il conclut que son adolescence était en cause. Il se tourna sur le côté, mais le sommeil ne venait pas. Si Célestine mettait ses menaces à exécution, qui l'épaulerait sans qu'il ait à débourser de l'argent ? Il bougeait tant que Mathilde se réveilla à son tour.

— Émery, tu ne dors pas ? As-tu faim ?

— Non ! Il y a Célestine qui s'entête comme jamais ! Je me demande comment je vais me débrouiller le jour où elle va me lâcher.

— Tu n'as qu'à faire valoir ton autorité. Ça va être beau maintenant si les enfants commencent à tout régenter. Ce n'est qu'une mauvaise passe. Tu la connais ? Demain, tout sera rentré dans l'ordre.

— Justement ! Je la connais et je la crois bien capable de finasser. C'est plus sérieux que tu le penses. Il ne se passe plus une journée sans qu'elle ne s'emporte pour un rien. On dirait que tout devient une occasion de révolte.

Mathilde remonta ses oreillers et s'y adossa confortablement.

— Je ne la comprends pas, celle-là ! Je n'ai jamais vu ça, tant détester la nature. On la croirait sans-cœur.

Mathilde se rendit compte, par le silence pesant de son homme, qu'elle avait échappé un mot de trop. Émery n'acceptait aucune parole qui désavantageait Célestine, même quand celle-ci était sur le point de lui donner du fil à retordre.

— Tu ferais mieux de dormir la nuit. Tu auras assez du jour pour te casser la tête.

Émery n'était pas maître de ses inquiétudes. Pour lui, perdre Célestine, c'était perdre sa terre.

* * *

Chaque soir, après le souper, à l'heure où les chevaux reposaient dans l'écurie, Émery sortait. Assis sur une marche, les yeux à terre, il méditait avant d'entreprendre la tournée quotidienne de ses champs. Ses lèvres bougeaient comme s'il murmurait une prière. Et ses pas lents le menaient sur l'étroite route des vaches qui fendait la terre en deux dans toute sa longueur. Marcher et admirer ses champs lui valaient un bon tonique. D'un œil de seigneur, il caressait ses biens. Il longeait le dix-arpents, admirait les jeunes pousses de luzerne à droite et l'avoine à gauche. Les petites tiges de maïs toucheraient bientôt les perches de la clôture. Émery s'en flattait, mais pour peu, les traits de son visage offraient une mine de déterré. Et si les choses allaient changer? Émery reprenait sa marche lente, s'arrêtant souvent, on eut dit un chemin de croix où l'homme, à chaque station, s'apitoyait sur son sort. Appuyé sur la clôture, ses longues mains maigres et osseuses serraient momentanément la perche de cèdre, jusqu'à ce que la fièvre le reprenne et l'emporte dans ses élans d'ambitions. La moisson promettait. À la pièce suivante, le tabac doublait celui des voisins. Émery n'avait-il pas fécondé la meilleure terre des Continuations, mais qu'en adviendrait-il? Ses ingrats de fils le délaissaient avec tout le travail et il en ressentait un grand vide. Avec eux, il aurait pu abattre tant de besogne. Autant Émery aimait ses garçons, autant sa peine était grande. Inconsciemment, il avait ambitionné sur leurs forces et, en conséquence, Émery avait dû se débrouiller sans ses fils. Célestine était la dernière sur qui il pouvait compter et il se cramponnait désespérément à elle.

* * *

Le matin, au saut du lit, Célestine avançait sous les combles, la tête penchée pour éviter de s'assommer. Elle ramassa un peu de butin, le strict nécessaire à emporter, déposa le tout dans un sac à cinq cents et le lança sous le lit, bien décidée à le reprendre au besoin. Elle bifurqua ensuite vers la chambre des garçons secouer les orteils de ses frères. Pourquoi les ménager à ses dépens?

– Levez-vous, gang de fainéants! C'est moi qui fais votre ouvrage pendant que vous paressez. Vous devriez avoir honte!

Les garçons se recroquevillaient en rabattant le drap sur leur tête. Pas un son. Aucun ne se levait, mais Célestine, assurée de les avoir réveillés, s'en contentait. Elle sortit de la chambre en claquant la porte à tour de bras, puis lentement, descendit l'escalier. Sa main serrait la rampe pour ne pas trébucher.

En bas, la cuisine était déserte. Célestine pompa un peu d'eau fraîche dans le creux de sa main pour se rafraîchir la figure et donna rapidement un coup de peigne à ses cheveux. Le miroir lui rendit ses yeux boursouflés et sa mine défaite. Sa courte nuit ne l'avait pas découragée de partir. Elle attendrait le moment propice, le provoquerait même. Elle passa à côté de l'orange déposée à son intention sur le coin de la table et n'y toucha pas. Le ventre vide, elle se rendit à l'étable. Elle traitait les vaches de «grosses bêtes», bougonnait après les porcs. Pour comble, elle renversa involontairement un seau de moulée. Son humeur massacrante ne la quitta pas de la journée.

Émery détachait les bêtes. Les mugissements plaintifs et le bruit métallique des licous qui tombaient négligemment sur le sol énervaient Célestine. Elle enjamba la dalle de fumier. Au bout de ses bras, deux chaudières de lait mousseux, pleines à ras bord, faisaient le poids. La traite terminée, le pire était passé. Dehors, libérée de la puanteur de l'étable, Célestine desserra les narines et tira quelques profondes respirations. Elle entra à la laiterie, déposa ses chaudières sur le sol et les couvrit d'un grand linge blanc. Ce jour-là, la jeune fille travaillait avec la certitude qu'elle en était à ses derniers efforts.

Toute la journée, Célestine se tuait à *édrageonner* les plants de tabac, les reins brisés à force de répéter mille fois les mouvements, pliée, debout.

Au dîner, Célestine refusa son assiette et Mathilde insistait:

— Mange si tu veux être capable de travailler!

— Je ne veux pas travailler, ça fait cent fois que je vous le dis! Célestine soupira: Si je peux me marier et partir de la maison…

— Pauvre petite fille! Parle donc pas de même. Si tu savais ce qui t'attend. Tu aimerais devenir l'esclave d'un homme pour la vie? Nous, les femmes, nous sommes nées pour servir les hommes. C'est ça notre lot, servir, servir, servir… sauf que, si tu voulais… chez les sœurs, tu serais exemptée de tout ça.

— Whooo! Je veux me marier, moi! Et je partirai avec le premier venu qui ne sera pas fermier. De toute façon, servir, comme vous dites, pour ce que ça changerait! Ici, je suis l'esclave de toute la famille. Faut avoir les deux yeux crevés pour ne pas voir ça.

— Tu exagères un peu!

— Moi, exagérer? Non! En plus, je suis un vacher, un garçon manqué. Et qu'on ose me dire le contraire.

Mathilde lui rappela sèchement:

— Prends garde à toi, les filles en mal de garçons sont laissées sur le pavé.

Célestine détestait ce mépris qu'avait sa mère pour tout ce qui avait trait à l'amour. Elle ravalait sa salive.

– Vous, m'man, vous vous êtes bien mariée, renchérit Hélène, et vous n'avez pas perdu de temps. À quatorze ans, vous fréquentiez déjà papa!

Tous deux se dévisagèrent un court instant.

– De qui tiens-tu ça, toi?

– De grand-maman Lamarche!

Mathilde s'en défendit d'un pieux mensonge. Elle conservait son air grave pour donner davantage de poids à ses dires.

– Tu sais, ta grand-mère prend de l'âge, elle peut s'être mêlée un peu.

– Essayez pas de nous en conter, maman! Vous irez à confesse pour ça!

Mathilde lorgna du côté d'Émery. Un sourire égayait le coin de sa bouche, ce qui eut pour effet de froisser la femme.

– Les enfants sont cyniques et tu trouves ça drôle, toi?

– J'ai ri, moi?

* * *

Après le train du soir, Émery ordonna à Célestine de mener les vaches au bout de la terre. C'était trop. Célestine refusa net et son père lui offrit une gifle.

– Va ou je cogne! C'est moi qui commande ici.

Le regard de l'adolescente se durcit. «Il le fait exprès, pensa-t-elle, et moi qui me donne corps et âme pour l'aider.» À l'injustice criante et au travail de forcené, la malheureuse choisit les coups.

Elle releva la tête et lui présenta sa figure.

– Frappez! dit-elle.

Vaincu, Émery laissa retomber son bras. La crainte d'échapper Célestine lui faisait perdre ses moyens davantage que l'affront qui le blessait pourtant au plus haut point. Après elle, il ne pourrait compter sur personne. Émery avait toujours reconduit les bêtes lui-même au bout de la terre, mais depuis le début de l'été, l'idée lui prenait d'ajouter des corvées à sa fille et ainsi réduire sa besogne un peu lourde pour ses cinquante-cinq ans. Elle frôla son père, l'évita du regard et s'appuya, dos au chambranle de la porte restée ouverte. Muette, elle croisa les bras, bien décidée à ce que son travail s'arrête là. Célestine attendait, immobile, la lippe boudeuse, le regard cloué aux quatre carreaux de la petite fenêtre. Elle passa une main sur son front trempé de sueur, l'essuya sur sa robe, et bourrue, recroisa aussitôt les bras. De par son geste brusque, son père comprit qu'elle lui donnerait du fil à retordre. Il jeta un regard oblique sur elle, puis sa voix se fit plus tendre.

– Ferme donc la porte, avec toutes ces mouches!

Célestine ne bougea pas.

– Hourra fille! Encore un dernier coup de collier.

– Non! J'en ai assez de cette mosus de terre. Que les garçons fassent leur part!

– La terre, ma fille, tu lui dois le plus grand respect. Elle est aussi indispensable que l'air que tu respires. Elle porte l'empreinte de nos pas, des miens, des tiens, et de tous ceux qui nous ont précédés. Tu verras qu'à force d'y mettre du sien, on finit par l'aimer et s'y attacher.

C'était ainsi que son père pensait. La jeune fille leva le ton:

– Ah bien, par exemple ! Moi, aimer cette terre de merde ? Jamais ! Puis là, je vous avertis, vous allez devoir vous arranger avec vos gars parce que la Célestine, elle est é-cœu-rée !

Elle ouvrit la bouche et la referma sans qu'aucun son ne s'en échappe. Ça servait à quoi d'allonger une discussion perdue d'avance ? Ses frères trouvaient tous de bonnes raisons pour s'éclipser. Comme elle les enviait. Son père, sans qu'elle comprenne pourquoi, prenait toujours leur défense. Sans cesse, les garçons lui quémandaient de l'argent et, pourtant très économe, il tendait chaque fois en douce quelques billets enroulés bien serrés pour mieux les dissimuler aux yeux des filles. Enfin, n'en pouvant plus de se contenir, Célestine maugréa :

– Continuez de ben dorloter vos gars, pis moé, je vais foutre le camp d'icitte !

Son père la semonça en insistant sur son jargon pour ainsi l'écarter du sujet.

– Arrête de faire la rétive et écoute-toi parler : des pis, des ben, des icitte ! Qu'est-ce tu fais du bon langage qu'on t'a appris au pensionnat ? Ici, tout le monde se prive pour venir à bout de donner une bonne éducation aux enfants et, à peine l'été commencé, tu balaies tout, en un rien de temps.

– Je n'ai pas besoin de m'appliquer ni de m'instruire pour parler aux bêtes, répliqua-t-elle, sur un ton soutenu.

Émery décida de faire le sourd et ainsi étouffer le conflit avec civilité. Il ne donnait pas tous les torts à sa fille, mais il n'irait pas jusqu'à lui avouer qu'elle avait raison, ce serait faire exprès pour l'échapper et la perdre. Les garçons, élevés dans les villages et transplantés sur le tard, ne deviendraient jamais de véritables fermiers. La semence ne s'enracine pas dans le macadam. Émery ravalait. Lui, Émery, fils d'Arthur, à Joseph, à Magloire, à Siméon, serait le dernier de la lignée de toute une race de braves paysans qui, eux, avaient la terre dans le sang et ne lésinaient pas sur les efforts.

Après un silence marqué, alors qu'il croyait Célestine calmée, Émery lui fit miroiter un compromis qui, selon lui, elle ne pourrait refuser.

– Écoute ! Si tu m'aides, je te ferai hériter de la terre et du troupeau au complet.

Célestine, au comble de l'indignation, hésitait entre rire et pleurer.

– Jamais ! Je n'en veux pas. Et outragée, elle cria plus fort, incapable de retenir ses larmes : Vous m'entendez ? Je n'en veux pas de votre écœurante de terre ! Merci bien !

Le trémolo de sa voix se répercutait sur tout son être. Soucieux, Émery caressait lentement son menton. Se pouvait-il que sa fille méprise à ce point la terre bénie qui les nourrissait ?

– Tais-toi donc ! Tu te perds. Parler comme tu le fais, c'est blasphémer. Nous possédons la plus belle terre de la paroisse. Elle donne à profusion.

Émery insistait sur les bienfaits, mais passait sous silence, la grêle, la gelée, la sécheresse, les sauterelles et les chenilles qui, tour à tour, dévastaient les récoltes, méprisant les efforts de longue haleine. Émery, en bon chrétien, acceptait sans se plaindre la loi de la nature. Il disait « La terre rend et la terre reprend » et il en supportait les conséquences comme étant la volonté de Dieu. Il tira de sa poche, un grand mouchoir rouge à carreaux, en épongea son large front et sa figure, tentant ainsi de dissimuler une tristesse mal retenue. Un peu courbé, il parlait bas, comme s'il s'adressait au sol :

— Maintenant, si tout le monde démissionne, je ne vois pas jour de nourrir la famille.

— Les choses sont comme elles sont. Il faudra vous résigner. Vous n'aurez qu'à vendre !

— Faut quand même manger !

— Vous avez onze enfants, jamais je croirai qu'ils vous laisseraient mourir de faim !

— Un père fait vivre onze enfants, mais onze enfants ne peuvent faire vivre un père. Tu m'en reparleras plus tard.

— Vous devrez vendre quand même, de gré ou de force, un jour où l'autre.

— Quand on passe sa terre aux autres, c'est qu'on ne vaut plus grand-chose.

Célestine avait vu furtivement la peine qu'Émery dissimulait. Son vieux père, qui avait toujours été correct avec elle, déclinait. Même son autorité faiblissait. D'un sursis de compassion, Célestine se souvint que plus jeune, quelques rares fois, il tempérait les réprimandes trop sévères de sa mère. Elle se ressaisit. Elle n'allait pas abandonner la lutte et pourrir sur cette terre de merde que son père cherchait à lui coller. Ce serait se mentir à elle-même. Demain, tout serait à recommencer, et son père penserait encore que « Ça lui passera ».

Célestine savait très bien que jamais son père n'aurait cédé sa terre ni, comme d'ailleurs, sa chambre ou son lit. En tout cas, pas de son vivant, même s'il l'avait offert auparavant à chacun de ses fils. Comme tous les paysans, son père cherchait à retenir ses enfants à coups de promesses.

La cigale chantait, annonçant encore de la chaleur, comme si plus était possible. Émery pointa son index vers le nord, sa voix se faisait doucereuse.

– Regarde le beau tabac dans le deux-arpents, il est toujours en avance sur celui des voisins. Et ça! Quelle richesse! Un vrai cadeau du ciel.

Célestine détestait ce ton bienveillant qui avait le don de la faire plier. Elle fixait le bleu du ciel, à travers les carreaux de la fenêtre. Pourquoi son père, toujours en pâmoison devant ses champs de fourrage, s'emballait-il de tant de travail? À peine les champs rasés, un duvet s'empressait de les recouvrir entièrement, précipitant les coupes suivantes, et ce, jusqu'à trois fois par été. Dans son inconscience, son père se laissait engloutir par sa terre. Il courbait déjà vers elle. Au pensionnat, les pères des élèves, eux, se tenaient tous droits comme des piquets. Célestine fit mine de ne rien entendre de ses extases et continua de bougonner tout haut, d'un ton bourru, se parlant à elle-même: «Va, marche l'esclave.» Du bout du pied, elle frappait la terre dure, sa détestée rivale. En même temps, elle mordait sa lèvre du bas pour l'empêcher de trembler. Les vaches beuglaient en attendant le départ. Célestine leur marmonna tout bas:

– Vous autres, vos gueules!

La pauvre fille s'en voulait aussitôt d'échapper des vulgarités étrangères à son éducation. La rude vie au grand air allait-elle avoir raison d'elle et lui durcir et la peau et le cœur ?

Maigre et efflanquée, Célestine était plutôt ordinaire, si ce n'est qu'une bouche mi-dédaigneuse, mi-moqueuse, donnait une mine expressive à l'ensemble de ses traits. Ses cheveux châtains retombaient avec souplesse entre ses omoplates. D'apparence fragile et délicate, Célestine, façonnée par un travail ardu, était solide et résistante. À dix-sept ans, son intérêt était tout autre que la ferme. La jeune fille gardait le dessin et la couture en veilleuse, et son goût pour les maisons, que plus jeune elle fabriquait un peu partout, ne lui passait pas.

– Hourra, Célestine ! insistait son père. Reste pas plantée là à bretter. Débarrasse-toi au plus vite de ta besogne. Le souper approche, il te remettra d'aplomb. Hourra, Célestine ! Tu m'entends ?

– Je ne suis pas sourde.

Célestine ne tirait aucune joie de son existence de chien, si ce n'était de l'illusion consolante d'être aimée un jour. Pourquoi le destin ne se manifestait-il pas sous l'apparence d'un beau jeune homme qui l'enlèverait ? En passant devant le curé, naturellement. Rêver, c'était permis et c'était le seul moyen que Célestine avait trouvé pour s'empêcher de sombrer.

Les jeunes filles de son âge déambulaient déjà en couple sous les lanternes, à la kermesse du village, même qu'elles épilaient leurs sourcils et fardaient leurs joues et leurs lèvres. Célestine se demandait pourquoi les choses étaient différentes pour elle. Sa mère s'opposait à toutes approches de garçons, aussi innocentes soient-elles. Elle soupçonnait ses regards et même ses pensées les plus profondes. Célestine se serait contentée de peu. Il suffisait d'un sourire ou même d'un simple bonjour d'un garçon à la dérobée pour la rassurer sur son charme. Certaines fois, elle se dépréciait. « Et si aucun garçon ne voulait d'elle ? » Revenait alors la cruelle condamnation, la ferme ! Tout au bout de l'étable, près du tas de fumier, une végétation sauvage empiétait sur le deux-arpents d'avoine. Par bravade contre l'oppression de son père, Célestine brisa une branche de cerisier où pendaient quelques grappes de petits fruits à peine rouges et elle s'éloigna la tête haute.

Émery entra à la laiterie terminer l'écrémage. Ensuite, il soigna les porcs, nettoya l'étable et étendit une couche de paille dans les stalles. Puis il rentra à la maison.

XXX

Au souper, un fumet délicat embaumait le fournil. Mathilde, dans un excès de fantaisie, avait couronné le rôti de petites patates nouvelles et de bouquets de persil. Elle faisait la navette du poêle à la table. Dix gobelets granités voltigeaient, suspendus à ses doigts contorsionnés. Elle cherchait Hélène, des yeux :

— Toi ! Cours au puits chercher le beurre et le lait. Vite avant que le manger ne refroidisse. Les enfants, approchez que je vous serve une soupe.

À peine un bruit de chaises déplacées et tout le monde était installé coude à coude, autour de la grande table qui s'allongeait devant les trois fenêtres. Seule, la place de Célestine restait vacante. Mathilde ne se surprenait pas de son absence, sa fille se tenait chez les Robichaud.

— Célestine ne pourrait pas surveiller l'heure et laisser les voisins en paix ? À son âge… Au fait, aujourd'hui, c'est sa fête à celle-là. J'allais oublier.

Marc attendait que sa soupe brûlante refroidisse un peu.

— Ça ne lui fera pas de tort de vieillir. Si vous voulez mon idée, ce n'est pas la politesse qui l'étouffe, celle-là !

Hélène le regarda de travers et rétorqua :

— Toi, le blond, ton idée, personne n'en veut. Tu ferais mieux de t'occuper des trois poils qui te poussent au menton.

Émery picossait son assiette sans lever le nez. Enfermé dans son mutisme, il s'offensait pour Célestine. Il leva des yeux mécontents sur Marc et les rabaissa sur son assiette, les lèvres pincées derrière sa moustache grisonnante. Le père n'avait pas besoin de parler. Juste à son regard vexé, ses enfants détectaient son mécontentement.

Mathilde commanda à Marc :

– Cours chez les Robichaud voir si ta sœur est là, et dis-lui que le repas est prêt. Fais ça vite, que le souper ne s'éternise pas.

– Pas assez de courir les jeunes taures égarées !

Hélène prit de nouveau la part de Célestine :

– Toi ! Marc Gauthier, courir les taures ? Tu as les deux pieds pris dans le ciment pendant que Célestine fait ton ouvrage aux champs et à l'étable. Si j'étais toi, je la fermerais.

– Taisez-vous ! fit le père, affichant un dur regard de maître.

Émery, qui se demandait où sa fille avait bien pu passer, ne fut guère surpris de la savoir chez le voisin. Il aurait dû deviner, depuis l'achat de la ferme, elle s'y réfugiait à tout propos. Il traça de son couteau une grande croix sur le pain qu'il tenait collé contre son cœur et, sitôt les tranches taillées, il les lançait, chacun les attrapant au vol.

Quand Marc revint essoufflé, le repas était terminé. Avant d'entrer, il avait appelé sa sœur en vain. Après avoir cherché à l'étable, à la soue aux cochons, au fenil, Marc avait fait le tour des bâtiments, puis était revenu à la maison, affamé :

— Pas trouvée, maman! Les Robichaud ne l'ont pas vue. J'ai regardé aux alentours. J'ai appelé, mais ni rien ni personne.

Mathilde, surprise, pressentit aussitôt la gravité de la situation. «Soit Célestine se cache, pensait-elle, soit elle s'est enfuie.» Sa fille faisait sûrement des siennes pour contester l'autorité. Une fugue, oui, ça lui ressemblerait. Mais jusqu'où la mènerait sa vengeance? Le souffle plus rapide, elle envisageait déjà les pires bêtises.

— Hélène, va voir en haut, et tant qu'à y être, rends-toi au grenier. Marc, cours au hangar et au poulailler! Dépêchez-vous.

Marc, un gamin efflanqué, tout en bras et en jambes, avait l'estomac dans les talons. Son bol de soupe n'était déjà plus sur la table. Le garçon prit une longue et bruyante respiration, pour marquer son mécontentement:

— Je veux souper, moi aussi. Tiens! Il ne reste même plus de rôti. Je m'en doutais bien.

Mathilde se promenait nerveusement d'une fenêtre à l'autre. Elle commanda à Doris:

— Toi, fais cuire deux œufs à Marc et sers-lui le reste des patates laissées dans le réchaud.

Puis la femme jeta à son mari un regard qui en disait long. L'inquiétude plissait son front étroit, jusqu'à la racine des cheveux. Après un long silence, elle se remit à espérer que sa fille ne soit pas loin.

— Ce serait une bonne chose que de retourner voir plus à fond, aux bâtiments, d'examiner à la loupe, chaque coin et recoin.

Émery passa sous silence, la dernière scène de Célestine. Il se leva lentement, traînant sur ses épaules, le poids déjà trop lourd de sa journée. Il se tourna vers Guillaume :

– Monte au bout de la terre jusqu'au ruisseau du nord. Tu jetteras un œil sous le pont et à l'entrée du bois. Avec les animaux, on ne sait jamais à quoi s'attendre. En haut, il y a le bœuf des Robichaud à qui je ne fais pas trop confiance. Mouve !

– J'y vais ! J'y vais ! répliqua Guillaume en levant une main apaisante.

La porte, retenue par un ressort, claqua. Guillaume prit un clip et pinça la jambe de son pantalon pour l'empêcher de s'engorger dans l'engrenage. Quand Marc vit son frère prendre le vélo, il lui cria par la porte à moustiquaire :

– Guillaume, laisse-moi la bicyclette, je dois parcourir tout le rang, tantôt.

Sans répondre, Guillaume enfourcha la bicyclette avec l'idée de revenir rapidement. Il monta l'allée des vaches en chantant à tue-tête *Le Crédo du pêcheur*.

Émery était perplexe. Quand Célestine lui avait exprimé carrément son mépris pour la ferme, elle était vraiment sérieuse ! Certes, son raisonnement se tenait, mais à part Célestine, il ne restait personne pour le seconder et Émery se figurait déjà seul avec tout le travail. Puis il revint à sa préoccupation première, sa fille.

Personne n'avait vu revenir Célestine du ruisseau. Émery avait alors dû écrémer et descendre lui-même les bidons de crème dans le puits. La rebelle se cachait, c'était évident, et sûrement pas loin, mais où qu'elle puisse se trouver, Émery n'accepterait jamais qu'une de ses filles couche à la belle étoile. Ce soir-là, le soleil disparut trop tôt pour les Gauthier. Odette et Virginie, tapies dans l'escalier, demeuraient silencieuses. Elles tremblaient de peur à la pensée de savoir leur sœur seule dans le noir.

Après une attente prolongée, l'espoir cédait place à l'angoisse. Émery proposa d'organiser une battue avec les gens du rang, mais Mathilde s'y opposa.

— Les grandes langues iraient bon train. N'en parlez à personne, on va sûrement la retrouver. Célestine est bien trop peureuse pour passer la nuit dehors.

Avec la noirceur, un doute s'installait et minait Mathilde. Elle en fit part à son mari :

— Si Célestine allait perdre son âme pour se venger ? Elle n'a pourtant pas l'air d'avoir de garçon en tête, mais qui sait ? Tu te rappelles de ce qui s'est passé, le soir de la neuvaine, à la croix du chemin ?

Émery serra les dents, mécontent que sa femme réveille d'anciennes mésaventures qui dataient d'un bon trois ans.

Mathilde parlait pour exorciser son inquiétude :

— Depuis sa disparition, elle a quand même eu le temps de faire tout un bout de chemin. Si l'idée lui a pris de traverser le bois, elle serait déjà à Sacré-Cœur.

Mathilde se réveilla de façon soudaine. Sa raison pencha un moment vers Célestine

— Peut-être que Célestine travaille un peu fort ? Au dîner, elle se comparait à un garçon manqué. Ça m'inquiète de l'entendre parler de même.

Ce court moment d'épanchement de Mathilde fit place à la colère.

– Celle-là, elle nous en fait voir de toutes les couleurs. Elle aurait mieux fait de rester au pensionnat, les sœurs auraient redressé son sale caractère et aujourd'hui, elle nous causerait probablement moins de trouble.

Hélène avait le goût de crier à l'injustice au nom de Célestine, mais quelque chose la retenait de porter des accusations sur ses parents, les esprits étaient déjà assez échauffés. Malgré son inquiétude, Hélène en était rendue à approuver la fugue de Célestine et, plus encore, elle se blâmait de l'avoir découragée.

Un lourd silence s'ensuivit. Puis Mathilde s'informa :

– Quelqu'un d'entre vous ne l'aurait pas vue avec un garçon dernièrement ?

Personne ne répondit.

Dans la berceuse, Émery, impuissant, le cœur à l'étroit, redoutait maintenant que sa fille passe la nuit dehors. Il la savait assez entêtée pour le faire. Les enfants le voyaient ravaler difficilement. Il renifla à quelques reprises, se raclant la gorge pour simuler un rhume.

Mathilde sortit un chapelet de la poche de son jupon :

– Le mieux serait de prier, fit-elle.

Elle alluma le lampion devant la statuette de la vierge.

À genoux, les yeux accrochés à la fenêtre, Mathilde baisa la petite croix d'argent et entama le rosaire. Suivirent les litanies. Les *Ora pro nobis* se succédaient, plus fervents que jamais.

Guillaume, lui, se sentait coupable de regarder tous les siens se tourmenter. Il mentait. Il l'avait retrouvée, près du chien déjà mort.

* * *

Elle était assise sur le bord du pont, ses bras encerclant ses genoux relevés, trempée de la tête aux pieds. Vidée, Célestine ne pleurait plus, elle fixait.

Arrivé près de sa sœur, Guillaume s'était informé brusquement :

– Qu'est-ce qui t'arrive ? À la maison, tout le monde te cherche. Tu boudes les parents maintenant ?

Il siffla Bijou. Silence total.

Quand Guillaume le sifflait, Bijou accourait vers lui, mais cette fois, le chien ne bougeait pas. Guillaume sentait quelque chose de bizarre. Plus il approchait de l'animal, plus la réalité se faisait évidente. Il s'élança sur son chien et cria à fendre l'âme :

– Bijou, mon chien !

La bête était déjà froide. Une ceinture de cuir serrée autour de son cou avait servi à l'étrangler.

Lentement, Guillaume leva un regard dur et un doigt accusateur sur sa sœur.

– Quelqu'un l'a étouffé. C'est toi ? hurla-t-il.

De la tête, sa sœur fit signe que non.

– Tu le détestais, tu l'évitais toujours. De toute façon, tu détestes tous les animaux. Tu es une sans-cœur.

Les paroles de Guillaume n'atteignaient pas Célestine. Elle l'entendait si peu.

La douleur que Guillaume retenait tordait sa bouche. Tout jeune, le petit chien égaré avait suivi leur voiture dans le chemin de ligne, entre Sainte-Marie et Saint-Jacques.

Guillaume devait avoir douze ans. Il se rappelait, une vraie petite boule de laine, couleur tire, rond et dodu qui piquait du nez dans une neige folle à vouloir suivre l'attelage. Guillaume avait alors supplié son père d'arrêter le cheval. Émery avait tiré sur les guides et le garçon avait recueilli la petite bête essoufflée, qui s'était blottie dans ses bras jusqu'à la maison. Il avait promis à son père de la rendre dès qu'il en connaîtrait le propriétaire.

Personne ne l'avait réclamée.

Depuis, Guillaume avait dressé l'animal à monter dans les échelles. Tous les après-midi, vers trois heures, il l'attelait au traîneau et lui criait :

– Bijou, à l'école !

Le chien se rendait directement à l'école, se couchait sur le ventre et attendait Odette qui, en première année, finissait la classe une heure avant les autres. Sitôt l'enfant montée dans le traîneau, Bijou la ramenait directement à la maison.

Son cher Bijou, qu'il avait dompté et aimé, était étendu là, mort.

Guillaume, cherchant des traces de coupable, lut sur le sol, des noms à demi bousillés : Jacques, Gilbert, Robert, Jean-Marc et Bernard. Non, il ne se trompait pas, des pas de garçon avaient fraîchement écrasé quelques lettres.

Le regard vide, la malheureuse, semblait ailleurs. Son corps souillé, son âme tuée, Célestine aurait donné sa vie contre celle du chien. Ainsi, elle cesserait de penser.

Son frère, son préféré, qu'elle avait crû sensible, ne s'occupait que de Bijou, mais ce soir-là, tout glissait sur

Célestine, comme l'eau sur le dos d'un canard. Descendue au plus profond de l'enfer, plus rien ne pouvait l'atteindre.

Guillaume attendait. Que s'était-il passé de si grave qui bouleversait sa sœur à ce point ? Il se rapprocha d'elle pour en tirer une confidence.

— Écoute, si je te promets de me taire, tu parles ? Je ne dirai rien à personne, juré craché. Tu peux tout me raconter, ce qui est racontable et ce qui ne l'est pas. Tu me connais ? Je ne colporte jamais rien.

Personne ne pouvait rien pour Célestine. Elle lui dit seulement :

— Quand tout le monde dormira, va dans ma chambre, chercher une robe et accroche-la au clou derrière la porte de la toilette. Vois à ce que la porte du hangar reste débarrée.

— Mais, la porte est toujours débarrée.

Célestine continua :

— À la tombée de la nuit, je retournerai à la maison. Ne raconte à personne que tu m'as vue.

— Toi, peureuse comme tu es, tu veux rester toute seule ici ? Il fera noir tantôt. Dis-moi donc qu'est-ce qui vous est arrivé à toi et à Bijou. Regarde-toi un peu ! Tu trembles, ce n'est toujours pas de froid. Il fait chaud à coucher dehors.

Guillaume parlait seul. Il ajouta quand même pour apaiser sa sœur :

— Tu sais, maman ne va pas te tuer juste parce que tu t'es amusée dans l'eau du ruisseau.

Célestine, honteuse, fixait toujours le sol. Comme elle ne réagissait pas, Guillaume l'avisa :

– Si c'est comme ça, je fais ce que tu me demandes, mais je m'en lave les mains.

En relevant son vélo, il se retourna.

– Et le chien, je leur dis qu'il est mort?

Célestine hurla un non désespéré.

Guillaume monta sur sa bicyclette et refit la route des vaches en sens inverse. Sa sœur avait eu un rendez-vous amoureux, c'était évident. Célestine n'avait jamais su cacher son jeu. Sa tête ébouriffée et les pas de garçons sur le sol parlaient par eux-mêmes, mais le chien mort… Pourquoi? Qui? Sa sœur était-elle complice?

***

Célestine leva les yeux, la lune dans toute sa rondeur éclairait la nuit. Le chien mort gisait toujours là. Elle se leva lentement et de ses mains tremblantes, déchiffonna en vain, sa robe humide qui lui collait à la peau. Puis elle chercha ses souliers dans la pénombre, sur le pont, près de la barrière. Elle y voyait si mal. Enfin, elle les retrouva juste à côté de la roche plate où elle s'était assise, les pieds dans l'eau, quelques heures plus tôt.

De l'autre côté de la barrière, les bêtes étaient couchées, un peu dispersées sur le flanc du coteau. Dans la nuit, elles ressemblaient à de grosses pierres sombres.

La mort dans l'âme, Célestine reprit le sentier des vaches et se dirigea vers la maison.

Au loin, une petite lumière jaune scintillait. Plus Célestine approchait, plus la lumière devenait stable. Chez elle, tous devaient dormir. Pourquoi cette lumière?

Elle prit peur. Il lui faudrait maintenant faire face à sa mère. Célestine n'avait plus la force de braver personne. L'envie de reculer, de coucher à la grange, la prit, mais il lui fallait changer de vêtements. Elle ne pouvait plus supporter ceux qu'elle portait. En approchant, Célestine constata à son grand soulagement que c'était la lumière de l'extérieur qui brillait.

Elle pressa le pas, entra par le hangar et se faufila sans bruit dans les toilettes où, derrière la porte, Guillaume devait lui avoir accroché une robe. Le vêtement était là. Célestine se changea, fit un rouleau bien serré de la robe humide qu'elle venait d'enlever et l'apporta dans sa chambre en attendant de l'enterrer.

Avant d'entrer dans la cuisine, elle enleva ses souliers et pieds nus, réussit à ne faire aucun bruit. Sans enlever sa robe, elle se glissa dans les draps et se recroquevilla en boule. Frissonnante, elle tira sur elle la couverture qu'Hélène avait poussée sur le pied du lit par cette nuit de chaleur étouffante. Elle s'y enroula bien serrée, comme par les nuits de grands froids. Elle fit semblant de dormir. Elle redoutait le lendemain où elle devrait rendre des comptes. Les questions se bousculeraient, tous les yeux seraient sur elle. Non, elle ne pouvait plus rien supporter.

L'horloge sonna trois coups. Célestine ne ferma pas l'œil de la nuit. Elle trouvait la vie laide.

Toute jeune, elle avait commencé à travailler aux champs et à l'étable. Elle se considérait comme une machine à travail, comme un homme. Et aujourd'hui, sa vie s'arrêtait là. Pourquoi, elle? Une ordure! Oui, elle n'était qu'une ordure. Et toujours ces menaces. Il lui semblait que sa tête allait éclater. Frôlait-elle la folie ? Rêvait-elle ? Célestine aurait voulu s'endormir et ne plus s'éveiller.

Cinq coups sonnaient. Il lui faudrait ne plus penser, mais c'était impossible. Avec le coin du drap, elle essuya les dernières larmes qui s'accrochaient à ses yeux.

Enfin, l'aurore traversa les claires-voies des volets. Les petites fleurs roses de la tapisserie semblaient ternes. Célestine chaussa les souliers d'Hélène, ne se rappelant pas si elle avait rapporté les siens la veille et descendit.

Elle passa une débarbouillette d'eau froide sur sa figure boursouflée.

Comme d'habitude, Célestine était debout avant les autres. Seul, son père était déjà sorti. L'orange était placée bien en vue sur le coin de la table. Son père savait donc qu'elle était de retour ? De la fenêtre, elle vit le troupeau de vaches, entrer dans l'étable. Émery s'était rendu les chercher lui-même au ruisseau du nord.

Comme la jeune fille ne voulait rendre de comptes à personne, elle fila directement aux bâtiments. Que dirait son père de sa conduite de la veille ? À ses questions, Célestine ne répondrait pas. Elle ne répondrait jamais à personne d'ailleurs.

Émery ne la questionna pas. Il avait vu ses traits gonflés, là où les pleurs avaient laissé leurs traces.

Cette nuit-là, Mathilde et lui avaient attendu son retour jusqu'à presque deux heures du matin. La voyant revenir sur la route des vaches, ils s'étaient retirés dans leur chambre avant que Célestine ne les voie.

Le matin, au retour du ruisseau, Émery se tracassait, quelque chose de mystérieux lui échappait. Il passa l'histoire de la veille sous silence.

Quand la traite des vaches fut terminée, Émery offrit à Célestine de retourner à la maison.

— Je peux finir tout seul. Va te recoucher.

Célestine ne répondit pas. Son père portait des bretelles. Elle ne pouvait supporter leur vue, sans entendre le rire gras de son agresseur. Et si l'idée lui prenait à lui aussi ? Peut-être que tous les hommes…

Comme une automate, Célestine se rendit à la laiterie. Elle vacillait sur ses jambes, mais refusait toujours de rentrer à la maison.

À la fin, sans un mot, Émery s'empara du petit lait et soigna les veaux lui-même. Ensuite, il nettoya les dalles.

Célestine lava le centrifugeur. Quand son père revint à la laiterie, tout était en ordre, mais sa fille n'était plus là. Il allait descendre un peu de foin quand il la vit dans le fenil, qui dormait, ramassée en boule. Il prit soin de ne pas la réveiller. Le foin attendrait.

Émery entra dans la cuisine pour déjeuner. En se savonnant les mains, il emprunta son ton autoritaire pour avertir toute la famille :

— Je ne veux pas un mot sur ce qui s'est passé ici hier, et que je n'entende personne questionner Célestine, sinon vous aurez affaire à moi et je ne serai pas tendre. Je parle pour tout le monde.

Émery laissa le temps calmer les esprits et quand tout sembla oublié, il congédia Célestine :

– À l'avenir, je me débrouillerai avec le train. Tu peux rester à la maison et aider ta mère. Il devrait bien y avoir un gars, dans tout le rang, capable de m'aider.

Les paroles que Célestine aurait tant voulu entendre la semaine d'avant ne signifiaient plus rien pour elle. C'était trop tard. La jeune fille avait vieilli de dix ans en une seule nuit.

Hélène passa outre les recommandations de son père et, au coucher, harcela Célestine :

– C'est qui ?

– Quoi qui ?

– Tu ne me cacheras rien. La robe que tu as rapportée hier était tachée de sang. Tu me comprends ? Si maman savait ça, tu ne serais pas mieux que morte, Célestine Gauthier. Tu ferais bien de te tenir comme il faut et penser un peu plus à ta réputation.

Célestine était au neutre, plus rien ne l'atteignait. Pas un son ne sortait de sa bouche.

Les jours qui suivirent, elle retourna à l'étable, aider son père, mais elle se tenait toujours loin de lui.

Sa mère, avec précaution, essaya de la faire parler. Elle n'obtint aucune réponse. Peut-être, avait-elle été trop exigeante envers elle ? Aucune de ses filles n'avait travaillé autant. Mathilde, qui dirigeait tout, était démunie devant le mutisme de sa fille.

Chaque fois que Célestine aurait voulu parler, la peur étouffait les mots. Une gêne incontrôlée vis-à-vis de sa mère pour tout ce qui avait trait à la religion et à la sexualité mettait un frein aux confidences. Les menaces du monstre martelaient sa tête. Personne ne comprendrait.

Célestine voulait arrêter de penser, mais elle n'y parvenait jamais. Les faits étaient là, toujours là.

Plus de jeux, plus de farces drôles. En une nuit, Célestine avait perdu toute sa naïveté et son romantisme.

Mathilde qui semblait impitoyable ne pouvait supporter de voir ses enfants malheureux. Elle préférait les colères et les rêveries de sa fille à l'état de prostration dans lequel elle végétait maintenant.

« Et si quelque chose pouvait capter son intérêt ? Peut-être la couture », pensa Mathilde. Célestine était talentueuse en ce domaine. Mathilde essaya ce qui avait marché avec ses aînées. D'un ton doucereux, elle proposa :

– Célestine, on va tailler ensemble une belle courtepointe. Tu en auras besoin un jour, si tu te maries comme tu as toujours rêvé. J'achèterai du beau tissu neuf et tu choisiras les couleurs toi-même.

« Si je me marie », songeait Célestine.

– Je n'ai pas de temps libre, fit-elle. J'ai du travail. Faut que j'aide papa.

Mathilde se rembrunit :

– Les garçons te remplaceront à l'étable et aux champs. Que ton père se paie de l'aide, s'il ne peut en garder un, ou bien, qu'il vende. Il a déjà trop tardé et qu'il ne compte plus sur les filles pour remplacer les garçons à la ferme.

Célestine était blessée davantage. Elle seule, sauf Hélène, qui l'avait remplacée quelques mois, avait servi de bouche-trou. Les autres seraient protégées. Elle pensait : « Toute la merde pour moi. »

Célestine accepta de faire la courtepointe.

– Je l'assemblerai pour une de mes sœurs. Pour moi, merci, pour le mariage, jamais.

Mathilde lui jeta un œil et fronça les sourcils.

Patiemment, Célestine découpa des centaines de petits carrés bleus, arrondis à un coin et autant de blancs. Ses sœurs l'aidaient. Certains soirs, cinq paires de ciseaux couraient sur le tissu. Célestine mariait les couleurs à la machine à coudre et le couvre-pied à « chaîne du diable » prit forme.

Toutes ses sœurs et belles-sœurs la lui quémandaient.

– Je la tirerai au sort, proposa Célestine.

– Non, dit Mathilde sèchement, tu la garderas pour toi.

Célestine mit trois semaines à l'assembler. Ensuite, Mathilde l'étendit par terre sur une doublure de coton et une ouate et la faufila à grands points avant de la monter sur le métier.

Trois autres semaines suffirent pour la piquer. Mathilde l'enveloppa dans un grand sac qu'elle déposa sur la tablette de la penderie.

– Tu n'auras pas besoin d'écrire ton nom dessus. C'est assez de travail pour ne pas oublier.

* * *

Célestine ne pleurait ni ne riait plus.

Un jour, où elle était seule à la maison, la jeune fille s'empara des ciseaux et se dirigea vers la chambre des parents.

Elle fouilla la pièce jusqu'à ce qu'elle rassemble toutes les bretelles de son père. Elle s'assit sur le lit et les coupa en menus morceaux, en hurlant comme une hystérique. La pauvre jeta ensuite les découpures au poêle à bois et alluma.

Chaque matin, au déjeuner, Célestine devait surmonter une répugnance. Elle refusait toute nourriture. À la fin, les pressions de sa mère finissaient par avoir raison d'elle.

Ce samedi-là, Guillaume la regardait dépérir. Elle était pâlotte et sans énergie. Il lui rapporta :

– Gilbert Quentin te court après. Il rôde par ici tous les soirs. Moi, je fais juste te rapporter ce que je sais au cas où ça t'intéresserait. Chaque fois qu'il passe ici, il demande de tes nouvelles. Guillaume ajouta taquin : Tu ne peux pas empêcher un cœur d'aimer.

– Dis-lui de ne pas perdre son temps.

Leur mère s'affairait, l'oreille aux aguets. Elle se demandait si le jeune Quentin pouvait être relié à la fugue de Célestine. Et si elle se trompait ? Si ce n'était qu'une simple fugue ?

XXXI

Depuis la naissance de son deuxième enfant, l'état de santé de Julie se détériorait. La jeune maman appela sa mère à son aide.

«Voilà la belle occasion, pensa Mathilde qui ne cessait de se tracasser pour Célestine. Elle a toujours chiqué la guenille pour retourner au Portage. Là-bas, Julie arrivera peut-être à lui arracher ce qui la bouleverse tant.»

Célestine partit de bon gré. Chez Julie, elle s'amusait à tenir maison.

Au coucher, Célestine écoutait chanter son guitariste, comme autrefois, lorsque la température était favorable. Elle ouvrait la fenêtre et reculait, juste assez pour se soustraire à la vue du garçon. Célestine avait cru ses larmes épuisées, mais non, la musique et le chanteur lui arrachaient les larmes et remettaient en question sa pénible condition. Les mains sur son ventre, la fille se laissait aller à pleurer.

Après deux soirs de sérénade, la fenêtre resta fermée. Les chansons langoureuses ne réussissaient qu'à tourner le poignard dans la plaie. Il était grand temps de tourner la page.

Célestine se perdait dans ses pensées. Elle se tracassait: «Impossible d'en parler à maman. Qui peut m'aider? Julie? Peut-être… Mais avec sa petite famille et sa santé

fragile, elle a assez de problèmes sans que j'en rajoute.»
Célestine se sentait coincée dans une impasse. Elle décida
d'attendre. Pour le moment, son ventre était plat, rien
n'y paraissait, mais elle redoutait le temps qui filait trop
vite. Célestine, qui avait cru que l'incertitude était la pire
des angoisses, connaissait maintenant le supplice du
temps, et c'était bien pire encore. La jeune fille ignorait
tout de la maternité.

Elle se compara à Julie et fit le calcul. Aux fêtes, sa
sœur portait déjà une robe maternité. C'était impossible,
pas à trois mois! Célestine s'inquiétait. Elle aussi en était
à son troisième mois. Elle recompta. Non, elle ne s'était
pas trompée. Célestine paniquait. Seule dans sa chambre,
la malheureuse retourna son oreiller mouillé de larmes en
pensant à la grande ville où personne ne la reconnaîtrait.
Le plus difficile serait de trouver du travail. Elle aurait
besoin d'argent et c'était impensable d'en demander aux
parents. Que faire?

Elle sécha ses yeux et pensa soudain à Alice. Oui, Alice
serait sa planche de salut. Elle demeurait un peu loin,
mais Célestine trouverait bien le moyen de s'y rendre. Et
si Alice lui ouvrait sa maison des Ravelines? Ce petit coin
isolé était à l'abri des regards. Célestine s'endormit soulagée d'avoir cru trouver une oreille attentive et, sans doute,
une solution.

* * *

Le jour suivant, Julie, voyant sa sœur épuisée, abattue,
accablée de nausées, reconnut des signes de grossesse. Elle

chercha à gagner la confiance de Célestine, en la ques-
tionnant en douceur, mais celle-ci avait une peur maladive
de se confier. Communiquer son secret entraînerait
certaines questions auxquelles Célestine ne pouvait
répondre sans mettre sa vie en danger. Tout épanchement
conduirait à la menace. Elle entendait encore le traître lui
crier : « Si tu parles, je te tuerai ! » La peur lui donna un
frisson d'angoisse et Célestine devint agressive.

Julie lui vit un air de bête traquée.

Célestine rassemblait toutes ses forces à contrôler ses
impulsions émotives.

– Bon ! Moi, dit-elle, je vais desservir la table.

– Qui va avoir soin de qui, ici ?

Célestine, évasive, se défendit, tant bien que mal.

– Je ne travaille pas bien ?

– Ce n'est pas ça ! Chaque matin, tu vomis. Maman est
au courant que tu files mal ?

C'était un mot de trop de la part de Julie. Du coup,
Célestine était soulagée de ne pas s'être confiée à sa sœur.

– Je digère mal. Tu te souviens, depuis que je suis
petite que je suis fragile aux nausées. Ce doit être le
changement de nourriture. Ici, avec le magasin, je me
gave un peu trop.

– Je croyais ça fini, ces mauvaises digestions-là ?

– Faut croire que non, du moins, pas tout à fait.

Julie doutait. Elle fit mine de donner raison Célestine,
mais sceptique, elle la garda à l'œil. Pour ne pas la brusquer, Julie ne lui parla pas de ses yeux rougis. Une chose,
cependant, l'intriguait. Célestine avait la taille si fine que
Julie se remettait à douter de ses suppositions.

Debout devant la machine à laver, Célestine passait le linge blanc dans l'essoreuse, d'où il tombait dans la cuve de rinçage. Soudain, prise d'un malaise, Célestine tira le bras d'arrêt et courut vers la salle de toilette. Avant d'atteindre la porte, incapable de retenir un haut-le-cœur, elle vomit son dîner sur le plancher de cuisine. Navrée, Célestine s'empara d'un journal et ramassa son dégât.

Assis, tout au fond de la cuisine, Louis la regardait. Célestine, gênée, refoula les larmes qui s'annonçaient et ouvrit la porte arrière pour aérer la pièce des odeurs nauséabondes. Elle se remit aussitôt à la tâche avec ardeur. Le plus insupportable était de se donner en spectacle devant Julie et son mari qui se regardaient sans parler.

La sonnette du magasin retentit. Louis traversa répondre au client, au grand soulagement de sa malheureuse belle-sœur.

Dans son parc, la petite Louise pleurait. Elle tendit les bras vers sa tante qui l'emporta affectueusement et l'assit sur un tricycle. Ses pieds n'atteignaient pas les pédales. Derrière la petite, Célestine, penchée sur les guidons, poussait l'enfant. Dès qu'elle s'arrêtait, la petite la commandait à coups de cris et de pleurs. Célestine continua jusqu'à ce que Julie s'en mêle :

– Cesse de faire tous ses caprices, elle va devenir impossible. Va plutôt lui préparer une bouteille de lait, c'est l'heure de son somme.

Célestine obéit. Elle adorait sa nièce et en retour, Louise était la seule à pouvoir arracher un sourire à sa tante.

Julie se tourmentait sans cesse au sujet de Célestine. à la fin, elle insista pour la reconduire chez ses parents :

– Comme ça, tu pourras te reposer beaucoup plus.

– Attends, ça va aller. Je te le répète, je digère mal, c'est tout. Garde-moi encore, s'il te plaît, Julie.

– Tu t'endors partout, même sur les chaises ! Tu trouves ça normal ?

– Je sais bien, mais pense un peu à toi. Si tu es satisfaite de mon aide, je ne suis pas pressée de retourner à la maison.

Julie pensait autrement. Elle se sentait mal à l'aise de renvoyer sa sœur, mais si c'était ce que Julie pensait, il serait urgent de faire quelque chose pour Célestine. Sa mère n'avait donc rien vu ? Elle lui en parlerait. Et si elle se trompait ? Célestine évitait les confidences et ainsi, entretenait les doutes.

* * *

Doris, sans s'en rendre compte, arrangea les choses en demandant à sa mère de remplacer Célestine, au Portage.

– Déjà deux semaines que Célestine est là, ce serait bien mon tour.

– Toi ? Non ! Surtout pas ! Je ferais du sang de punaise. Je devine ce qui se passerait sans surveillance et, de complicité avec ta jumelle. Vous faites une belle paire, vous deux.

– Quand même, maman ! J'ai vingt-deux ans.

– Il y a des filles qui, peu importe leur âge, dès qu'elles ont la bride sur le cou, font les pires bêtises.

Émery intervint en faveur de Doris :

– Laisse-la y aller. Elle doit être capable de se tenir.

Mathilde ne discutait pas les ordres de son mari. Mécontente, elle rendit les armes.

– Eh bien, soit! Mais s'il lui arrive quelque chose, tu seras le seul responsable.

Émery ne releva pas son accusation.

* * *

Julie remercia Célestine pour son aide et la récompensa de quelques dollars.

– Tiens! Prends ça, tu en auras besoin.

Ce n'était pas dans les habitudes de Célestine d'accepter de l'argent pour des services rendus, mais cette fois, elle ne pouvait refuser. C'était pour elle, une nécessité.

XXXII

Dès le retour de Célestine aux Continuations, les doutes de Mathilde se confirmèrent. La mère se tracassait pour la réputation de sa fille. Elle en parla à Émery.

— Julie a les mêmes doutes que moi. Et si je calcule le temps de la petite aventure de Célestine, ça coïnciderait exactement à son état. Quelles inquiétudes les enfants peuvent-ils causer aux parents ?

Émery l'écoutait-il ? Comme il ne parlait pas, Mathilde ajouta :

— Je consulterai monsieur le curé à son sujet, mais avant, j'aimerais que Célestine parle. J'essayerai de la questionner, si elle veut bien me répondre, naturellement.

— Prends garde de ne pas te tromper avant d'avancer des choses.

— Écoute Émery, j'ai beau essayer de ne pas y croire, c'est l'évidence même.

Mathilde attendit d'être seule avec sa fille et approcha une chaise contre la sienne :

— Toi, tu vas t'asseoir là et me raconter ce qui se passe là-dedans.

Elle touchait légèrement de son index le front de Célestine qui recula la tête et baissa les yeux.

— Rien !

– Écoute, il y a des choses que tu ne peux plus cacher. Je suis quand même venue au monde un peu avant toi, hein ?

Célestine ne parlait pas. Humiliée, elle mordait sa lèvre du bas, comme chaque fois qu'elle était contrariée.

Comme sa mère ne voulait pas la faire pleurer, elle lui conseilla :

– Essaie de te reposer le plus possible.

Mathilde se rendit à l'étable demander qu'on la conduise au presbytère.

– Je ne sais pas si je devrais forcer Célestine à m'accompagner.

– T'as qu'à lui demander son avis.

– Ça va être vite décidé, elle va refuser, et si j'y vais seule, on ne saura jamais qui est le père. Peut-être que le curé réussira mieux que moi à la faire parler.

– Je crois que je sais moi.

– Toi ? Elle t'aurait parlé ?

– Non !

– Tu sais quelque chose ?

Et il lui rapporta les faits :

– Le lendemain de cette nuit-là, je suis allé chercher les vaches moi-même, pour laisser dormir Célestine, et de l'autre côté du ruisseau, j'ai vu du métal qui brillait dans le pacage. J'ai été bigrement surpris de trouver une bicyclette noire, avec, sur l'aile arrière, un porte-bagages en nickel. Je l'ai ramenée et j'ai pris soin de la cacher dans le séchoir à tabac en me disant que quelqu'un la demanderait un jour ou l'autre. Personne ne l'a réclamée. Tout coïncide avec la mort du chien, donc le garçon doit craindre d'être accusé. Dernièrement, j'en ai parlé à Marc qui a tout de suite reconnu le vélo du jeune Quentin. Je l'ai bien averti de se la fermer.

– Le jeune Quentin ? s'exclama Mathilde. Sapré bon sens ! Qui aurait cru ! Ce serait lequel des deux ? Sans doute celui qui était à l'école avec elle, l'autre doit avoir environ vingt-cinq ans, ou peut-être plus. En tout cas, il avait terminé l'école du rang avant notre arrivée ici. Maintenant, plus j'y pense, moins ça me surprend. Le jeune rôdait par ici depuis quelque temps. Je me demande quand même pourquoi Célestine ne veut rien avouer.

– Celle-là, tu n'en fais pas ce que tu veux. Ce n'est rien qu'une cabocharde.

Émery murmura :

– Les Quentin auraient mieux fait de rester à Sacré-Cœur. Ceux-là, je ne les ai jamais eus en odeur de sainteté.

Ce fut tout. Il n'en parla plus.

* * *

Célestine évitait de rester seule avec sa mère.

– Maman, j'aimerais aller chez Laurent. Je n'ai pas vu Alice depuis qu'ils sont installés aux Ravelines.

– Mais voyons… elle vient ici tous les dimanches.

– Je sais, mais moi, j'étais chez Julie.

Sa mère tenta un compromis.

– Viens avec moi au village. Ensuite, tu pourras aller chez Laurent.

Célestine hésitait.

– Quoi faire au village ?

– Ton père doit passer à la meunerie et au magasin général. Je vais en profiter pour me rendre au presbytère payer une messe anniversaire pour la mort de papa. J'en profiterai pour me rapporter quelques rouleaux de fil blanc.

– Vous n'avez pas besoin de moi.

– C'est que… je n'ai pas le goût d'y aller seule. Pourquoi ne pas m'accompagner ?

– Après viendrez-vous me reconduire aux Ravelines ?

– Oui, ou bien tu iras en bicyclette.

– La bicyclette a le siège tout rouillé. En plus, ça va trop mal, il y a plein de côtes tortueuses dans ce coin-là.

– On verra à ça au retour.

Émery laissa les deux femmes devant le presbytère et se rendit acheter les provisions au magasin général.

Mathilde conseilla à sa fille de l'attendre dans l'entrée et passa au bureau pour payer ladite messe au curé.

Pour Célestine, le temps n'en finissait plus. Une demi-heure plus tard, la porte s'ouvrit sur le curé Lafortune. Le prêtre lui désigna le fauteuil près de sa mère.

En un éclair, elle réalisa pourquoi sa mère l'avait amenée là. L'heure de rendre des comptes avait sonné. Une rougeur brûlante colora ses joues blêmes.

Le vieux curé lui parla en douceur de ses études et de ses occupations. Elle répondait brièvement à toutes ses questions, jusqu'à ce qu'il s'informe de son état. Elle se ferma alors comme une huître. Le curé leva le ton, non pour lui faire des reproches sur sa conduite, mais plutôt parce qu'elle ne collaborait pas.

Comme elle éclatait en sanglots, sa mère coupa court à son embarras :

— Cesse de pleurnicher. C'est bon rien qu'à gonfler les yeux et à rider la peau.

La pauvre fille refoula sa peine, essuya ses yeux et fixa le plancher.

Le curé insistait :

— Qui est le responsable ?

Elle ne répondit pas. Le silence serait encore sa meilleure arme.

— Pourquoi veux-tu taire son nom ? Lui aussi devra lui aussi répondre de ses actes.

Elle se remit à pleurer, et entre deux sanglots :

— Je ne peux pas !

— Pourquoi ?

— J'ai peur ! Il dit qu'il va me tuer si je parle.

Elle étouffait ses pleurs dans son mouchoir.

— Tu n'as rien à craindre de qui que ce soit, la rassurait le prêtre. Le garçon doit sûrement avoir très peur pour te menacer ainsi.

Des frissons d'angoisse glaçaient Célestine et faisaient claquer ses dents.

Mathilde devint soucieuse. Elle ajouta :

— Les garçons peuvent s'en tirer à bon compte. Ils obligent les filles à se taire pour avoir carte blanche.

Le curé ne répondit pas à cette boutade gratuite. Il questionna Célestine :

— C'est le jeune Quentin. Est-ce que je me trompe ?

De la tête, Célestine fit signe que non.

Mathilde intervint,

– Comme ma fille est arrangée là, il faut faire quelque chose au plus tôt. Je vois juste une solution, les marier sans tarder. C'est au jeune Quentin à payer pour sa conduite. L'important pour nous, c'est de sauver l'honneur de notre fille.

Le vieux prêtre à la tête blanche semblait d'accord. Tout était décidé sans, qu'on demande l'opinion de Célestine.

Il ajouta :

– Je parlerai moi-même à Gilbert Quentin.

Célestine frémit, elle remâchait la phrase de sa mère : « Les marier. » Tout virait au vinaigre. Sa mère et le curé décidaient tout à son insu, comme si elle était étrangère aux événements.

Le curé l'avisait maintenant :

– Tu diras à Gilbert Quentin de venir me voir au plus tôt. J'aurai deux mots à lui dire.

Célestine ne répondit pas. Mieux valait peut-être se taire que d'être effrontée.

Puis le prêtre se tourna vers la mère.

– Madame Gauthier, j'aimerais parler à votre mari. Dites-lui donc de passer me voir ces jours-ci.

– Est-ce pour la même raison qui m'amène ?

– Non, madame !

– C'est à quel sujet ?

– Je veux lui parler d'homme à homme.

– Je lui dirai de venir, mais je tiens à vous prévenir, Émery et moi on n'a pas de secret, l'un pour l'autre.

– C'est tout à votre honneur, madame.

* * *

Au retour, Émery rapportait les denrées que Mathilde lui avait demandées. Il avait ajouté des bananes et des biscuits. Il déposa le sac de provisions sur les genoux de Célestine.

— Les bananes et les biscuits sont pour toi.

Célestine resta hébétée, son père qui ménageait tant, lui avait acheté des gâteries. Peu habituée à se faire dorloter, elle dit :

— Ce n'était pas nécessaire.

Sa vue s'embrouilla et une grosse larme tomba sur le sac de papier.

Au retour, Mathilde offrit à Célestine de continuer directement chez Laurent, aux Ravelines.

Célestine refusa net.

— Non, je ne veux plus y aller, je suis crevée.

La jeune fille monta s'allonger. Elle était soulagée que sa mère connaisse son état. Ça devait en arriver là, tôt ou tard, mais elle était abasourdie, dépassée par la tournure des événements. On la mariait. Elle n'avait pas le temps d'assimiler.

En bas, Mathilde se cassait la tête à organiser une noce convenable.

— On invitera seulement les deux familles. Dans les circonstances, un mariage intime est tout indiqué.

— Si c'est ce que tu as décidé ! répondit Émery.

À l'extérieur, Hélène, l'oreille collée contre la fenêtre, avait tout entendu ce qui se tramait en dedans. Elle rejoignit Célestine à sa chambre.

– C'est Gilbert Quentin? Ils vont vous marier? Eh bien, pour une nouvelle, c'en est toute une! Raconte-moi ce qui s'est passé chez le curé.

Comme Célestine ne parlait pas. Hélène la flattait pour en savoir davantage.

– Tu sais que toutes les filles vont t'envier. Le beau Gilbert Quentin fait chavirer les cœurs! On peut dire qu'avec toi, tous les moyens sont bons.

Célestine ignora la plaisanterie déplacée de sa sœur. Elle avait l'esprit ailleurs. Monsieur le curé avait demandé d'avertir le garçon de se rendre au presbytère au plus tôt. Célestine refusait d'exécuter cette démarche. Devant l'hésitation de Célestine, Mathilde prit sur elle de s'en occuper. Elle ordonna à Guillaume:

– Va chez les Quentin et dis à leur fils Gilbert que Célestine veut lui parler. Sois bien discret. Ne va pas faire de folies là, et je compte sur toi pour parler à Gilbert dans le particulier.

– Pourquoi?

– Va! Fais ce que je te dis, un point c'est tout.

– Il va sauter de joie, ce Gilbert.

Mathilde appela Célestine:

– Descends! Le curé t'a donné un message pour Gilbert Quentin. Il viendra ici tantôt. Et essaie de faire bonne figure.

Célestine essaya de faire entendre raison à sa mère.

– Mais maman, je ne veux marier personne. Vous me traitez comme si j'étais un pion sur un jeu d'échecs.

– Si tu trouves une meilleure solution! Te cacher toute ta vie, par exemple? On organise tout pour que tu restes parmi nous. Si tu crois avoir une meilleure solution, vas-y, je t'écoute.

Célestine se tut. Et si sa mère avait raison ? Célestine redoutait autant un départ qu'un mariage forcé. La peur de l'inconnu la tiraillait, vivre dans la grande ville, accoucher seule, ne plus revenir chez les siens. Toujours se cacher. Elle savait que sa mère serait catégorique là-dessus. Finalement, coincée, dans une impasse, hésitant entre la crainte et la détermination, Célestine ne savait plus comment s'en sortir. Lasse de penser, elle se laissa dériver.

Peu de temps après, Gilbert arrivait, endimanché. Célestine, dans ses petits souliers, se forçait à être gentille, mais qu'allait-elle lui dire ?

– Monsieur le curé veut te voir.

– Tu sais ce qu'il me veut ?

– Non ! Oui ! Enfin, tu verras en temps et lieu. Si je te le dis, tu ne voudras pas y aller.

– C'est encourageant !

Elle remarqua son élégance et sa bicyclette neuve d'un rouge rutilant.

– Tu es un peu trop cachottière pour mon goût, Célestine. Qu'est-ce que je vais foutre là ?

Pour une fois, sa voix trahissait un manque d'assurance.

– Moi, j'ai fait la commission, comme le curé l'a demandé, sans plus.

Gilbert se rendit au village en bicyclette. Il ne présageait pas que sa vie pouvait être chambardée, à partir de cette visite. Au presbytère, il gravit les marches lentement et frappa.

Le curé le fit passer à son tour dans la petite pièce adjacente à l'entrée. Gilbert était calme.

– Assieds-toi !

Le jeune homme sortit de la poche de son gilet, un paquet de cigarettes qu'il brandit de la main en le montrant au curé :

– Je peux ?

Le prêtre poussa le cendrier vers lui, en signe d'approbation. Gilbert alluma pendant que le curé entrait dans le vif du sujet, sans passer par quatre chemins.

Gilbert rageait. Le ton montait et baissait à plusieurs reprises. Le curé ne donnait aucune chance à l'accusé de s'innocenter. La cigarette tremblait entre les doigts du garçon. Battu d'avance, chaque contestation tournait à son désavantage. Comment prouver le contraire ?

– Si je comprends bien, fit Gilbert, je dois jouer le rôle de Saint-Joseph ?

– Écoute, jeune homme, tu devrais te montrer moins ironique, je te demande seulement de prendre tes responsabilités, rien de plus.

Incapable de se justifier, Gilbert, les poings fermés et les dents serrées, se leva dans un mouvement de colère. Sur le seuil de la porte, il remit sa casquette et plein de rancœur contre son curé, il sortit. La visite avait été brève et déplaisante.

Au retour, le garçon, encore sous le coup d'émotions fortes, pédalait plus lentement, comptant sur le temps pour se calmer et trouver des solutions. Il se demandait dans quel merdier on voulait l'embarquer. Et le curé qui le menaçait d'avertir son père de sa prétendue paternité. Jamais il ne pourrait opposer ses arguments à ceux du prêtre.

À quel jeu, jouait-on? Célestine était-elle vraiment enceinte ou avait-elle monté toute cette mise en scène? Si oui, pourquoi l'avait-elle choisi, lui? Sinon, pourquoi avait-elle menti? C'était odieux. Il essayait d'assembler le casse-tête, mais n'y parvenait pas, trop de morceaux manquaient. Et l'énigme reprenait de plus belle.

Célestine en connaissait bien d'autres qui avaient la préférence lors de ses petites veillées. Il lui en voulait d'être la responsable d'un tas d'accusations malicieuses. Plus il y réfléchissait, plus il s'emportait contre elle.

Tout était décidé, c'était non. Il ruminait: «Célestine Gauthier se sert de moi comme bouche-trou, non jamais.» Il ne se dérangerait même pas pour lui en souffler mot. Au retour, il passa tout droit devant chez elle.

Célestine comprit alors qu'il lui faudrait quitter la paroisse pour cacher son état jusqu'à la fin. La honte de toutes ces machinations et sa réputation que les Quentin ne se gênaient pas d'éclabousser lui donnait froid dans le dos.

Son idée était toute faite, elle disparaîtrait et donnerait l'enfant à l'adoption. Elle était soulagée que ce mariage forcé échoue.

XXXIII

Les dimanches étaient jour de retrouvailles chez les Gauthier. Après la grand-messe, Laurent, Julie et leur petite famille venaient dîner. Chaque fois, c'était la fête.

Ce jour-là, Mathilde cherchait à éloigner Louis, pour lui parler seule à seul, mais chaque fois, Julie s'imposait.

– Louis, pourriez-vous me donner un coup de main pour rapporter mon grand chaudron de ragoût de la cuisine d'été ?

– J'y vais, m'man ! s'exclama Julie empressée.

– Non, reste assise toi. Louis a de bons bras, il va se faire un plaisir de m'aider.

– Certainement, fit Louis empressé. Si je peux vous être utile, je ne demande pas mieux.

Mathilde le suivait sur les talons pour enfin transmettre à Louis ses inquiétudes au sujet de Julie :

– Julie dépérit. Depuis la naissance de son dernier, elle aurait dû se remettre sur pied depuis belle lurette. Conduisez-la donc au médecin. Il lui prescrira peut-être un bon tonique qui la remettra d'aplomb. Vous avez remarqué qu'elle est pâle comme une morte ?

– Non !

Louis avait constaté que sa femme prenait plus de temps à se remettre, en comparaison du premier accouchement, mais il avait cru que c'était normal, qu'au deuxième, une mère relevait plus lentement. Il ne contredit pas sa belle-mère.

Louis ne tarda pas. Il se rendit avec Julie chez le médecin, dans le but de rassurer sa belle-mère qui devait s'inquiéter pour rien. Une série d'examens s'ensuivit et ils durent attendre les résultats.

* * *

Entre-temps, au bout du rang, Gilbert Quentin décompressait de sa surprise. Il n'avait encore parlé à personne de ses tourments. Tous ses rêves échouaient. Il se refermait sur lui et se retirait dans sa chambre le plus souvent possible. Là, étendu, tout habillé sur son couvre-pied, il remâchait les derniers événements. Il ne trouvait aucune solution et redoutait continuellement les aveux prochains du curé.

C'en était fini de rêver à Célestine et ce n'était pas facile. Il la revoyait sans cesse, sur le banc d'école, vêtue de sa petite jupe grise à plis pressés et de son chemisier blanc. Ses cheveux, attachés en queue de cheval, étaient toujours retenus par un élastique. Et quand Célestine se levait pour répondre aux questions de l'enseignante, Gilbert ne pouvait détacher les yeux de sa taille fine et de ses hanches étroites. Quelques cheveux folâtres s'échappaient de sa nuque gracieuse et formaient une frisette.

Quand les Gauthier avaient organisé des veillées auxquelles il n'était pas invité, Gilbert avait fait mille allers et retours en bicyclette dans le rang et chaque fois qu'il passait près de chez elle il avait diminué son coup de pédale pour la regarder danser. Un soir, il avait même poussé l'audace jusqu'à grimper dans l'érable devant chez elle pour ainsi la regarder sans risque d'être pincé. Elle tournait et tournait aux bras de Bernard, Robert, Alain. Le vague à l'âme, Gilbert Quentin s'en était retourné chez lui, morfondu à la pensée que Célestine ne voulait pas de lui. Elle l'avait ensorcelé. Gilbert se répétait qu'avec le temps, il l'oublierait, mais il n'y croyait pas.

* * *

Mathilde accompagna Julie et Louis chez le médecin qui leur avait fixé un rendez-vous pour le jeudi suivant. Ce dernier parla seul avec Louis, après quoi, il fit entrer les deux femmes. Il fit mille recommandations à Julie :

– Dès qu'un malaise apparaîtra, comme des saignements, par exemple, n'hésitez pas à vous rendre à l'hôpital sur-le-champ.

Les yeux de Mathilde s'agrandirent. Elle comprit que la maladie de sa fille était grave et qu'elle empirerait.

De retour chez elle, Julie, que le moindre effort terrassait, se coucha. Mathilde essayait de s'affairer inutilement. Elle tournait en rond.

Quand Louis traversa au magasin, elle le suivit et à l'écart de Julie, lui demanda :

– Que vous a dit le médecin ?

– Qu'elle a ce qu'il redoutait. Il a nommé ça la leucémie. Il a dit que c'était grave.

Louis essayait de cacher sa peine, mais ses traits le trahissaient.

– Ça se guérit?

– Il n'a pas laissé grand espoir. Il a dit: «faut faire confiance à la science. Actuellement, il n'y a aucun remède, mais nous ferons tout pour la prolonger.»

Mathilde blêmit:

– Quoi? La prolonger? Mon Dieu! Pauvre enfant.

Le désespoir se lisait sur sa figure défaite.

Les clients la contournaient en lui jetant un regard insistant. Louis la prit par le bras et la reconduisit à la cuisine où Doris s'occupait des enfants.

– Tiens, Doris. Occupe-toi de ta mère.

– Non, Louis. Venez me reconduire chez moi au plus tôt. Je peux pas supporter davantage de rester ici avec cette terrible nouvelle, Julie pourrait se douter…

Elle ajouta, se parlant à elle-même:

– Pauvre Julie! Pauvre petite fille!

* * *

Tout arrivait en même temps pour Mathilde. Il fallait s'occuper de Célestine avant que son état n'éveille des doutes.

Sa mère l'avertit sérieusement:

– Chaque fois que viendront des visiteurs, monte dans ta chambre et reste là jusqu'à leur départ.

Elle lui expliqua qu'elle devrait partir au plus tôt, afin que ses plus jeunes sœurs ne devinent quelque chose.

– Je parlerai à Julien. S'il pouvait te garder chez lui jusqu'à ce qu'on trouve une chambre à louer. La ville, c'est encore la meilleure cachette.

Quelqu'un frappait à la porte. Célestine monta. Elle eut à peine le temps de se rendre en haut, que sa mère la rappelait :

— Célestine, quelqu'un pour toi !

Elle reprit l'escalier en sens inverse.

Les yeux de Gilbert se posèrent d'abord sur sa taille fine. Rien n'y paraissait encore. Seule sa figure s'était un peu arrondie.

Elle était vêtue d'une jupe de lainage grise à plis pressés et d'un chemisier blanc. Gilbert reconnu le même ensemble qu'elle portait la dernière année, à l'école du rang. Elle était toujours aussi attirante et attachante en plus, son petit caractère, tantôt têtu, tantôt drôle, l'avait toujours rendue si sympathique à ses yeux. Elle le troublait encore. Sans doute, elle le troublerait toujours.

Gilbert préférait marcher à l'extérieur où personne n'entendrait leur conversation. D'un coup de tête vers la porte, il l'invitait à sortir :

— Viens dehors, un peu.

— Attends-moi, le temps de prendre un gilet.

Quelle bonne idée, il avait eue. Elle sentit un grand soulagement. Elle aurait toute liberté de paroles. Les siens resteraient en dehors de leur conversation.

Elle couvrit ses épaules d'un vieux lainage bleu bouloché.

— Si la température se rafraîchit trop, nous entrerons jaser en dedans, fit-il.

Elle était nerveuse et inquiète de ce qu'il venait faire chez elle, après l'avoir laissée pour compte.

Ils s'engagèrent sur le chemin. Il lui jeta à la figure, sa colère refoulée :

— Monsieur le curé croit que tu es enceinte de moi. C'est un truc pour me marier ou pour me faire essuyer tes bêtises ?

Ses jambes menaçaient de la lâcher. Jamais Gilbert Quentin ne lui avait parlé sur ce ton méprisant. Elle baissa la tête, non habituée de parler de sa vie intime à un garçon, elle qui n'en parlait même pas avec les filles. Elle ne répondit pas.

Angèle Melançon venait à bicyclette. Arrivée à leur hauteur, elle sauta sur ses pieds, prête à partager un bout de chemin avec eux. Célestine, le visage long, fit demi-tour, sans la regarder. Gilbert en fit autant et Angèle reprit sa route, désolée que Célestine lui tourne le dos. Peut-être son amie lui en voulait-elle pour l'avoir acculée au pied du mur, le soir de la dernière veillée de musique.

— Si nous prenions la route des vaches, proposa Gilbert, nous aurions la paix pour parler.

— Ou pour nous engueuler !

— Je m'excuse ! Je m'étais pourtant promis d'être calme, mais comprends-moi…

Ils s'engagèrent dans la longue allée.

— Écoute, insista Gilbert, tu m'expliques tout. Faut surtout pas me prendre ni pour un idiot ni pour un bouche-trou. Tu as couché avec qui ?

Sans le regarder, elle lui dit :

— Tu pourrais être plus réservé dans tes paroles.

— Qu'est-ce que j'ai dit de mal ?

Elle murmura, pudique :

— Il y a des mots qui ne se prononcent que dans une chambre à coucher.

– Franchement, Célestine! Depuis quand ces scrupules? Alors que tu couches avec je ne sais qui?

Elle ne se laisserait pas humilier ainsi. Elle redressa la tête et fit demi-tour.

– Je ne vois pas la nécessité de te rendre des comptes. Si tu viens ici, juste pour me faire la morale, tu n'as qu'à partir, je rentre.

Comme elle tournait les talons, il la tira par un poignet.

– Non, viens!

– Alors, change de ton pour me parler.

– Excuse-moi, je n'aurais pas dû, mais essaie de me comprendre. Es-tu certaine que tu es prête à parler?

– À parler oui, à crier non!

Elle se détendit un peu. Gilbert revint sur ce qui le tracassait le plus.

– Pourquoi moi? Plutôt que l'autre?

Au fond de lui, il espérait entendre Célestine lui avouer, qu'elle l'avait choisi parce qu'elle l'aimait, mais non.

Célestine croisa les bras et lui expliqua:

– Comme je n'ai pas voulu parler, mes parents et monsieur le curé ont pensé que c'était toi. Ce sont eux qui t'accusent d'être le responsable.

– Qu'est-ce qui leur a fait penser ça?

– Je ne sais pas, le curé avait l'air sûr de son affaire. Ils disent tenir une preuve solide. Va essayer de savoir laquelle! Je ne les ai pas contredits pour ne pas être forcée à dénoncer l'écœurant qui….

Sur le point de pleurer, Célestine ravala un soupir.

– Je souhaitais juste qu'ils me laissent partir.

– Et qui est cet écœurant?

Célestine serra les lèvres. Gilbert insistait :

– Je veux savoir qui. Tu peux me faire confiance. Je n'en parlerai plus jamais par la suite.

– Non, non et non !

Célestine éclata en sanglots.

– Mais pourquoi ? Le gars t'a prise de force ?

Célestine acquiesça d'un signe de tête.

– Il menace de me tuer.

Elle essuya ses yeux, repris son aplomb et froidement :

– Avant, tu voulais sortir avec moi ? En tout cas, c'est ce que mes frères me racontaient.

– Je ne sais plus. Dans le temps, tu n'étais pas enceinte.

– Aujourd'hui, je le suis, et tu n'es nullement obligée à moi.

Sa voix tremblotait. « Qu'il dise non, une fois pour toutes, se dit-elle et ce sera réglé avec lui. » Célestine jouait la partie sur deux vies pour obéir à sa mère et au curé. Elle détestait embarquer dans leur manège.

Puis Gilbert se fit tout tendre :

– Regarde-moi, Célestine.

Elle leva ses yeux tristes sur lui et, mal à l'aise, elle les rebaissa aussi vite.

– J'ai toujours pensé à toi, mais pas comme ça. Laisse-moi un peu de temps, j'ai besoin de réfléchir.

– Tu n'as qu'à refuser, rien ne t'oblige. Le temps court, il n'en reste que peu pour la réflexion et dans un mois ce sera trop tard. Dis non, et tout s'arrêtera là pour toi.

Lui qui croyait avoir le beau rôle, que Célestine s'accrocherait à lui. Il la reconnaissait bien, indépendante et fière.

– Tu sais, la réflexion, ça demande du temps. Je ne peux quand même pas réfléchir à l'épouvante. Si je te demandais encore une semaine ?

– Peu m'importe.

– Et si je refusais ?

Célestine redevint elle-même, calme et sincère. Elle lui parla sans détour ne voulant rien détruire de sa vie. Elle le sentait tiraillé entre son intérêt pour elle et son orgueil qui, après tout, était du plus normal.

– Écoute-moi, ensuite tu n'auras peut-être pas besoin de réfléchir longtemps pour me donner une réponse. Je veux être honnête avec toi. Le curé et mes parents veulent nous marier pour sauver mon honneur. C'est un arrangement. Maman me pousse au mariage, comme autrefois, elle aurait voulu me voir entrer en communauté. Tu es complètement libre de refuser, je ne t'en voudrai pas. Ton choix sera le bon.

– Et toi, que feras-tu si je refuse ?

Elle redressa la tête mettant en évidence son cou gracile, puis tantôt sensible, tantôt brave, elle ravala :

– Tant pis pour moi ! C'est tout ce que je mérite. Je partirai pour la grande ville où personne ne me connaît. Ce sera plus facile qu'ici avec les ragots, mais je ne reviendrai plus jamais aux Continuations.

Comme ils approchaient du ruisseau, Célestine, effrayée de revoir les lieux, se mit à crier, affolée :

– Non !

Elle tourna vivement sur ses pas, et se mit à courir.

En peu de temps, Gilbert la rejoignit.

– Qu'est-ce qui te prend de te pousser comme ça ? Qu'est-ce que j'ai dit de trop ?

– Rien ! répondit-elle à bout de souffle. J'ai peur du bœuf des Melançon. Papa dit toujours de s'en méfier.

– Je ne le vois pas dans les parages !

Gilbert oublia aussitôt l'histoire du bœuf.

– Dis-moi qui tu aimes ?

– Personne !

– Tu le jures ?

– Je le jure.

Il regarda tendrement ses yeux humides et ses pommettes saillantes. Pourquoi fallait-il qu'elle soit si désirable ? Il prit son poignet. Elle se dégagea en douceur. Il s'en voulait de l'aimer comme un idiot. Deux minutes plus tôt, il avait envie de tout foutre en l'air par orgueil, puis il se persuadait que s'il ne l'épousait pas, il le regretterait toute sa vie. Elle prenait déjà toute la place dans sa tête et dans son cœur. En plus, elle n'était amoureuse de personne. Pourquoi fallait-il qu'il y ait cet enfant ?

Il promit à Célestine de lui donner des nouvelles et comme il allait retourner chez lui, Émery lui remit sa bicyclette noire :

– Tiens, c'est à toi ?

– Oui ! fit-il, étonné. Nous l'avions perdue, où l'avez-vous retrouvée ?

– Au ruisseau du nord, la nuit où le chien a été étranglé, lui dit Émery.

– P'pa en a acheté une autre. Bon ! Nous en aurons pas trop de deux.

Émery le dévisageait. Intrigué, Gilbert questionna :

– Comme ça, elle était chez vous ?

– Oui ! Tout près du ruisseau.

— Au ruisseau ? Je ne comprends rien. Je la rapporterai à la maison tantôt.

Émery ne parlait plus. Il entra dans la maison, laissant Célestine et Gilbert sur le perron.

Après son départ, Mathilde s'informa :

— Comment a réagi le jeune Quentin ?

— C'est curieux, il ne s'est même pas défendu. Sacre-bleu, je me demande si je peux m'être trompé, c'est pourtant sa bicyclette, il l'a reconnue. Il pourrait faire un bon acteur.

Célestine entra. Elle demeurait silencieuse, l'histoire de la bicyclette qui lui était inconnue jusqu'alors, l'avait toute revirée, la peur l'assaillit de plus belle.

Sa mère la pressait :

— Faut connaître les intentions du garçon pour tout préparer. Nous n'avons plus grand temps.

— Ne vous inquiétez pas. Je ne vous donnerai pas de trouble.

Mathilde retint sa réplique pour ne pas vexer sa fille.

Du trouble, elle n'avait que ça avec ses onze enfants… Si elle avait su, elle ne se serait jamais mariée, mais… au fait, à bien y penser, si elle ne les avait pas, quelle vie vide de sens elle aurait eue. Elle reconnut qu'ils lui avaient apporté beaucoup plus de joies que de troubles. Et son orgueil la reprenait : Rosemarie religieuse, Laurent distingué, marié à une demoiselle très bien, Julien serait médecin, sa pauvre Julie, une dame respectable, et Doris qui fréquentait un notaire. Maintenant sa Célestine passait un mauvais moment, elle épouserait probablement un garçon de classe inférieure, mais c'était mieux que de perdre son honneur.

* * *

Le soir en tirant l'édredon sur lui, Gilbert pensait à toutes les questions restées en suspens. Il voulait Célestine, son idéal. Ne s'était-elle pas offerte à lui pour la vie ? N'était-ce pas son désir le plus tendre qui allait en s'amplifiant depuis la petite école ? Tout le reste de la nuit, cauchemars et rêves se succédèrent. Il était monté se coucher tôt pour penser à elle.

Ce qu'il avait pu être bête, ce soir-là, quand il s'était laissé aller sans retenue ! Pourquoi s'était-il emporté ? Elle, en toute innocence, protégeait ce qu'elle avait de plus intime. À l'avenir, il se promit d'agir plus délicatement.

Célestine aussi était montée tôt, en songeant à Gilbert, mais d'une manière différente. Elle pensait : « Lui qui pourrait marier une belle fille. Qui pourrait croire ? »

Elle craignait que, s'il refuse, le curé ou les parents les fassent marier de force. De toute façon, elle n'appartiendrait jamais complètement à Gilbert Quentin. Elle repensait au bicycle… Quel mystère ! Comment était-il arrivé là ? Elle maudissait la ferme et regrettait le Portage. « Nous n'aurions jamais dû partir. Un jour, j'y retournerai et m'y fixerai pour toujours. » Elle pensa à Jean-Marc… Inutile, c'était trop tard ! Attendre ? Attendre quoi ? Ignorer l'avenir la dérangeait. Ça ne tarderait plus. Elle aurait sa réponse dans la semaine suivante et n'importe laquelle ferait l'affaire, parce que de toute façon, sa vie était déjà gâchée.

* * *

Gilbert se rendit chez les Gauthier. Il regrettait de ne pas avoir téléphoné auparavant. C'est Guillaume qui lui ouvrit :

— Célestine est là ?

— Non ! Tu tombes mal, hein.

Une crainte lui traversa l'esprit. Serait-elle partie pour Montréal plus vite que prévu, sans attendre sa réponse ?

— Où est-elle, alors ?

— Au Portage, au moins pour une semaine. Après ça dépendra de la santé de Julie.

— Dans une semaine, si elle n'est pas revenue, viendrais-tu avec moi chez Julie ? Je demanderai l'auto du père.

— Ça dépend…. me laisseras-tu conduire ?

— Faudrait pas que le père le sache.

— Compte sur moi.

Au jour fixé, Célestine revint. Gilbert était là avant son arrivée. Ils passèrent au salon, où ils parlèrent tout bas très longuement.

Sa décision prise, Gilbert respirait plus à l'aise. Il approcha sa figure contre la sienne, il lui touchait presque :

— Tu m'aimes, Célestine ?

— Je mentirais si je disais oui. Disons que je ne te veux pas de mal.

Il se redressa.

— Et tu veux passer ta vie avec un garçon à qui tu ne veux pas de mal ?

— Je peux essayer de t'aimer.

— Et tu veux vraiment ?

Elle fit signe que oui, un petit signe, sans enthousiasme. Il ajouta :

— Alors on y va pour le mariage.

— Tu n'en parles pas avec tes parents, d'abord ? Ils ne seront peut-être pas d'accord.

— C'est fait. Quand je leur ai appris que je me mariais avec toi, tout le monde était surpris. Ça se comprend, ils ne nous ont jamais vus ensemble, sauf depuis quelques jours.

— Et ils acceptent ce mariage de raison ?

— Ils n'ont pas le choix, je leur ai laissé entendre à mots couverts, que tu es enceinte de moi.

Il tut le reste. Son père lui avait demandé : « Comment penses-tu la faire vivre ? Je ne suis pas la banque à Jos Violon, moi. » Puis il s'était retiré brusquement.

— Je ne sais pas, mais je dois la marier.

Sa mère l'avait regardé de ses grands yeux pleins de bonté. Brigitte était ravie, les plus jeunes également.

Gilbert mit le bras sur le dossier du fauteuil de Célestine :

— Comme je ne gagne encore rien, nous remettrons le voyage de noces à plus tard. Mes parents vont nous laisser une chambre à la maison jusqu'à ce que je me trouve un emploi à l'extérieur. En attendant, ils nous fourniront la nourriture contre mon travail.

Horrifiée, elle lui répondit :

— Chez vous ? Jamais !

C'en était trop. Tout se bousculait dans sa tête. Elle se révoltait intérieurement. Demeurer chez les Quentin, ses lèvres tremblaient. Ça, par exemple, jamais, au grand jamais !

– Célestine, je voudrais que je ne pourrais faire autrement. Ce ne sera pas pour longtemps. Je chercherai un emploi au plus tôt.

Elle se ressaisit. Une idée germait dans sa tête. Le calme revint.

– Nous verrons, dit-elle, nous pourrons en reparler plus tard ?

– C'est ça, nous en reparlerons.

* * *

Sur la demande du curé, Émery se rendit au presbytère. Le prêtre, d'un âge assez avancé, vint lui ouvrir et l'exhorta à passer à son bureau. Ses cheveux blancs présageaient la fin prochaine de son règne.

– Je suis Émery Gauthier.

Quand le curé Lafortune se présenta, Émery intrigué, lui demanda :

– Il y a un certain curé Lafortune qui m'a baptisé, il y a de ça cinquante ans. Ce ne serait pas vous ?

Le curé mentit joyeusement pour alléger la conversation :

– Oh non ! C'est impossible, j'ai le même âge que vous.

Émery riait sous cape. Il riposta du tac au tac :

– D'abord, ce devait être votre père.

Le curé éclata d'un rire franc et donna une tape sur l'épaule de son paroissien.

La conversation tourna au sérieux. L'ancien sacristain tombait en pays de connaissance dès qu'il rencontrait des prêtres.

À tant parler, l'avant-midi avait filé à une vitesse telle que, quand Émery regarda sa montre, il sursauta.

Comme l'heure du dîner approchait, le curé lui tendit une missive :

– Lisez ça !

Intrigué, Émery saisit l'enveloppe. À mesure qu'il lisait, son visage se détendait. À la fin, sans commentaire, il mit la lettre dans sa poche.

Curieux de connaître le dénouement, le curé s'informa :

– Je peux vous demander ce que vous avez l'intention de faire ? Je devrai donner suite au père jésuite qui sert d'intermédiaire.

– Nous irons la chercher, mais je regrette de ne pouvoir le faire tout de suite.

– Vous n'êtes pas trop surpris ?

– Ce qui me surprend le plus, c'est qu'elle y soit restée si longtemps. Maintenant, il faut que je fasse avaler ça à ma femme, qui a déjà pas mal de soucis avec Célestine. En plus, il y a Julie qui est gravement malade.

Le curé s'informa de son cas. C'était la première fois qu'il se laissait aller à parler de la maladie de Julie. Avec Mathilde, il évitait le sujet.

Aux douze coups de midi, Émery s'empressa de se lever.

– J'envoie un mot au jésuite pour faire patienter Rosemarie.

Émery remercia le curé et sortit en coiffant sa casquette.

* * *

Célestine demanda à sa mère la permission de demeurer chez elle, après son mariage :

— Je ne veux pas habiter chez les Quentin, m'man.

— Écoute, ça me ferait plaisir de vous garder, mais où voudrais-tu coucher ? La maison est déjà pleine à craquer, et ça ne me surprendrait pas d'être obligée de garder les enfants de Julie, pour la soulager de temps à autre.

— Dans la chambre du bord ? Vous le savez, c'était toujours la guerre entre nous pour ne pas coucher là. Pour une fois que quelqu'un la demande…

— Voyons donc ! Ce ne serait pas convenable. Tout le monde passe par là pour se rendre à sa chambre. Ce n'est pas une pièce pour jeunes mariés.

— Dans le hangar, m'man ? J'aime mieux m'installer dans le hangar que de demeurer chez les Quentin. Une mince couche de peinture pour désinfecter et tout sera parfait. Vous savez, ce sera peut-être juste pour deux ou trois semaines. Gilbert ne traînera pas pour se trouver un emploi.

— Mais tu déraisonnes, ma fille ! Installe-toi chez les Quentin, c'est ce qu'il y a de mieux pour le moment, et si tu n'es pas à l'aise, nous essaierons de nous tasser, mais avant promets-moi d'essayer.

Célestine se tut. Sa lèvre tremblait. Impossible d'en parler à Gilbert qui faisait déjà tout son possible en l'acceptant dans son état. Jusqu'à quel point pouvait-elle en exiger de lui ?

Fallait-il qu'il soit fou pour risquer son avenir sans prévoir les conséquences de son geste? Un enfant viendrait et serait toujours entre eux pour lui rappeler qu'il avait contracté un mariage de raison avec une fille qui l'avait autrefois repoussé. Et cet enfant, il le détesterait, comme elle d'ailleurs. La malheureuse se repentait aussitôt. Gilbert ne méritait pas d'être jugé ainsi, la bonté et la douceur de sa mère avaient déteint sur lui.

Angèle l'aimait, Angèle lui ferait une bonne épouse. Elle avait tout pour plaire, la beauté, l'intelligence et surtout, elle était sans souillure.

Mais non! C'était elle que Gilbert désirait, elle avec ses exigences, avec un gros ventre. Elle qui refusait de demeurer chez les beaux-parents. Pourquoi elle?

Célestine bouleversée ne savait plus que penser.

* * *

Installée à la machine à coudre, Mathilde, fatiguée, n'avait pas terminé ses deux couvre-tout imprimés, qu'elle s'attaquait à une robe sans ajustement, semblable à une tunique. Le vêtement demandait de la précaution et malheureusement, le cœur n'y était plus. Les erreurs se multipliaient et Célestine par les soupirs répétés de sa mère subissait son impatience grandissante.

Mal à l'aise de causer tant de troubles, elle essaya de l'accommoder:

— Laissez faire, m'man. Je m'arrangerai bien!

— Et tu t'arrangeras comment? Non, tu ne vas pas aller me faire honte chez les Quentin et nous abaisser au rang de quêteux. Non, surtout pas chez eux. Cette robe-là, avec des plis sur le côté, devra se porter jusqu'à la fin. Et demain, nous irons t'acheter des souliers confortables.

— Arrêtez de vous démener pour moi.

— Et tu t'habilleras comment?

— N'importe comment, je m'en fiche. Je me fiche des Quentin, je me fiche de tout le monde. Je veux juste mourir.

— Ah! fit Mathilde, surprise.

Toute en pleurs, Célestine se précipita vers sa chambre. Sa mère tendit vers elle, une main qu'elle laissa retomber. Célestine était déjà disparue.

— Pauvre elle! murmura Mathilde. Ce doit être la gêne qu'elle ne peut supporter.

Repentante de s'être laissée aller, la mère remit le pied sur la pédale, cette fois le cœur y était. « Ce n'est quand même pas une robe qui va avoir raison de nous. »

XXXIV

Sept coups sonnèrent au réveille-matin. Célestine avait peu dormi. Sa dernière nuit chez ses parents fut meublée de rêves, de cauchemars, de questions et suppositions. Et ses bigoudis inconfortables n'avaient fait qu'ajouter à son insomnie.

Aujourd'hui, Célestine devait s'unir à Gilbert pour la vie.

Elle se tourmentait. Et si Gilbert réalisait la portée de son geste et qu'à la toute dernière minute il changeait d'idée? Serait-ce une déception ou un soulagement? Célestine ne savait dire. Et si elle commettait la pire erreur? Cette question revenait sans cesse hanter son esprit. De toute façon, son cœur avait cessé de battre, trois mois plus tôt, au ruisseau du nord.

Elle s'étirait. Tout était calme dans la maison. Célestine aurait donné cher pour rester au lit. Et si c'était elle qui disait non à l'église?

En bas on l'appelait:

– Célestine? Vite, ta toilette et tes cheveux! C'est aujourd'hui le grand jour!

Elle répondit en étirant ses mots:

– Oui, oui.

Et du pied droit, elle poussa les couvertures sur Hélène.

Célestine posa lentement ses pieds nus sur le prélart froid. Devant la fenêtre, elle écarta les rideaux, poussa les persiennes et plissa les yeux sur un beau matin frais et ensoleillé de l'été indien.

Elle ramassa quelques sous-vêtements et descendit dans la chambre du bas où sa mère lui avait préparé une cuve d'eau chaude. Célestine se recroquevilla, s'y enfonça jusqu'au cou, et y demeura jusqu'à ce que l'eau refroidisse.

Comme elle éternisait sa toilette, sa mère frappa :

– Célestine, ouvre un peu.

Célestine frissonna en émergeant du baquet. Elle fit sauter le crochet et présenta à sa mère, une tête, gonflée par les bigoudis. Son corps enroulé dans une grande serviette à rayures rouge, restait dissimulé derrière la porte.

Mathilde lui glissa un sac dont elle ne pouvait deviner le contenu.

– Mets ça pour serrer ta taille et rentre ton ventre. Ça empêchera les gens de jaser.

Intriguée, Célestine ouvrit le sac. Un peu étonnée, elle en retira un corset blanc ourlé d'une étroite dentelle. Bien évidemment, sa mère avait pensé à tout.

Après une certaine hésitation, elle enfila difficilement cet étau. Célestine se trouvait l'allure d'une vieille demoiselle guindée. Sa mère avait raison, sa taille s'amincissait, mais si peu. Elle revêtit aussi les sous-vêtements dont Alice lui avait fait cadeau, la veille, à l'insu de Mathilde.

Quand elle sortit de la chambre, Célestine était ravissante, mais elle ne s'en souciait guère.

– Aujourd'hui, lui glissa sa mère à l'oreille, tu dois sourire toute la journée.

– J'essaierai maman.

Sourire! Elle ne pouvait chasser cette amertume installée en permanence dans son âme, mais elle s'efforcerait de sourire. Le cœur serré, Célestine s'exerça à sourire dans le vieux miroir déformant du réchaud du poêle.

Affairée à sa toilette, sa mère criait d'un ton joyeux:

– Si tu as besoin de moi, je suis là en tout temps.

– Vous en faites trop maman.

– Jamais trop, ma fille! Être mère, c'est ça! Et c'est pour la vie.

L'auto attendait devant la maison. Il ne restait qu'elle et ses parents, les autres les avaient précédés de quelques minutes.

Devant la maison, le vieil érable, où Célestine avait tant bercé ses émotions, s'était mis à nu pour jeter aux pieds de la mariée un tapis d'or et de pourpre.

À l'entrée du village, Célestine entendait les deux clochers de l'église Saint-Jacques carillonner dans une folle symphonie d'allégresse. Et l'écho allait se perdre aux quatre vents.

Célestine n'en ressentait aucune émotion. Elle qui avait toujours eu le vague à l'âme au son des cloches, ce jour-là, demeurait aussi calme que si l'événement était banal.

Au bras de son père, la mariée monta les grandes marches de l'église vêtue d'un costume ajusté d'un blanc crémeux, coiffé d'un feutre à large bord et chaussée de souliers de même teinte qui soulignaient un goût raffiné. À la main, Célestine tenait un bouquet de mimosas. Les petites boules jaunes duveteuses ensoleillaient sa tenue élégante.

Les filles du rang étaient toutes là et lui souriaient.

Que de monde sur le perron à la regarder! Les paroles de sa mère lui revinrent: «Aujourd'hui, tu dois sourire.» Elle sourit faussement. Elle cacha mal son inquiétude à savoir si Gilbert serait là. Elle tournait la tête de tous côtés. Puis, soudain, elle sentit ses jambes ramollir. Elle murmura à son père:

— Gilbert est-il arrivé?

— Il devrait.

— Comment le savez-vous? Qu'est ce que je fais, s'il n'est pas là? Je sens que mes jambes vont me lâcher.

Il la réconforta:

— Mais non, tu as toujours été la plus forte de mes filles.

L'orgue entamait une marche nuptiale.

Il était déjà là, debout au centre de la grande allée dans un complet en tweed, couleur d'automne, une cravate tissée répétait le ton ocre du tweed et contrastait avec le blanc cassé de sa chemise empesée. Un mouchoir dépassait la poche de son veston. Ému, il admira la belle Célestine qui avançait lentement sur le tapis rouge. Celle qu'il avait tant désirée serait sienne.

Enfin, ils s'unirent devant Dieu et la famille.

«Fini la mascarade! se disait Célestine. Ce mariage n'est qu'un arrangement pour empêcher le déshonneur de la famille.»

Après les photos, la noce au complet fila chez les Gauthier pour fêter l'événement.

Journée d'épuisement pour la jeune épouse.

Vers quatre heures, les nouveaux mariés devaient se changer. Mathilde, à voix basse, avertit sa fille sérieusement:

– Je te défends bien d'entrer dans la même chambre que Gilbert, ce ne serait pas convenable.

Elle appela Julie, la seule qui était au courant de son état, et lui demanda d'accompagner Célestine dans la chambre des filles.

Gilbert monta aussi. Paul le précédait, tenant un habit sur un cintre. Ils se dirigèrent vers la chambre des garçons.

Dans la chambre, Célestine et Julie causaient.

– Tu as de bien beaux sous-vêtements ! s'exclama Julie.

– Un cadeau d'Alice, mais je me passerais bien de ce corset étouffant. Tu sais, je le porte juste pour contenter maman.

– Endure-le encore un peu, au moins, jusqu'à ton départ. Tu sais que tu as été parfaite ? Et Gilbert aussi. Vous faites le plus beau couple du monde entier.

– On dit ça à toutes les mariées. Je me souviens du jour de ton mariage, je le pensais réellement.

– Et tu ne crois pas que toutes les mariées sont les plus belles au monde, ce jour-là ?

– Non, ce doit être réservé aux filles Gauthier seulement.

Les deux sœurs riaient franchement.

– Tu sais, lui avoua Célestine, je t'ai toujours admirée ? Je voulais marcher sur tes pas.

– Ah oui ? Et pourquoi ça ?

– Je ne sais pas trop, c'était comme ça.

Et Célestine changea de sujet :

– Tu as vu Béatrice tourner autour de Guillaume ? Il aurait dû se faire accompagner d'une amie.

– Chut! Pas si fort, lui murmura Julie. Ton mari et ton beau-frère sont dans la chambre d'à côté.

– Mon mari! s'exclama Célestine confuse. Faudra que je m'y fasse.

– Pourquoi parles-tu comme ça de Béatrice?

– Parce que!

Julie ne comprenait pas ce que sous-entendait sa sœur. L'air taquin, elle lui demanda:

– Qu'est-ce que tu mijotes?

– Je veux juste éviter des désappointements à Guillaume. Et puis, pour être franche, ça me déplaît. Une Gauthier mariée à un Quentin, ça suffit! non?

– Guillaume doit être assez vieux pour s'occuper de lui.

– Je crois que non! La preuve en est là.

Julie s'extasiait:

– Ce que tu peux être chic! Moi, j'ai toujours adoré les robes-manteaux et le vert te va si bien.

– Le vert m'a toujours donné mal au cœur. C'est maman qui voulait ça. C'est son goût à elle.

– Non, Célestine, tu es ravissante. Tu seras l'orgueil de la famille.

Célestine descendit l'escalier au bras d'un Gilbert ébloui. Les invités en avaient plein la vue. Célestine et Gilbert étaient, sans contredit, les plus beaux mariés de la Terre.

Après avoir dégusté le gâteau, les mariés se rendirent au bout du rang où, à leur tour, la famille Quentin donnait le souper.

Chez lui, Gilbert conduisait une Célestine fébrile à sa chambre. Dans l'escalier, il la suivait d'une marche.

Arrivés en haut, une mauvaise surprise les attendait. On les avait installés dans la chambre du bord où les huit jeunes circulaient librement. Célestine n'en eut aucune réaction. Immobile, elle regardait son jeune mari, rouge de colère, descendre les marches quatre à quatre.

– Ça ne se passera pas de même, hurla-t-il.

Il cherchait le coupable.

Célestine ne le reconnaissait plus. Ce Gilbert qu'elle venait d'épouser ne se laissait pas marcher sur les pieds.

Il avait laissé sa jeune femme, indifférente à l'offense, assise sur le bord du lit.

Sa main caressait doucement la belle courtepointe bleue dans laquelle ses sœurs et elle avaient sacrifié tant d'heures.

En bas, son beau-père criait pour que sa voix porte bien haut :

– Tu ne vas pas bousculer toute la maison parce qu'une Gauthier y entre. Elle n'a pas à faire sa précieuse ici. Je me souviens qu'il n'y a pas si longtemps, à Sacré-Cœur, les Gauthier vivaient aux crochets de la paroisse.

Gilbert enterrait la voix de son père.

– Je veux la chambre du fond, comme c'était décidé. Compris ? Et baissant le ton, l'index pointé vers son père, Gilbert le menaça : Écoutez-moi bien, ce sera ça ou je partirai et je raconterai à tout le monde que vous agissez contre la morale.

Octave Quentin se tut net. Son fils avait touché sa corde sensible. Sa réputation et son orgueil étaient ce qu'il y avait de plus important aux yeux des gens. Il sortit brusquement.

Puis Célestine entendit Gilbert demander à Paul :

– Viens donc m'aider à déménager les chambres.

– Hé, le jeune, tu t'affirmes ! lui dit Paul. Je ne t'ai jamais entendu parler au père sur ce ton.

Paul suivit Gilbert. Les deux frères, si différents, finissaient toujours par s'entendre. En peu de temps, tout fut déménagé.

Madame Quentin achevait de refaire les lits de ses enfants quand son mari entra. L'homme monta la retrouver et sans un mot, il la tira par la manche et la fit descendre si brusquement l'escalier qu'on eut cru qu'elle déboulait.

« Le porc ! » pensa Célestine. Quelle vie bizarre l'attendait ? Elle avait le goût de retourner chez ses parents où la fête continuait, mais au souper des Quentin, la mariée ne pouvait s'absenter. Elle resterait, même si ce n'était que par respect pour sa belle mère.

Paul remarqua que sa mère boitait. Son père la retenait toujours par la manche de sa robe. Il la conduisit brusquement jusqu'au poêle où il lâcha prise. Comme il retournait à sa chaise, il fit face à Paul, qui, bien décidé que c'en était assez, le saisit à son tour par le col de sa chemise et le poussa dans la cuisine d'été, hors de la vue des enfants. Là, il le menaça, le poing appuyé sous le menton, de ne plus jamais toucher à sa mère, sinon il aurait à faire à lui.

– Doucement, toi ! Du calme, du calme.

Paul, en colère, n'écoutait rien, seule sa mère comptait en ce moment.

Octave Quentin, la face rouge de colère, recula. Il redoutait, à l'avenir, devoir mesurer sa force à celle de ses garçons.

Dans la grande cuisine blanche, madame Quentin préparait son souper sans se plaindre. Son humeur ne changea pas. Il lui fallait afficher bonne figure. Tantôt, la maison serait bondée de monde. Elle roula la manche de son chemisier, déchirée au poignet par la brutalité de son mari. Plus rien n'y paraissait.

En haut, Gilbert retrouva sa bonne humeur. Il souleva Célestine de terre et lui fit faire un demi-cercle dans les airs.

– Madame Quentin, voici notre chez-nous temporaire.

Célestine était gênée et trouvait ça inconvenant devant les jeunes qui les regardaient en riant.

Elle se dégagea doucement et Gilbert tourna les petites épaules des enfants vers l'escalier.

– Allez nous attendre en bas.

Il ferma la porte sur eux.

Célestine put enfin enlever ses souliers à talons aiguilles qui blessaient ses orteils et sans enlever ses bas, elle massa un peu ses pieds enflés.

Sans un mot, sans même un regard pour Gilbert elle ouvrit tous les tiroirs des bureaux et morceau par morceau, vida ses valises en douceur. Elle prenait son temps, exprès pour éviter les familiarités qui pourraient découler de cette union forcée.

Gilbert, étendu sur le lit, les mains sous la nuque, contemplait sa femme :

– Tu peux attendre pour défaire ta valise. Viens près de moi.

Avec mille efforts pour se retenir de trembler, Célestine resta à sa place.

– Faut que je range mes effets, sinon tout sera froissé.

La voix d'Octave Quentin monta :

– Gilbert, viens nous aider au train.

– Bon, le jour de mon mariage, fit le jeune marié. Plutôt que mettre un habit de voyage, j'aurais mieux fait de d'enfiler ma salopette et mes bottes de grange.

« Quel soulagement ! » pensa Célestine qui imaginait la scène, Gilbert descendant à son bras en salopette de travail.

Elle lui adressa un maigre sourire.

Quand il troqua ses vêtements neufs contre une vieille combinaison de travail, Célestine, mal à l'aise, lui tourna le dos et fit face à la fenêtre. Elle poussa le voilage léger, ouvrit tout grand les battants, et tira les contrevents verts. La pièce devint sombre et reposante. Une brise légère soulevait les rideaux blancs. La nouvelle mariée n'attendait que le départ de son mari pour enlever le corset qui la torturait depuis le matin. Sitôt Gilbert sorti, Célestine verrouilla la porte. Gilbert, à sa demande, avait posé une serrure à l'insu des gens de la maison. Advenant qu'on s'en rende compte, il donnerait comme raison que Célestine avait besoin de repos, vu son état.

La jeune femme s'allongea et laissa errer sa pensée. Ce n'était pas ainsi qu'elle avait imaginé sa vie. Cette maison, cent fois plus belle que celle de ses parents, n'avait pas d'âme et ne deviendrait jamais la sienne.

Le train durerait une bonne heure, Célestine avait juste le temps de dormir un somme. Elle ferma les yeux et imagina la nuit prochaine. Elle aurait voulu être loin de ce mari qu'on lui avait collé comme on colle un timbre sur une enveloppe. Si au moins elle pouvait arrêter de penser. Un frisson la secouait.

Célestine repoussa ses idées noires et tenta de se familiariser avec le décor. La tapisserie à rayures bleues invitait au calme. Au-dessus de la commode, dans un large cadre doré, un Sacré-Cœur veillait sur la pièce. Les Quentin devaient être des gens d'Église, comme ses parents, mais eux n'avaient pas de fille religieuse. Que faisait-elle chez ces étrangers dont les coutumes lui étaient inconnues ? Les événements s'étaient déroulés si vite. Elle s'ennuyait déjà des siens. Et si elle passait ses journées chez ses parents ? Ils habitaient à quelques arpents à peine.

En bas, les portes s'ouvraient et se refermaient sans aucune précaution. Des familles complètes arrivaient. Les voix se mêlaient, le ton montait, les enfants couraient et sautaient dans l'escalier. Le tintamarre des casseroles et de la vaisselle augmentait au fur et à mesure que le souper approchait.

Célestine entendit trois petits coups hésitants et la poignée de porte tournait délicatement.

« Gilbert ! » pensa-t-elle, le train est terminé. Elle tira le verrou et ouvrit la porte sur une petite bonne femme de trois ans.

– Bonjour, Anne. Viens t'asseoir.

Célestine lui présenta une minuscule chaise empaillée, sans doute oubliée derrière la porte de chambre.

La petite brunette ne bougeait pas. Elle traînait par un bras une poupée qui touchait presque le sol. Ses beaux yeux bleus dévisageaient sa belle-sœur et l'accusaient en silence d'intruse. Peut-être le jeune couple était-il installé dans sa chambre ? Célestine essaya de l'apprivoiser :

– Tu veux un bonbon ?

Un éclair dans les yeux, Anne tendit la main, prit le bonbon et referma sa menotte dessus.

– Il y a beaucoup de monde en bas ?

L'enfant fit oui de la tête. Célestine lui demanda de lui nommer les tantes déjà là. La petite ne répondit pas.

– Tu as beaucoup de poupées ?

Anne descendit vitement et revint avec trois. L'intruse les admira et promit de leur confectionner des robes de dentelle.

– Tu sais, quand j'étais petite, j'en avais cinq. Il y en avait une qui s'appelait Léa. C'était ma préférée.

La petite écoutait religieusement et, tout à coup, se sauva tout raconter à sa mère qui trop affairée n'en fit aucun cas.

Gilbert revenait de l'étable. Il ouvrit le robinet du bain et laissa couler l'eau chaude, le temps de monter chercher ses vêtements propres. Il trouva quatre jeunes avec Célestine.

– Il y en a du petit monde ici ! Je vous avais pourtant défendu de venir dans la chambre bleue. Venez en bas, il y a plein de visite. Célestine ira vous retrouver tantôt.

Une odeur de dinde rôtie montait aux chambres. Le souper promettait.

La nouvelle mariée descendit aussitôt. La gêne rougit sa figure. Elle baissa les yeux. Cette grande famille la voyait pour la première fois. Connaissait-elle son état ? Ce mariage précipité ne parlait-il pas de lui-même ?

Madame Quentin, sentant le malaise de Célestine, détourna l'attention :

– Les hommes, allez chercher des madriers au hangar et posez-les sur les chevalets, pour allonger les tables.

Le souper fut succulent. La place nettoyée, les nouveaux mariés ouvrirent la danse par une valse et dès que les danseurs approchèrent, Célestine se rassit. Sa mère lui avait déconseillé de danser pour le bien du bébé, mais Célestine ne se fia qu'à sa fatigue.

Assise près d'elle, sa belle-sœur, Béatrice, essayait d'être aimable. Elle savait qu'une Gauthier n'était pas la bienvenue chez son père et ça l'attristait. À l'école, Célestine et elle n'étaient pas amies. Une rancune tenace faisait barrière entre les deux familles, mais, depuis le matin, elles devenaient presque sœurs et Béatrice s'en réjouissait. Tout bas, elle lui divulgua :

– J'ai une surprise pour toi et je ne peux plus tenir ma langue.

Elle colla sa tête tout près de l'oreille de sa belle-sœur :

– Maman et moi, nous avons ourlé des couches et brodé des petites jaquettes pour le bébé. Tout ça en cachette de papa et des jeunes.

Célestine la remercia tout bas et lui fit un sourire froid.

« Des jaquettes, des couches ! » Célestine s'en fichait éperdument. Cet enfant ne signifiait rien de plus qu'un gâchis. « Et puis, que les Quentin s'en occupent, ce n'est pas moi qui m'en plaindrai. »

Béatrice ajouta :

– Je suis tellement contente que tu viennes habiter ici !

Célestine pensait autrement.

Ce soir-là, elle remercia sa belle-mère qui se démenait tant pour eux. À son beau-père, elle n'adressa pas un mot, pas même un regard.

Avant de se coucher, Gilbert montait les cadeaux à sa chambre, afin de libérer les pièces du bas. Paul et Béatrice l'aidaient. La tablette de la garde-robe était remplie et il en restait encore autant. Ils décidèrent de les mettre sous le lit. Quand tout fut en place, ils se retirèrent. Gilbert resta seul avec Célestine, plus mal à l'aise que jamais.

* * *

Le lendemain, Célestine se leva reconnaissante envers Gilbert du respect qu'il lui avait manifesté au cours de la nuit.

Au déjeuner, il lui avança une chaise et la servit avec empressement.

Son père supportait mal ces égards envers sa nouvelle épouse. Il fit taire les jeunes qui cherchaient à se faire remarquer pour déléguer ses tâches. Il parlait à Gilbert et évitait sa nouvelle bru du regard.

– Arrête tes simagrées et ne t'abaisse pas comme un chien en quête de caresses au pied de son maître. Ici, tout le monde travaille. Je ne vois pas pourquoi une Gauthier ne ferait pas sa part comme les autres.

Célestine, bouche bée, tourna les yeux sur Gilbert. La cuillère qu'il tenait restait suspendue entre son bol et sa bouche. Il ne mangeait plus, prêt à intervenir. Un silence insolite planait dans la pièce. Octave Quentin continua :

— Elle viendra traire les vaches, matin et soir. Et le jour, elle ira labourer et étendre le fumier.

Gilbert prit sa défense :

— Célestine ne pourrait pas plutôt aider dans la maison, comme Béatrice ?

— Elle aidera aussi dans la maison.

Paul regardait son père avec des yeux furieux.

— Voulez-vous que j'aille, moi, s'offrit Béatrice. Célestine pourrait tenir maison à ma place ?

— Toi, mêle-toi de tes affaires. Ici, elle donnera le même rendement que chez les Gauthier. Qu'elle gagne sa pitance. Et ça commence aujourd'hui.

Célestine perdait contenance. D'une main tremblotante, elle poussa ses cheveux, ne sachant plus si elle devait se sauver chez elle ou rester. Que tout le monde prenne sa défense lui donna du courage. Opiniâtre, elle décida de faire face, plutôt que de retourner chez ses parents à chaque anicroche. Chez les Quentin, elle ne vivrait pas de charité. Posant une main ferme sur l'avant-bras de son mari, elle lui demanda d'une voix faible, pour n'être entendue de personne :

— Tu me montreras à conduire le tracteur ?

Gilbert ne répondit pas, mais de son pied droit, il pesa sur celui de Célestine pour lui marquer son appui. Elle comprit son geste.

Après le déjeuner, Célestine monta à sa chambre s'habiller de loques. Elle ne trouvait rien à porter. Béatrice vint à sa rescousse, mais la jeune femme, trop à l'étroit dans la jupe empruntée, étouffait. Humiliée à nouveau, elle la laissa détachée et se couvrit d'un grand gilet. Célestine confia à Gilbert :

— Je suis bien prête à travailler, mais seulement avec toi, jamais seule.

— Tu ne travailleras pas dans ton état.

Elle lui répondit :

— Occupe-toi plutôt de ta mère. As-tu remarqué qu'elle boite depuis sa dégringolade dans l'escalier ?

— Non !

— Elle a reçu toute sa visite sans se plaindre.

— Papa est dur quelquefois.

— Quelquefois ?

Célestine courut vomir. Elle passa de l'eau sur sa figure et s'attaqua à la vaisselle avec Béatrice qui aurait tant aimé que les choses se passent autrement dans la famille. Célestine se rendit ensuite aux bâtiments pour se débarrasser au plus tôt de sa sale besogne.

La porte de l'étable était restée ouverte. Son beau-père, planté debout en plein centre, les deux mains sur l'encadrement de la porte, lui bloquait l'accès. Il la regardait approcher en ricanant.

Célestine ne remarquait que ses bretelles. Elle dévia, faisant mine de ne pas le voir et se rendit près du tracteur où Gilbert l'attendait. Elle grimpa près de lui.

Debout, appuyé sur l'aile, Gilbert lui montra la mise en marche. Ensemble, ils revinrent traire les vaches.

Ce soir-là, dans leur chambre, les jeunes mariés eurent une longue conversation. Gilbert refusait que sa femme exécute un travail d'homme, mais comme Célestine tenait ferme, il reconnut le besoin urgent de trouver un travail ailleurs. Célestine craignait de se réjouir trop tôt. Elle n'aimait pas rester chez les beaux-parents, mais son mari faisait tout son possible et n'avait pas besoin de connaître le profond malaise qu'elle vivait.

* * *

Le dimanche, après la messe, les familles se rassemblaient sur le perron de l'église. Célestine respirait dès qu'elle sortait de chez les Quentin. Tantôt, elle irait dîner chez ses parents.

À quelques pas, elle entendit monsieur Robichaud dire à Octave Quentin :

– Ta petite bru te vaut bien un bon homme !

– Elle ne travaille pas plus que chez son père, répliqua Quentin.

– Oooh, pour ça, oui !

Célestine tira sur Gilbert pour se soustraire aux remarques des deux hommes.

– Viens, nous allons passer au petit magasin acheter quelque chose aux enfants de Julie.

– Avec quel argent ?

– L'argent des cadeaux de mariage, si ça ne te fais rien, comme de raison.

Gilbert avertit ses parents de ne pas les attendre, qu'ils retourneraient aux Continuations avec les Gauthier.

En arrivant à la maison, un va-et-vient inhabituel inquiéta les arrivants.

Julie était étendue par terre. Hélène et Louis, agenouillés près d'elle, lui appliquaient de la glace mais ne parvenaient pas à arrêter son saignement de nez. Un peu à l'écart, ses enfants pleuraient.

Célestine et Gilbert consolèrent les petits rapidement avec les babioles qu'ils venaient d'acheter, pendant que Mathilde, affolée, appelait une ambulance.

Émery éclata en sanglots. Il ne se cachait plus pour pleurer. Lui, si brave, devenait impuissant devant ces attaques sournoises de Julie.

Célestine, bouleversée, aida sa mère au dîner. Mathilde cachait son mal de vivre. Devant ses enfants, elle essayait de taire sa peur continuelle et de faire bonne figure.

Julie se remit de son malaise, mais le médecin avait prédit que d'autres rechutes suivraient, chaque fois de plus en plus proche, et ce, jusqu'à la fin.

XXXV

Le mercredi suivant, Célestine dut rester au lit. Des crampes dans le ventre ne lui laissaient aucun répit. Adossée sur trois oreillers, les bras croisés sur son ventre, elle se plaignait tout bas. Gilbert se précipita dans la cuisine, avertir sa mère.

— Célestine a des saignements et elle se plaint d'un mal de ventre.

— Ce n'est pas normal. J'appelle le médecin. Toi, va retrouver ton père à l'étable. Nous nous arrangerons entre femmes.

Le médecin ne tarda pas. Il entra sans frapper, salua rapidement et demanda à voir madame Gilbert Quentin.

Béatrice l'invita à la suivre. Les quatre jeunes étaient déjà sur le seuil de la porte, regardant comme un spectacle leur belle-sœur qui souffrait. Le médecin entra et leur ferma la porte au nez. Madame Quentin en profita pour faire déjeuner les jeunes et prépara pour l'école ceux qui en avaient l'âge. Quelques minutes plus tard, le docteur se présenta en haut de l'escalier et demanda un contenant d'eau tiède.

Béatrice lui monta un bol à main rempli d'eau.

— Est-ce que ça fera l'affaire docteur ?

— Ça ira, merci !

Célestine continuait de souffrir. Le ton de ses plaintes montait toujours un peu plus fort.

Le médecin lui expliqua ce qui l'attendait :

– Vous ne pourrez pas rendre l'enfant à terme. Mais vous êtes si jeune, vous aurez tout le temps de vous reprendre. Vous avez quel âge ?

Ce que lui racontait le médecin ne la préoccupait guère. Perdre l'enfant, c'était ce qui pouvait lui arriver de mieux.

– Ça va durer encore longtemps docteur ? J'en ai assez !

– Je ne peux pas dire, ce n'est pareil pour personne.

– J'ai si mal.

– Si c'est trop douloureux, je peux vous administrer un calmant.

– Allez-y, n'importe quoi, mais que ça cesse ! Je n'en peux plus.

Le médecin parlait à la jeune femme pour l'aider à tenir le coup. Comme Célestine insistait, il lui fit une injection qui ne la soulagea aucunement, mais l'incommoda plutôt.

Entre chaque douleur, elle devait combattre un sommeil embarrassant, jusqu'à ce qu'apparaisse enfin un paquet de chair qui paraissait difforme aux yeux un peu embrouillés par le calmant de la jeune femme.

Le docteur déposa le fœtus dans l'eau du bol à mains et le baptisa sous condition.

– C'est fini ! Restez couchée sur le dos.

Il descendit le bol et le plaça près de l'évier. Octave Quentin l'emporta avant que les enfants ne le voient. Son père sorti, Gilbert demanda au docteur de regarder le pied de sa mère avant de retourner au village.

— Asseyez-vous et enlevez votre bas. Comment vous êtes-vous blessée ? demanda-t-il.

Le médecin tâta le pied endolori pendant que madame Quentin lui expliquait :

— En voulant aller trop vite, je suis tombée dans l'escalier. Mais je vais me dompter et ralentir un peu.

— Mettez un peu de beurre brûlé, deux fois par jour. Enveloppez-le et ne marchez pas dessus. J'aimerais que vous m'en donniez des nouvelles dans une semaine, quand je repasserai voir votre bru.

Gilbert monta en courant à sa chambre, où il retrouva une Célestine un peu léthargique à cause de l'injection.

— As-tu faim ?

Célestine fit signe que non.

— As-tu mal ?

— Non.

— Tu as besoin de quelque chose ?

Tout bas, la bouche pâteuse, Célestine articulait :

— Dormir…

Gilbert passa la main sur le front humide de sa jeune épouse puis se retira après avoir fermé la porte en douceur derrière lui.

Dans la cuisine, le médecin avisa Gilbert :

— Que votre femme se repose deux ou trois jours, après elle pourra reprendre sa routine.

* * *

Au réveil, Célestine se sentait anéantie. Tous ces événements lui laissaient un goût amer. Elle causa avec Gilbert, assis près d'elle sur le côté du lit.

— Tout est fini. Tu vas me trouver sans-cœur, mais je n'ai même pas de peine. Je suis soulagée.

— Moi, te trouver sans-cœur? Bien non!

— Ton non n'est pas très convaincant. Je sais que je suis une sans-cœur et je me déteste. Je devrais avoir mal, pleurer, non? Rien!

— C'est peut-être mieux ainsi.

— Sans doute, mais avoue que ça nous arrange de penser de même. Tu trouves normal que la perte d'un petit innocent, qui vient de mon ventre, ne m'afflige même pas?

— Tu ne peux rien y changer, Célestine.

Elle sanglota doucement.

— Tu vois que tu as de la peine?

— Oui, mais je pleure parce que j'ai de la peine de ne pas avoir de peine.

Gilbert essayait de comprendre, mais c'était un peu trop compliqué. Il prit sa main dans la sienne et lui demanda:

— Si tu avais su ce qui vient d'arriver, tu ne m'aurais pas marié?

— Sûrement pas!

— On peut dire que tu es franche. En tout cas, maintenant, je t'ai et je te garde. Tu es ma prisonnière.

Elle essuya ses yeux et tourna la tête vers lui.

— Comme dirait papa: «Il faut regarder en avant maintenant.»

Il serra sa main. Célestine la retira doucement.

– Amène-moi chez maman, quelques jours seulement, histoire de me remettre sur pied. Ici, ta mère en a déjà assez avec son entorse et elle s'entête à vouloir aider Béatrice qui ne fournit pas à la tâche.

– Et moi ?

– Tu peux venir aussi.

Gilbert trouvait l'invitation un peu forcée. Il remonta la couverture sous le menton de Célestine.

– J'irai te retrouver le soir, si ça te va. Mais aujourd'hui, tu te reposes. Je monterai tes repas au lit. Demain, seulement, j'irai te reconduire chez ta mère.

Le lendemain, tel que promis, Gilbert l'aida à s'habiller. Il l'assit sur la petite chaise et refit le lit. Jamais Célestine n'avait été aussi entourée de sa vie. Chez elle, avec le travail qui poussait dans le dos, on manquait de temps pour dorloter les enfants, sauf Virginie, la petite dernière, qui avait reçu plus que sa part d'affection.

Comme Célestine sortait de la maison, elle aperçut Fernand, son jeune beau-frère, qui traînait le fœtus par une patte. À bout de bras, il l'exhibait, tel un trophée, en criant :

– Regardez ce que j'ai trouvé sur le tas de fumier.

Célestine le cœur serré hurla :

– Gilbert ! Va lui enlever ça tout de suite.

Dégoutée, les larmes aux yeux, Célestine entra dans la maison et muette comme une carpe, elle monta à sa chambre.

La jeune femme était bouleversée. Pour la première fois, elle voyait un tout petit être avec une tête, des bras et des jambes. Sous l'effet des médicaments, Célestine croyait avoir avorté d'une masse informe ! Tout était flou, indistinct. Si on lui avait expliqué ! Maintenant, elle avait besoin de temps pour assimiler et effacer cette vision insistante qui tracassait sa conscience.

Dans la cour, Gilbert donnait un coup de pied au derrière de Fernand. Le gamin, hébété, jeta un regard inquiet à son grand frère. Il devait avoir fait quelque chose d'assez grave pour que Gilbert soit aussi fâché. Il s'assit sur une marche, le menton dans les mains, à se demander d'où venait ce corps miniature, en vraie chair.

Une heure plus tard, Gilbert montait retrouver sa femme. Il la trouva étendue sur le lit.

— Tu viens chez tes parents ?

— Non !

— Tu as changé d'idée ?

Pas de réponse. Gilbert lui avoua avoir enterré le fœtus au bout du jardin, dans une petite boîte qu'il avait fabriquée lui-même avec des bouts de planches.

— J'ai creusé un trou assez profond pour qu'elle soit à l'abri des labours.

— Merci ! dit-elle.

Qui avait osé jeter sur le tas de fumier ce corps inachevé qu'on avait fait disparaître sans même lui montrer ? Célestine avait bien aperçu quelque chose d'imprécis, mais sans plus. Pourquoi ne l'avait-on pas enterré, enveloppé dans un linge propre ou un papier blanc ? Célestine se sentait rabaissée comme si on l'avait balancée, elle, sans respect, sur le tas de fumier.

Célestine ressentait le besoin de savoir.

— C'est toi ?

– Non !

– C'est qui ?

– Je ne sais pas.

La voix étranglée par un resserrement de la gorge, Célestine ajouta :

– Moi, je crois savoir, grommela-t-elle.

C'était l'œuvre d'Octave Quentin. Elle en était sûre. Jamais de sa stupide de vie, Célestine ne deviendrait une vraie Quentin.

– Essaie d'oublier, lui conseilla Gilbert, et viens mettre ton manteau. Le temps est humide.

Oublier, comme si c'était possible. Célestine refoula sa rage.

Derrière, elle, Gilbert tenait son manteau ouvert et attendait. Elle y glissa lentement les deux bras et l'attacha en marchant devant lui, nonchalante.

Arrivée chez ses parents, Célestine prit place sur le banc, dos à la fenêtre, sa place préférée. Le petit être inachevé la suivait jusque chez elle.

Devant la mine de déterrée de Célestine, Mathilde refréna son envie de parler. La femme se demandait si, finalement, ce n'était pas une permission du Bon Dieu pour empêcher les mauvaises langues de jaser ?

* * *

La santé de Julie tracassait toute la famille. Doris et Réjean ne pouvaient fixer une date pour leur mariage sans risquer de s'adonner en plein deuil. Julie se promenait de la maison à l'hôpital et vice versa. Puis la maladie se mit à progresser plus rapidement. La famille alternait les visites à tour de rôle et on ne la laissait plus seule, sauf quand les infirmières lui donnaient des soins particuliers.

Mathilde fixait les mains froides, vides de sang, que Julie tournait et retournait sans cesse pour les réchauffer. Elle s'approcha du lit, remonta la couverture de laine et caressa les mains décharnées afin de leur communiquer un peu de chaleur.

— Je pense que je m'en retourne, je n'ai plus de force. Tout, même parler, me demande des efforts surhumains.

— Ça va aller mieux avec du repos. Tu sais, avec la jeunesse de son côté, on traverse tous les maux! Sois confiante Julie!

Que pouvait lui dire Mathilde, qui la voyait dépérir? Mais Julie n'était pas dupe.

— Vous savez maman, le pire dans tout ça, c'est de laisser mes enfants. Qui pourra en prendre soin comme moi?

— Voyons Julie, tu penses comme ça parce que tu es faible, quand tu auras repris tes forces, tu verras la vie d'un bien meilleur œil, crois-moi.

Julie sentait sa fin prochaine, et chaque jour, un peu plus, Mathilde mourait aussi.

Deux mois plus tard, à l'hôpital, la mort rôdait. Julie, trop faible, parlait tout bas à sa mère, venue avec Doris et Réjean.

— Maman, je sens ma fin. J'ai peur!

La mère reçut ces paroles comme un coup de poignard en plein cœur.

– Dans toute épreuve Julie, le Bon Dieu est là pour nous aider, comme un bon père et un père n'abandonne jamais ses enfants.

Au pied du lit, Doris serrait le bras de Réjean. Un nœud se formait dans sa gorge.

– Maman, je sors chercher des cafés.

– Pas pour moi. Je n'ai pas soif.

Doris n'en pouvait plus. Les cafés, c'était un moyen que Doris utilisait pour se retirer pour éviter d'éclater devant Julie. Mathilde ne contrôlait plus sa bouche qui se tordait d'une douleur qui lui venait droit du cœur.

La main posée sur l'épaule de Julie, la mère ne bougeait plus.

Doris attendait à l'extérieur de la chambre. La moitié d'elle s'en allait. Réjean entoura ses épaules de son bras. Elle se dégagea doucement.

– Réjean, je t'en prie…

Doris ne pouvait partager sa souffrance, pas même avec lui. Après avoir pleuré un bon coup, Doris essuya ses yeux, se moucha et entra.

Assise tout contre le lit, elle colla sa tête tout près de celle de sa jumelle et tint sa main froide dans la sienne.

– Doris, murmura Julie, tu es la seule qui pourrait s'occuper de mes enfants. Est-ce que je peux te les confier? Te les donner.

– Mais, Julie, il y a Louis! Il est toujours leur père.

– Louis, c'est un homme. Ce n'est pas pareil. Il a son travail.

La détresse de sa sœur, qui cherchait à faire don de ses enfants sur son lit de mort, désemparait Doris.

– T'inquiète pas, Julie. Nous serons là.

– Si, je m'inquiète ! J'ai besoin de savoir. Peux-tu t'en occuper, toi, quand je ne serai plus là ? Il n'y a que toi…

Sa voix baissait. Julie se fatiguait.

Quelle énorme responsabilité ! Deux enfants ! Et il lui fallait répondre tout de suite. Julie n'en avait plus pour longtemps et sa jumelle hésitait. Deux grands yeux creux attendaient sa réponse. Doris n'écouta que son bon cœur et serra la main de Julie.

– Tu peux compter sur moi.

Julie s'éteignit. Son âme s'envola. Son corps sans vie restait là, avec un dernier sourire figé sur les lèvres.

– C'est fini, m'man…

Doris laissa sa main et pressa le bouton. Mathilde pleurait tout bas :

– Pourquoi, mon Dieu, pourquoi ?

Deux infirmières entrèrent en trombe. La plus âgée ferma les yeux de Julie et releva le drap sur sa figure, l'autre s'occupa de la mère éplorée. Doris gémissait :

– Ooooooh, non, non !

Réjean était incapable de regarder le lit où sa belle-sœur venait de rendre l'âme. Il essuya ses yeux et sortit de la pièce.

* * *

Les funérailles terminées, la maison des Gauthier était pleine à craquer. Rosemarie était là avec sa tante Sarah. Elle avait eu une permission spéciale. Sa tante l'accompagnait pour trois jours.

Micheline Dalpé

Dans le va-et-vient dans la maison, Doris, Hélène et Célestine secondaient leur pauvre mère, tellement bouleversée qu'elle n'avançait à rien. Mathilde n'était pas au bout de ses peines.

Un peu avant le départ des religieuses, Émery invita sa sœur Sarah à visiter les bâtiments. Il avait en tête une idée bien arrêtée.

— Des plans pour salir ma robe! rétorqua Sarah

— Attendez, fit Doris, je vais vous arranger ça.

De la machine à coudre, Doris sortit un petit étui blanc. Elle retroussa la longue robe noire et aidée de Rosemarie, épingla tout le bas de la jupe pour la protéger du crottin. Mathilde lui prêta des couvre-chaussures.

En entrant dans l'étable, la religieuse ne put retenir une grimace à l'odeur du fumier.

— Pouah! Je ne me souvenais pas que ça puait tant.

Son frère la fit passer au fenil où elle respira plus à l'aise :

— Ici, au moins, s'exclama la religieuse, ça sent le bon foin. Ça me rappelle quand j'étais petite. Papa demandait mon aide pour mener le cheval sur la grande fourche qui montait le foin dans le grenier de la grange. J'avais toujours peur que la chaîne brise.

Émery lui présenta un banc à vache, puis il sauta dans la charrette vide où il s'assit, les jambes pendantes. Émery raconta à sa sœur le départ forcé de Rosemarie, et l'avisa que celle-ci resterait à la maison. Sarah se voyait surprise et peinée. Elle plaidait inutilement en faveur de la communauté.

Émery la sentait près de s'envenimer. Toutefois, il demeura catégorique.

— Rosemarie ne retournera pas avec toi, sous aucun prétexte. Elle est restée assez longtemps au couvent pour juger elle-même de la vie qu'elle veut mener.

— Tu vas trop vite, Émery. De toute façon, ta fille devra venir chercher ses objets personnels. Elle s'en remettra au jugement de notre mère supérieure.

— Non, quelqu'un ira à sa place ou elle s'en passera. C'est fini, Sarah! Fini!

Désemparée, Sarah ne parlait plus. Si seulement elle avait pu ramener Rosemarie avec elle! En dehors des influences familiales, Sarah l'aurait certainement convaincue de rester en communauté, Rosemarie était une bonne nature.

Au souper, Émery était silencieux. Il n'avait parlé à personne d'autre qu'à Sarah de la lettre du curé. Quand tout le monde serait présent, il se proposait de faire une mise au point, comme il l'avait fait au retour de Célestine.

Comme d'habitude, sans faire de grands discours, Émery fixa les garçons qui parlaient entre eux, il donna un coup menton en l'air et employa un ton sévère.

— Vous deux, taisez-vous!

Tous l'observaient, stupéfaits.

— Rosemarie, tu vas rester ici. Tu ne retourneras pas avec Sarah.

Mathilde sursauta:

— Quoi! Émery Gauthier, qu'est-ce que tu insinues?

Émery répéta d'un ton formel :

– Rosemarie va rester ici. Et que personne n'en parle plus !

Mathilde furieuse, sortit de table et se dirigea vers sa chambre. Plus personne ne parlait, sauf tante Sarah qui semblait vouloir lui jeter un sort :

– Tant pis pour toi, tu seras malheureuse pour le reste de tes jours.

Rosemarie croyait rêver. Elle lâcha un grand soupir de satisfaction. Son cœur se mit à battre à une vitesse folle. On lui donnait enfin la possibilité de vivre ? Les menaces de la tante Sarah ne l'atteignaient plus maintenant.

La petite nonne sortit de table pour éviter cette atmosphère électrisante. Dehors, seule au grand air, elle remettait son cœur en place. Rosemarie qui n'y croyait plus, après neuf années d'attente. Mille fois, elle s'était découragée pour enfin se retrouver chez elle, pour de bon. Vraiment pour de bon !

Sur le perron, elle respira à pleines narines un léger parfum de thym qui émanait du potager. Dans le fossé, une grenouille coassait. Rosemarie tourna la tête pour s'assurer que personne ne la suivait. Elle craignait que sa tante s'acharne à la ramener. Il lui faudrait l'éviter pour les quelques heures qui les séparaient du départ. Son père avait bien fait les choses en réglant les détails au dernier moment.

Rosemarie se dirigea vers la balançoire et s'assit sur la petite planche de bois, sans se donner d'élan. Une paix l'envahit. Elle refoula son envie folle de crier son bonheur, mais la mort de Julie et déception de sa mère affectaient encore trop les siens.

À l'intérieur, le souper devait tirer à sa fin. La vaisselle attendait. Rosemarie se dirigea vers la maison. Près des marches, la religieuse retroussa sa longue robe noire, devenue trop encombrante. Pourquoi ne pas l'enlever immédiatement? Ne représentait-elle pas la discipline, les sacrifices, l'emprisonnement? Revenue dans la cuisine, elle fit signe à Doris de la suivre et monta à sa chambre. Sa mère et tante Sarah parlaient à voix basse. Machinaient-elles encore quelque attrape? Son père avait pourtant tout réglé en trois mots.

— Il y a la vaisselle à laver, maugréa Mathilde mécontente.

— Oui, maman! fit Doris. On revient tout de suite. On s'arrangera sans vous.

Sitôt en haut, Doris réjouie, saisit la main de Rosemarie, la leva bien haute et s'exclama en sourdine:

— Hourra!

Toutes deux riaient.

Rosemarie devait cacher son bonheur. Elle voulait tant le partager. Et voilà que Doris était là qui l'épaulait.

— Doris, aurais-tu une robe à me prêter, que j'enlève ce costume noir?

— Essaie ma jupe écossaise, dit Doris en poussant les supports un à un. Ici, j'ai un chemisier de coton blanc. L'ensemble ferait discret.

— Ça ira. J'ai encore un grand pas à franchir. Ce n'est pas facile d'affronter maman, habillée en laïque.

– Faudra en venir là si tu ne veux pas la porter toute ta vie. Aussi bien agir tout de suite.

Rosemarie donna raison à Doris.

– Descends et commence à enlever la table, je te rejoins tantôt. Rendue en bas, essaie de ne pas me laisser seule dans la cuisine avec maman et tante Sarah.

– Tu as besoin d'une béquille ? demanda Doris d'un ton moqueur. Tu ne vois pas où ça t'a menée, le fait de ne pas t'affirmer ? À l'avenir, il va falloir que tu sois plus déterminée si tu veux obtenir que ce soit dans la vie. Et cesse de vivre uniquement pour maman.

Doris descendit.

Rosemarie enleva son voile et sa cornette. Depuis son entrée en religion, contrairement aux autres religieuses, ses cheveux blonds n'avaient jamais été coupés, parce que Rosemarie aspirait toujours à sortir de communauté. Elle natta dans son dos une longue tresse lâche, couleur tire, qui rejoignait sa taille puis laissa tomber sa lourde robe noire pour les vêtements plus légers.

En remettant le costume de religieuse sur le support Rosemarie étendit toute grande la jupe, à savoir si elle ne pouvait servir à tailler d'autres vêtements. Et puis, non, elle l'avait assez vue. Elle referma la porte de la penderie dessus et descendit faire la vaisselle avec Doris.

Dans sa nouvelle tenue, l'ex-religieuse se sentait impudique.

Arrivée en bas, sa mère et sa tante lui jetèrent un regard réprobateur et détournèrent la tête.

Plus personne ne parlait. On n'entendait que le bruit des assiettes. Doris dit tout bas à sa sœur :

– Mon ensemble te va bien. Tu pourras le garder.

Rosemarie, les lèvres serrées, murmura un merci. C'était le premier bon mot qu'elle entendait, depuis son arrivée.

À son départ en communauté, les jumelles n'avaient que treize ans. Rosemarie n'avait donc pas connu ce qu'était la complicité entre sœurs. Dix ans plus tard, l'écart d'âge entre elle et Doris semblait se rétrécir.

Depuis la mort de Julie, le piano était en deuil. Après avoir avisé les enfants de ne pas l'ouvrir, Mathilde l'avait recouvert d'un grand châle en tissu noir. La radio ne jouait plus, personne ne chantait. C'en était fini des beaux soirs chantants d'autrefois. Les malheurs se succédaient à un rythme effarant. Même l'auto était brisée, tout comme les cœurs.

Rosemarie revenait dans sa famille, quand plus rien n'était comme avant.

XXXVI

Célestine demeurait chez les Quentin depuis huit mois. Le projet de retourner chez ses parents avait toujours été ajourné en raison d'un manque de place. Maintenant, le retour de Rosemarie repoussait encore l'échéance.

Au bout du rang, la jeune femme végétait, solitaire parmi tant de monde, sans joie, sans amour. Si au moins son mari se trouvait un travail. Gilbert n'avait pas le temps de chercher. Sur la ferme, les tâches se bousculaient. Octave Quentin insistait, comptait sur l'aide Gilbert, ou s'amusait bêtement à garder sa bru en captivité. Gilbert remettait à plus tard et Célestine en était rendue à perdre espoir.

* * *

Ce jour-là, Octave Quentin se rendait au bout de la terre réparer quelques travées de barbelés brisées dans la ligne qui délimitait sa ferme de celle de Germain Renaud. Les deux voisins s'étaient entendus pour exécuter le travail ensemble. Ils se partageaient les frais de la clôture.

Dans la maison, Béatrice finissait de repasser. Elle remit à Célestine une pile de vêtements qu'elle lui demanda de monter à sa chambre :

— Donne-moi aussi ceux des enfants, ça t'exemptera un voyage en haut.

Béatrice lui rendit avec un sourire reconnaissant. Les deux belles-sœurs s'entendaient de mieux en mieux.

En haut, Célestine entendit un curieux de bruit. Elle abandonna les vêtements sur le lit, pour courir à la fenêtre. Une auto noire freinait brusquement levant un nuage de poussière devant la grange. Monsieur Renaud débarquait en vitesse et courait vers l'étable.

« Ne devait-il pas réparer la clôture avec le porc ? » pensa Célestine.

Le tracteur des Melançon passait sur le chemin. Monsieur Renaud l'invitait à grands signes désespérés. Normand Melançon se rendit à l'étable.

Que se passait-il ? Sans doute, une bête malade. Célestine traversa en vitesse à la chambre des garçons et ouvrit la fenêtre qui donnait directement sur les bâtiments.

Devant l'étable, monsieur Renaud, pâle comme un mort, s'expliquait par mots et par gestes. Célestine ne parvenait pas à entendre. Le bruit d'un autre tracteur coupait le son. C'étaient les deux Bolduc. On eut dit une exposition de tracteurs, mais la nervosité des hommes semblait plutôt annoncer un malheur.

Tout se passait vite. Gilbert et Paul se précipitèrent sur les bicyclettes et gagnèrent l'allée des vaches qui mène au ruisseau du nord. Monsieur Bolduc, lui, se dirigeait lentement vers la maison.

La jeune femme laissa tomber le voilage et descendit prévenir sa belle-mère.

Monsieur Bolduc était déjà dans la cuisine. Il baragouinait des phrases entrecoupées qui décrivaient un accident. Rien n'était précis. Le voisin semblait sous l'effet d'un choc.

Les enfants, assis sur le banc, derrière la table, semblaient pressentir un drame. Leur tranquillité inquiétante en faisait foi.

Béatrice courut au téléphone appeler une ambulance.

– Il souffre beaucoup ?

– Non ! Il est sans connaissance.

Célestine comprit qu'il s'agissait du porc, mais elle ne questionna pas, à cause de madame Quentin pour qui on semblait prendre une grande précaution. Tôt ou tard, elle saurait bien. « Qu'il meure ! » se dit-elle.

Tout le monde était paralysé par la terrible nouvelle.

Célestine, à son plus calme, prit les rênes.

Dans le passage qui mène à la chambre du bas, elle poussa Béatrice qui n'arrivait guère à téléphoner, elle tremblait en feuilletant l'annuaire. Elle lui enleva des mains. « Qu'il meure ! Qu'il meure donc ! » pensait-elle.

– Donne ! Pas besoin de chercher, le numéro est inscrit sur le téléphone.

Après avoir logé l'appel, elle poussa la marmite de ragoût qui bouillait trop fort sur le poêle. Elle prit le bras de sa belle-mère et la conduisit vers sa chambre :

– Pauvre vous ! Arrêtez de marcher comme ça et venez vous préparer, peut-être serez-vous obligée de vous rendre à l'hôpital tantôt.

« Qu'il meure ! Elle est trop bonne pour lui. »

– Ils en mettent du temps à revenir.

– C'est qu'ils doivent enlever le tracteur de sur lui, fit monsieur Bolduc.

– Quoi !

Madame Quentin était secouée de frissons au point que sa belle-fille crût bon de l'envelopper d'une bonne couverture. Elle grelottait toujours parce que le froid était en dedans.

Célestine la regardait avec pitié. Se pouvait-il qu'elle aime tant ce porc qui l'avait brusquée et humiliée ? Puis elle se prit à souhaiter qu'il reste invalide, cloué à un lit, qu'il souffre, qu'il attende après ceux qu'il avait malmenés pour ses besoins essentiels. « Je sais que c'est mal, mais c'est ainsi que je pense. Qu'il meure donc ! »

De la fenêtre, Béatrice guettait avec impatience l'arrivée de l'ambulance. Deux garçons arrivaient en bicyclette.

– Tes frères, Célestine.

La jeune fille devait être très inquiète de son père pour en oublier Guillaume.

Les Gauthier filèrent au ruisseau du nord, sans entrer saluer leur sœur. Tout le monde savait déjà. La nouvelle s'était répandue comme une traînée de poudre. Les Durocher, les Martin, les Bilodeau étaient venus donner un coup de main. Dans le malheur, tout le monde s'épaulait. Les hommes filaient au bout de la terre et les femmes entraient dans la maison avec des plats préparés.

Célestine proposa aux enfants de s'asseoir dans l'escalier pour laisser le banc et les chaises aux grandes personnes.

Madame Quentin était sur des charbons ardents.

– Pourquoi personne ne vient donner de nouvelles ?

Elle rejeta la couverture et se leva d'un bond.

– J'y vais moi-même.

Monsieur Renaud essaya de l'en empêcher. Il ne fallait surtout pas qu'elle voie le spectacle horrible qu'il avait vu tantôt.

Madame Quentin s'assit sous la pression de son bras.

– L'ambulance arrive ! s'écria Béatrice, soulagée.

Le long véhicule passa tout droit devant la maison et fila au bout de la terre en cahotant dans les ornières. Au retour, il prit une vitesse vertigineuse. À peine un hurlement de sirène et il disparaissait.

Jamais l'allée des vaches n'avait été aussi fréquentée. Plus personne ne courait. Tous ces braves gens arrêtaient à la maison, soit pour se laver les mains, soit pour reprendre leur aplomb. Ils se regardaient silencieux. Personne n'osait révéler la cruelle vérité à madame Quentin. Des larmes roulaient sur ses joues. Elle les essuya du revers de la main.

– Assez de mystère ! Je veux savoir ce qui se passe. Toi, Paul, tu m'amènes à l'hôpital immédiatement.

Paul restait assis sans réagir.

Célestine fit signe à Gilbert de la suivre. Dès qu'ils furent entrés dans leur chambre, il s'assit sur le pied du lit et éclata en sanglots. Quand il put enfin parler, il lui révéla :

– P'pa était déjà mort quand nous sommes arrivés en haut de la terre, Paul et moi. Il avait le ventre ouvert et les intestins sortis.

Gilbert tenait sa tête à deux mains. Toute l'horreur du drame se lisait dans son regard, mais elle ne pouvait sympathiser. Elle était bien, trop bien pour rester là. Elle lâcha un grand soupir qui venait de bien loin.

— Pauvre Gilbert! Viens en bas retrouver les autres.

Elle croyait qu'il serait mieux avec les siens, avec leur chagrin à eux. Il essuya ses yeux et descendit.

Madame Quentin savait maintenant. Plus un son ne sortait de sa bouche, elle ne pleurait plus, mais le désespoir se lisait sur sa figure défaite.

Célestine sentit une paix l'envahir. Toute la peur qui l'étouffait depuis des mois relâchait son étreinte. Elle passa devant ses deux frères et les supplia :

— Occupez-vous de Gilbert, je vais à la maison.

Elle se rendit chez ses parents, où elle entra en trombe, criant d'une voix chantante.

— Le porc est mort!

Mathilde était scandalisée :

— Sapré bon sens, Célestine, ne parle pas comme ça de ton beau-père, et tâche d'avoir un peu de respect pour les morts.

— Surtout, ne m'arrêtez pas, m'man, ça me fait trop de bien, dit-elle en souriant. Du respect? Même le diable ne voudra pas de son âme. Surtout que personne ne se dérange pour lui.

— Nous irons, contrecarra Mathilde. Quand Julie est décédée, ils se sont dérangés, eux.

Mathilde regardait Émery sans ajouter un mot. Célestine détestait-elle tant son beau-père? Pourquoi ce changement subit? Serait-elle sans-cœur au point que la mort de son beau-père ne la touche aucunement, ou pire encore, l'amuse?

— Tu sais, Célestine, j'ai beau essayer de me mettre à ta place, des fois, il m'est impossible de te comprendre.

Sa fille souriait toujours.

– N'essayez pas, m'man !

Émery demeurait songeur devant cette transformation soudaine de Célestine. Il analysait, reculait dans le temps, mais n'en soufflait pas un mot à sa femme. Mille questions restaient en suspend. La bicyclette qui accusait Gilbert semblait déjà une erreur de jugement. Pourquoi cette haine entre Célestine et son beau-père ? Octave Quentin avait-il pu ? Émery fronçait les sourcils. Pas une adolescente. Non, sûrement pas.

Et le doute le reprenait.

« Et si c'était lui ? Des fois, je crois qu'il aurait eu assez de verrat. Si tu as fait ça à ma fille, Octave Quentin, compte-toi chanceux que je n'ai pas le bras assez long pour te rejoindre. »

Ils retrouvaient enfin leur Célestine d'autrefois qui recommençait à sourire, à vivre. C'était un pas de géant pour eux. Le bonheur revenait enfin chez les Gauthier, un peu boiteux, mais quand même là.

* * *

Au salon mortuaire, les proches arrivèrent les premiers. Madame Quentin, les yeux rougis, se recueillait devant la tombe. À ses côtés, Béatrice sanglotait. Célestine, au pied du corps semblait prier aussi, mais ses pensées prenaient une toute autre tournure.

« Bien fait pour toi, porc ! Tu es mort étouffé, comme tu as étouffé Bijou, au même ruisseau où tu m'as démolie. Je te hais tellement que j'irai cracher sur ta tombe ! Que le diable t'emporte. »

Des étrangers faisaient la file. Célestine s'assit et, à Gilbert tout près, elle chuchota :

– Nous allons partir de chez toi et nous installer ailleurs ?

Gilbert trouvait un peu déplacée cette hâte de tout bousculer quand son père, à peine éteint, habitait encore toutes ses pensées.

– Attends ! P'pa parti, faudra trouver quelqu'un pour s'occuper de la ferme. Nous en reparlerons plus tard.

– Mais, c'est tout de suite que je veux en parler !

Gilbert l'ignora.

La jeune femme n'endurait pas d'être laissée pour contre. La mine boudeuse, elle rejoignit ses parents près de la porte. De là, elle vit Gilbert causer avec des filles qui, un an plus tôt, se pâmaient d'amour pour lui. Une graine de jalousie germa dans son cœur. Célestine avait besoin de savoir Gilbert à elle seule. Il se passait quelque chose en elle qui sortait de l'ordinaire, comme si les ressorts de son âme se détendaient. Pourtant, son cœur battait plus vite, comme le soir, au Portage, lorsqu'elle ouvrait toute grande la fenêtre sur ce jeune chanteur ? Pourquoi, au-dessus de la guitare, le visage de Gilbert éclipsait-il celui de Jean-Marc Fortin ? Célestine retrouvait la bouche qui l'avait embrassée en douceur, le soir de la neuvaine quand, assise entre deux barils, elle l'avait repoussé. Maintenant, Gilbert était son mari, sa passion, son bien.

Gilbert la regarda rapidement. Les yeux de Célestine brillaient de désir. Il s'arrêta sur ses joues rondes et sa peau moite. Soudain, il y eut comme un échange de sentiments entre eux. Gilbert sentait un revirement étrange, impénétrable chez sa jeune femme. Il lui fallait feindre son émotion. Il venait de la traiter comme si elle ne méritait aucune considération et maintenant, il ressentait un besoin tendre de lui parler, de l'écouter. Il la rejoignit.

Les gens déambulaient devant eux. Quelqu'un serrait sa main.

Soudain, Célestine s'évanouit. Gilbert eut beau essayer de la retenir, la jeune femme lui coula entre les bras comme une couleuvre et s'affaissa doucement sur le plancher.

On l'entoura. On aspergea sa figure d'eau et Célestine recouvra ses esprits. Dès qu'elle put se tenir sur ses jambes, Gilbert la prit par la taille et l'entraîna à l'extérieur. Il l'installa du mieux qu'il le put sur la banquette avant de l'auto et, avant de démarrer, lui demanda comment elle se sentait.

Célestine lui sourit.

– Amoureuse… Je suis enceinte !

Gilbert se mit à rire d'un rire nerveux. Célestine venait de lui dire qu'elle l'aimait sans qu'il ne lui arrache les mots de la bouche. Que d'émotions ! Il apprenait qu'il serait père au moment le sien venait tout juste de mourir.

Gilbert tenait la tête tournée. Ainsi, Célestine ne pouvait voir son visage. Qu'avait-il à cacher ? Était-ce sa joie, sa peine, ou un mélange des deux ? Elle s'abstint de le questionner.

Gilbert démarra en douceur. Sa Célestine l'aimait. Il posa la main sur la sienne et Célestine ne la retira pas.

FIN

LETTRE DE L'AUTEURE

J'ai vu le jour à Sacré-Cœur, un petit patelin blotti sur le flanc sud de Joliette.

Tout n'est que blancheur. À tel point que même les cheminées semblent cracher de la neige. De coquettes maisons à pignons découpés s'accroupissent sous les toits enneigés que le soleil froid rend éblouissants. Seuls quelques étendoirs, les reins courbés sous leur fardeau, ajoutent des taches de couleurs à ce décor crayeux. Puis les habitations se rapprochent, allant jusqu'à se blottir amoureusement les unes contre les autres.

La rue principale courbe un peu l'échine, s'étire sur toute la longueur du village et va expirer sur un pont à poutres métalliques qui se mire dans la Rivière Rouge. Des rues secondaires y prennent racines et courent en tous sens. Il suffirait d'étendre le bras et la main pourrait les toucher toutes, de l'épicerie du coin à la gare, du bureau de poste à l'école, de la manufacture à l'église.

Les gens disent en souriant pour narguer leur curé que travailler c'est prier et, ils ne savent si bien le dire, ici, le foyer et l'usine à pulpe et papier se confondent. Les lampes veillent très tard. On y vit de nuit comme de jour.

Si vous passez par ici, arrêtez-vous. Écoutez. Quatre fois par jour, le sifflet de l'usine crie le progrès sur tous les toits. Respirez. Les potagers sentent bon la menthe et le romarin. Goûtez l'inexprimable joie d'y vivre. Sous le pont des dalles, les rapides de la Ouareau poussent des soupirs amoureux à la Rouge. Et c'est le coup de foudre. Les belles ondoyantes dandinent des hanches et s'accouplent avant de passer devant l'église.

Venez vous promenez sur les berges, vous toucherez du pied le mystérieux Trou de Fée et la Marmite du Diable.

Sacré-Cœur, c'est une petite paroisse bénie des dieux.

C'est un alliage de force et d'élégance.

Si je devais lui donner un nom, ce serait: La Charmeuse.

Micheline Dalpé

REMERCIEMENTS

Merci à mon professeur Daniel Côté, mais aussi à Suzanne Dalpé, Nelson Tessier, Élise Racette, Luce Crépeau et Monique Lasalle.

Un merci tout spécial à mon mari Irénée Brien pour son support tout au long de ce roman.

Marquis imprimeur inc.

Québec, Canada

2012